EL HOMBRE MÁS PELIGROSO DEL MUNDO

T. D. Allman

El hombre más peligroso del mundo

TENDENCIAS

Argentina - Chile - Colombia - España
Estados Unidos - México - Uruguay - Venezuela

Título original: *Rogue State – America at War with the World*
Editor original: Nation Books, An Imprint of Avalon Publishing Group, New York
Traducción: Martín Rodríguez-Courel Ginzo
Directora de la colección Tendencias: Núria Almiron
Proyecto editorial: Editrends

Aribau, 142, pral., - 08036 Barcelona
www.edicionesurano.com

ISBN: 84-7953-582-2
Depósito legal: B. 40.572 - 2004

Fotocomposición: Ediciones Urano, S. A.
Impreso por Romanyá Valls, S. A. – Verdaguer, 1 – 08760 Capellades (Barcelona)

Impreso en España – *Printed in Spain*

Este libro está dedicado con pasión y respeto a

JOYCE JOHNSON,
gran escritora, amiga incomparable

Y a

PETER CURTIS,
embajador extraordinario, extraordinario *paterfamilias*

Sin olvidar a NEAN STODDART,
que pintó el retrato mientras yo leía a Plutarco.

Índice

Prólogo

El hombre más peligroso del mundo

La vida es una comedia para los que piensan y una tragedia para los que sienten. Es por esto por lo que el espectáculo de la presidencia de George W. Bush hace que quieras reír y llorar al mismo tiempo.

Las razones que nos ha dado para llorar este presidente no electo son tan innumerables como las arenas del desierto iraquí. Ha hecho más para poner en peligro a Estados Unidos que Osama bin Laden y Sadam Husein. Él solo ha desestabilizado un incipiente y frágil orden mundial, ha envenenado alianzas y roto tratados. Ha convencido a sus enemigos de que lo mejor que podían hacer era conseguir armas nucleares, y cuanto antes mejor. Ha convertido a Estados Unidos en el enemigo mundial de la ley y el orden. Mientras George W. Bush habita la Casa Blanca, ningún enemigo de los derechos humanos ni del medio ambiente ni de la capacidad de enfrentarse con realismo y sensatez a los problemas que plantea la vida sobre este planeta está desamparado.

George Bush ha destruido la creencia en la bondad y la sabiduría estadounidenses alimentada por cientos de millones de personas. Gratuitamente, con esa sonrisilla de suficiencia marca de la casa, ha convertido un mundo amistoso en hostil. Los países y personas que otrora veían a Estados Unidos como un protector mundial ahora lo ven como la principal amenaza mundial a los valores humanos civilizados.

Valiosos e importantes aliados sienten un absoluto desprecio por el presidente de Estados Unidos, el mismo que sienten rusos y chinos. Todos los países de África se han opuesto de manera explícita a la invasión de Irak; todos los vecinos de Irak —Kuwait, Arabia Saudí, Jordania, Siria, Turquía, Irán— advirtieron de los catastróficos resultados. Pero George W. Bush, un mediocre estudiante de Yale y Harvard, desprecia la sabiduría. O estás con nosotros o en contra, proclama. Los hechos no importan.

Millares de personas han muerto gracias a la insensatez de George W. Bush. Muchas más perecerán. Más lamentables si cabe son las muertes propias provocadas por la calculada adulación y debilidad de carácter de algunos líderes hacia George W. Bush. Si, por ejemplo, José María Aznar hubiera actuado siguiendo el interés nacional de España ¿cuántas personas podrían seguir vivas hoy y cuánto más respetada sería hoy España en el Mundo? En cambio, este político español optó por ser el Sancho Panza de George W. Bush. Los líderes como Aznar olvidaron que su primer deber tiene que ver con la voluntad de su pueblo, no con los caprichos de un líder extranjero. Al no hacerlo, con su insensato error de cálculo trajeron la desgracia sobre los suyos.

Los líderes más sabios, como Nelson Mandela, fueron más astutos. Tal y como señaló Mandela incluso antes de la invasión de Irak, «el presidente de Estados Unidos no sabe lo que es pensar. Su actitud es una amenaza para la paz mundial.»

En un mundo en el que la tecnología de la muerte está a un clic de ratón, puede que el odio que Bush ha sembrado en innumerables corazones desconocidos sea, antes o después, lo que más daño provoque. Ahora mismo, en muchos lugares —y es razonable suponer que incluso dentro de Estados Unidos— infinidad de chicos inteligentes están, furiosos, haciendo acopio de información en Internet sobre la fisión nuclear y la guerra biológica. En el mundo que conocen, George W. Bush, y no algún terrorista de tez morena, personifica la maldad. Mientras tanto, la gente inteligente se pregunta en todas partes: ¿cómo pueden aguantar los estadounidenses a este hombre tan extraño? Y, para empezar, ¿cómo dejaron que se hiciera con la presidencia?

Cuando Bush tomó posesión del cargo, el mundo era peligroso. Con él, el mundo es mucho más peligroso. Su imprudencia desata el peligro; y su torpe incompetencia lo multiplica. Es un presidente que puede invadir Afganistán; pero, tres años después, sigue sin poder traer a Osama bin Laden, vivo o muerto. El poder de Estados Unidos ha estado en manos de un presidente que invade Irak para librar al mundo de Sadam Husein y de las armas de destrucción masiva, y luego tarda ocho meses en encontrar a Sadam, nunca descubre las armas de destrucción masiva y considera la trampa mortal que ha creado allí para los miembros de la Guardia Nacional estadounidense como una especie de victoria.

Una altiva y obstinada ignorancia cierra el círculo de incompetencia, degeneración ética e imprudencia temeraria. ¿Por qué los agentes de los servicios de «inteligencia» —con sus miles de analistas y presupuestos milmillonarios secretos— fracasaron de forma tan estrepitosa en prever los ataques del 11 de septiembre de 2001? ¿Cómo es que la Administración Bush no previó la catástrofe que se avecinaba en Irak cuando se zambulló tan ciegamente en la guerra? Hans Blix, el astuto y filosófico jefe de los inspectores de la ONU, comentó después que, antes de invadir Irak, la Administración Bush tenía «la certeza absoluta de que Irak poseía armas de destrucción masiva y ni las más remota idea de dónde estaban las mismas.»

Así es George W. Bush: certeza absoluta y ningún conocimiento. Es el presidente que no sabe, que le da igual y que no se preocupa por saber. Esta es la razón de que, incluso ahora, Bush y su pandilla no se pregunten jamás: ¿podría ser que los demás se opusieran a nosotros no porque sean malvados, sino porque estemos equivocados?

Sin embargo, y pese a ser una verdadera vergüenza, cuando uno se para a pensar en ello, hay algo profundamente cómico en la actuación de George W. Bush. ¿Qué no le ve la gracia por ninguna parte? Eso es por dejarse llevar por los sentimientos, y no pensar. Suprimamos nuestras emociones por un instante y dejemos que el intelecto, y sólo el intelecto, estreche entre sus brazos lo que dijo Bush el 1 de mayo de 2003, en el curso de una comparecencia política tan espléndidamente coreografiada como un vídeo de Michael Jackson. Durante su estancia, a expensas del contribuyente, en el portaaviones *USS Abraham Lincoln*, desde la cubierta, George W. Bush proclamó: «Estados Unidos y sus aliados nos hemos impuesto en la batalla de Irak.»

En el mismo discurso, escrito por la Casa Blanca como triunfal apertura de su campaña para las elecciones presidenciales de 2004, Bush también declaró que «las grandes operaciones de combate en Irak han terminado.» Al menos, en eso tenía razón. Dos meses después de que Bush hubiera desafiado al Consejo de Seguridad de Naciones Unidas, a la opinión pública mundial y a la realidad invadiendo Irak, las «grandes operaciones de combate» por supuesto que habían terminado. La fase de goteo de estadounidenses muertos —de patrulla por Bagdad, al volante de los Humvee en el medio rural iraquí— había empezado. La guerra de Irak de videojuego de George Bush había dado paso a la guerra en la que los jóvenes de ambos sexos de la Norteamérica sencilla —con la secundaria concluida la mayoría, pertenecientes, en notable desproporción, a la clase trabajadora negra y latina— eran aporreados en la cabeza, se les disparaba por la espalda y se les dejaba desangrar hasta morir por sus atacantes iraquíes, que, además de jóvenes varones violentos, incluían mujeres; y, en un caso documentando, una niña de doce años.

George W. Bush es el presidente que, mientras ocurre todo esto, permanece tras un estandarte que proclama: MISIÓN CUMPLIDA y anuncia que «Irak es libre». ¿Por qué, entonces, son aniquilados tantos estadounidenses en lo que Bush describe como el «Irak liberado»? «Décadas de mentiras e intimidación no podían hacer que el pueblo iraquí amara a sus opresores y deseara su propia esclavización», proclamó Bush en el portaaviones. Sin embargo, cuando la ocupación estadounidense empezó a encontrar resistencia, dio una explicación diferente. Los «malvados agentes del terror» estaban «haciendo la guerra en la democrática Irak». ¿No se suponía que su invasión tenía que poner fin a todo eso?

George W. Bush y su secretario de Defensa, Donald Rumsfeld, estaban obsesionados con atacar Irak desde el mismo momento que tomaron posesión de sus cargos. ¿Pero cuántos soldados serían necesarios para garantizar que el ataque a Irak tuviera realmente éxito?

Se necesitaría «algo del orden de varios cientos de miles» de soldados de infantería para derrotar a Sadam y, luego, asegurar al país, señaló el antiguo jefe del Estado Mayor del Ejército estadounidense, el general Eric Shinseki. Los acontecimientos de Irak no tardarían en demostrar que esta cifra era correcta. Sin embargo, Rumsfeld —que jamás combatió en una guerra ni patrulló a pie por una ciudad hostil ni pasó ninguna noche en una trinchera— ya había decidido que sabía más que los profesionales. Tan sólo 140.000 soldados, informó a la junta de jefes del Alto Estado Mayor, era el número mágico suficiente para imponer la tranquilidad democrática en Irak y sacar a la luz, al mismo tiempo, a Sadam Husein y a sus armas de destrucción masiva, para exhibirlas a continuación en el desfile de la victoria de la Administración Bush. Mientras los militares que de verdad habían experimentado la realidad de la guerra intentaban mantener el gesto imperturbable, Rumsfeld hizo una nueva predicción aun más delirantemente desafiante con la realidad. Para las Navidades de 2003, anunció, el triunfo de la Administración Bush sobre el mal en Irak sería tan absoluto que la fuerza de ocupación estadounidense quedaría reducida a unos simples 30.000 hombres y mujeres.

Sobre el terreno, los acontecimientos demostraron que, en todo caso, la estimación del general Shinseki sobre el volumen de fuerzas necesario en Irak se había quedado corta. Tal vez ni siquiera medio millón de soldados hubieran podido pacificar Irak. El número de soldados no fue el único error de cálculo de Rumsfeld. Cuando llegó el momento de contar los dólares necesarios para invadir Irak, también le fallaron sus poderes de clarividencia. Rumsfeld y los demás funcionarios de Bush consideraron los costes de la ocupación de Irak como algo secundario, así que se habló de que tan sólo 1.000 millones mensuales serían suficientes para levantar y poner en funcionamiento al «Irak libre»; en cuanto las tropas estadounidenses llegaron a Bagdad, la cantidad para los titulares de los informativos de Bush y Rumsfeld bordeaba los

2.000 millones de dólares mensuales. Como se pudo comprobar, ni siquiera esta gran suma se acercaba a lo necesario para aguantar en Irak, por no hablar de acabar con el caos y la matanza de estadounidenses allí. En un interrogatorio del Congreso, Rumsfeld se vio obligado a admitir que, en realidad, los gastos «aproximados» de Estados Unidos en Irak rondaban los 4.000 millones de dólares mensuales. O lo que es lo mismo, casi 50.000 millones de dólares anuales para mantener una presencia militar estadounidense que no había reportado ninguna paz a los iraquíes ni éxito alguno a Estados Unidos. ¿Cuánto costaría en realidad ganar la guerra de guerrillas que George W. Bush había empezado en Irak? ¿10.000 millones de dólares mensuales? ¿20.000 millones? ¿Y cuántos estadounidenses más tendrían que morir? Mientras el peaje de muertes de estadounidenses iba en aumento, el coste para el contribuyente de Estados Unidos seguía disparándose. 87.000 millones de dólares: esta resultó ser la cifra —provisional y sólo para el primer año siguiente a la invasión— que finalmente se sacó de la chistera George W. Bush.

Otro pequeño detalle vino a sumarse a la lista de imprevisiones. ¿Y todo aquel petróleo iraquí que se suponía tenía que pagar la reconstrucción del país (y hacer multimillonarias a las empresas constructoras estadounidenses, inclusión hecha de la Halliburton Corporation del vicepresidente Cheney)? No fluía. Al secretario de Defensa Rumsfeld, como siempre, la realidad le inquietaba tan poco como a su jefe. En cuanto las fuerzas del libre mercado se hicieran con el control, predijo, todos los males iraquíes —incluidos los asesinatos de estadounidenses— desaparecerían.

Aunque no hay hemorragia de sangre o de dinero en la zona de guerra que conmueva la serenidad virtualmente autística de Rumsfeld, incluso una breve escala en la «vieja Europa» puede ponerlo nervioso, tal y como quedó demostrado en una de sus visitas a la pulcra monarquía constitucional de Bélgica. Para Rumsfeld, los terribles problemas de Mesopotamia devinieron en simples bagatelas ante el espantoso descubrimiento de que aquella diminuta Bélgica fuera tan impertinente como para juzgar a los criminales de guerra extranjeros en sus tribunales. Indignado por que los genocidas, además de los dictadores que hubieran torturado a sus propios pueblos, por no hablar de los autores de guerras de agresión ilegales y no provocadas, pudieran, en determinadas circunstancias, estar sujetos a la jurisdicción de la justicia belga, el secretario de Defensa presentó a sus aliados belgas un ultimátum: enviad al diablo vuestras leyes contra los crímenes de guerra u olvidaros de ver un solo dólar americano para el nuevo cuartel general de la OTAN en Bruselas. Por desgracia para Rumsfeld, su amenaza de desatar la diplomacia del dinero no tuvo tanto peso como el que tuviera otrora... algo así como un veinte por ciento menos. Este era el valor que el una vez todopoderoso dólar estadounidense había perdido en Europa desde que la Administración Bush empezara a ahuyentar a los turistas y a las inversiones extranjeras en Estados Unidos con sus insultos de «con nosotros o en contra».

Cuando Rumsfeld se permitía su perorata antibelga, sólo había dos cuestiones de importancia para un secretario de Defensa estadounidense, y para cualquier ciudadano de ese país: cómo se había metido Estados Unidos en ese lío y cómo iba a salir de él. Pero en lugar de escuchar a los aliados de Estados Unidos, Rumsfeld despotricaba contra los esfuerzos que pretendían evitar los crímenes de guerra, y tenía motivos para ello. En Irak estaban sucediendo cosas terribles cuya última responsabilidad recaía sobre el propio Rumsfeld.

Si las autoridades estadounidenses se hubieran sentado con sus cautivos en Irak y en Guantánamo y les hubieran preguntado «¿Y ahora que hacemos? ¿Alguna idea?», los prisioneros probablemente les habrían proporcionado a sus interrogadores consejos de utilidad. Por el contrario, y con la aprobación de Rumsfeld, las tropas estadounidenses despojaban de sus ropas a los cautivos y, con la ayuda de perros, los humillaban sexualmente. Abu Ghraib nos da la medida de la moral de George W. Bush. También define los valores éticos de aquellos a quien Bush ha colocado en el poder, desde el verbalmente disléxico Donald Rumsfeld hasta la consejera de Seguridad Nacional, Condoleezza Rice, cuyas capacidades analíticas también desatan desconcierto e hilaridad en sus viajes internacionales.

Mientras viaja a lo largo y ancho de este mundo, Condoleezza Rice, la asesora de Seguridad Nacional de Bush, suscita no obstante una clase de irrisión distinta a la de Rumsfeld; la carcajada y la risa burlona contenida que se produce cuando una inteligencia de tercera, irremediablemente convencional, pretende explicar importantes complejidades mundiales a un auditorio integrado por personas más inteligentes, más experimentadas y mucho mejor informadas que ella. Tales situaciones nunca son agradables. El desasosiego alcanza el nivel de bochorno cuando la oradora es una representante del presidente de Estados Unidos e ignora que está haciendo el ridículo.

Tal fue la inquietante situación que se produjo en el Instituto Internacional de Estudios Estratégicos de Londres cuando, poco después de que Rumsfeld se soltara con los belgas, Condoleezza Rice pronunció a los europeos su último discurso sobre como deberían comportarse. En su papel voluntariamente asumido de mamporrera de la alianza occidental, Rice había acusado con anterioridad a los europeos de ser culpables de «contemporización», esto es, de ser el mismo tipo de gente que aprobó la agresividad de Hitler y disculpó los crímenes de los nazis; y, todo, porque disentían de la política de Estados Unidos. En su monólogo, Rice sermoneó a la élite de la política exterior británica sobre los peligros de otra gran amenaza para la seguridad mundial, acerca de la cual, en este caso también, según le parecía, sus anfitriones se mostraban insuficientemente alertas. Esta última amenaza tan evidente para Condoleezza Rice pero, misteriosamente, invisible hasta ese momento para la gente, por lo demás inteligente, del otro lado del Atlántico, no era Sadam. No lo era el hambre, el calentamiento del globo o ni siquiera el combativo islam. Esta vez la amenaza era lo que Rice denominó «multipolaridad».

Durante su exposición Rice comparó las trampas y maldades de la «multipolaridad» —de la que hizo abjurar a su auditorio como si de la peste se tratara— con las bondades y beneficios del «multilateralismo». En su larga y tediosa exégesis, Rice no definió jamás de manera explícita dichos términos, aunque cuando se llegó al turno de preguntas, el significado de los mismos ya estaba claro. La «multipolaridad» era mala porque era un término que les gustaba a los europeos y, por lo tanto, violaba la «Segunda Norma» del manual de instrucciones para la nueva Europa de Bush: «Desbarata siempre cualquier sugerencia de los aliados». Por el contrario, el «multilateralismo» resultaba tremendamente deseable porque, tal y como Rice utilizó el término, consistía en obedecer la «Primera Norma» de la Administración Bush: «Haz exactamente lo que te digamos que hagas, cuando te lo digamos y sea lo que fuere».

«La multipolaridad», advirtió Rice a su distinguido auditorio a modo de conclusión, «nos llevaría de vuelta al Concierto de Europa.» Si hubiera sido un miembro del Parlamento, y se hubiera encontrado en la Cámara de los Comunes, el sermoncillo de Rice habría sido despedido con abucheos. De haber sido una doctoranda de Oxford o Cambridge que defendiera su tesis, los examinadores la habrían desollado viva. Pero dado que Condoleezza Rice era una asesora del presidente de Estados Unidos, reinó el silencio. Al final, un miembro del auditorio le preguntó si pensaba que «el seis por ciento de la población mundial», esto es, los estadounidenses, debería ser siempre el que decidiera lo que convenía al «restante noventa y cuatro por ciento.»

«Queremos el multilateralismo», reiteró la principal confidente sobre la guerra y la paz de George W. Bush, «pero ha de ser un multilateralismo que genere soluciones, no retrasos ni inactividad.» Para todos los presentes excepto para la oradora resultaba ya tristemente evidente que la guerra de Irak no era una «solución». Incluso los taxistas londinenses que pasaban en ese momento por el Instituto Internacional de Estudios Estratégicos comprendían lo que a Rice no se le ocurría: que lejos de proporcionar una solución, la invasión de Irak había generado un nuevo y enorme problema internacional que, a partir de ese momento, iba a atormentar a Oriente Próximo, los Estados Unidos y el resto del mundo durante los años, cuando no las décadas, venideros. Al igual que Rumsfeld, Rice no se limitó a permanecer ajena a esta nueva e inquietante realidad; seguía considerando la falta de apoyo de los demás al ataque de Estados Unidos como el resultado de un problema de carácter, la prueba de la falta de talla moral entre los decadentes europeos. Sencillamente, no se le ocurrió, como tampoco a su presidente, que el que tanta gente disintiera de la política estadounidense pudiera deberse a que tuvieran una mayor comprensión de este gravísimo problema internacional.

Luego están los dos hazmerreíres del equipo cómico de Bush, Richard *El Mago* Perle y Kenneth *Pan Comido* Adelman. Ambos han sido destacados activistas de la política exterior de Estados Unidos desde la década de 1980, cuando actuaron como animadores de la desastrosa Operación Irán-Contra. Fue Perle quien predijo que Sadam Husein y sus secuaces se quedarían en la nada como por arte de magia. «El apoyo a Sadam, incluso dentro de su organización militar, se derrumbará al primer tufillo a pólvora», fue el pronóstico exacto de Perle. Adelman —a quien, adornado con una corbata con la bandera estadounidense, le gusta comparar favorablemente a George W. Bush con Winston Churchill en sus apariciones televisivas— fue uno de los que predijo que conquistar Irak sería como coser y cantar.

Más de un año antes de la invasión de Irak, en el momento en que las dificultades y riesgos de una operación militar tan complicada y peligrosa deberían haber sido debatidos seriamente por gente seria, el *Washington Post* prestó a Adelman las columnas de su editorial. «Creo que demoler el potencial militar de Husein y liberar a Irak será pan comido», escribió.

Incluso aquellos que coincidían con Adelman, lo consideraban un peso ligero en comparación con Rice (lo cual, de ser verdad, lo convertiría, intelectualmente hablando, en más liviano que el hidrógeno). Sin embargo, comparte con el propio George W. Bush —además de con Rice y Rumsfeld—, una capacidad que es muy valorada en el Washington de los titulares de informativos y de la retórica vacía de contraportada de periódico, que no es otra que la habilidad para reaccionar ante la prueba que rebate por completo sus afirmaciones, gritando: ¿Lo ves? ¡Si ya te lo decía yo! ¡Te dije que tenía razón, y esto lo demuestra!

Bush lanzó su invasión de Irak el 19 de marzo de 2003. Para cualquiera que fuera capaz de encender un televisor, a los pocos días resultaba evidente que el gobierno de George W. Bush, tal y como escribió un militar estadounidense, había cometido un «grave error de cálculo estratégico» al no enviar los suficientes soldados. Era una invasión sin suficientes efectivos en el terreno para evitar el saqueo de Bagdad o incluso para dirigir el tráfico, pero lo peor no se hizo esperar. La oportuna huida de Sadam, junto con la búsqueda inútil de las armas de destrucción masiva, comprometería a decenas de miles de soldados estadounidenses desde el principio. Gracias a la resistencia de baja intensidad de acciones relámpago contra los estadounidenses, la fuerza de ocupación jamás sería capaz de pacificar el país. Para el día de los Inocentes [que en Estados Unidos se celebra el 1 de abril] resultaba palmario que los del coser y cantar se habían puesto a bailar en un lodazal. ¿Cuál fue la reacción de Adelman?

«¡Ahora lo sabemos!», se regocijaba el 10 de abril de 2003, después incluso de que Sadam se escabullera de las garras estadounidenses, y las fuerzas iraquíes se reagruparan para la inminente guerra de guerrillas contra la ocupación. ¿Qué es lo que sabíamos? «Siempre dije que sería pan comido», se regocijaba Adelman desde las páginas del *Washington Post* una vez más.

El vicepresidente Dick Cheney también puede descolgarse con algún dicho ingenioso memorable, aunque lo haga con bastante menos frecuencia. En realidad, la última vez fue en 1989; tuvo que ver con el historial militar del futuro vicepresidente o, más bien, con la inexistencia del mismo. Cheney se ha tirado su carrera en Washington promocionando guerras para que vayan a luchar otros. Sin embargo, al igual que Bush y prácticamente todos los asesores más próximos al presidente, con la excepción del secretario de Estado, Colin Powell, evitó combatir en la guerra de Vietnam. De hecho, Cheney, el halcón más encarnizado de la Administración Bush, no ha pasado del tirachinas en la defensa de su patria. Como Adelman y Perle; todos se escaquearon del reclutamiento.

¿Cómo consiguió ingeniárselas el vicepresidente, uno de los principales intrigantes de Washington, para librarse de cualquier clase de servicio militar? Cheney nunca ha contestado a esa pregunta. Sin embargo, en una ocasión, allá en 1989, al ser presionado por el asunto de por qué él —al contrario que los tres millones de estadounidenses de su edad que fueron a Vietnam— jamás había luchado por su país, Cheney aprovechó la ocasión para demostrar que él también, si quería, podía ser gracioso: «En los sesenta tenía otras prioridades distintas a las militares», replicó, como si ser mutilado o morir en Vietnam hubiera constituido la prioridad de alguien.

Al igual que pasa con tantos cómicos, en el interior de George W. Bush parece borbotar constantemente, a menudo derramándose, una fuente de ira. Una especie de furia por no haber sido bien tratado del todo por la vida parece animar su visión del mundo. Aunque sea difícil de imaginar por qué una persona tan privilegiada como él habría de tener tales sentimientos, no se trata de un síndrome infrecuente. Muchos de nosotros hemos conocido al chico rico, al hijo de padre famoso que holgazanea cuanto quiere, se ríe de los empollones y bichos raros y luego, cuando consigue el pleno —las licenciaturas en las mejores universidades, la chica preciosa y el gran trabajo— sigue pensando que es una víctima.

Cualquiera que sea la razón para que su visión del mundo sea tan peculiarmente deficiente, de lo que no cabe ninguna duda es que Bush no es un idiota. Lejos de ser un «cretino», como sugirió sin acierto un funcionario del gobierno canadiense, es ingenioso y posee una mente política llena de recursos. Pensemos, por ejemplo, con qué habilidad utilizó la vileza de Sadam Husein para distraer la atención del hecho de que él mismo se hubiera «ausentado sin permiso» de la verdadera guerra contra el terrorismo. Hasta que distrajo la atención de sus errores en la lucha contra el terrorismo haciendo sonar los tambores de guerra de Irak, estaba empezando a ser evidente que en todos los frentes de la verdadera guerra contra el terror Bush era un perdedor. Incluso su mayor victoria —Afganistán— había resultado ser falsa. Osama, al contrario que Sadam, jamás fue capturado.

Librar una guerra de verdad contra el terrorismo habría exigido sabiduría, no sólo bombas inteligentes, y en Afganistán Bush ni siquiera lo intentó. Se había burlado de la «construcción nacional» en los debates presidenciales de 2000. En ese momento, ni siquiera era un caso de «Dispara ahora y piensa después», sino de «Dispara ahora y empieza otra guerra, de manera que nunca tengamos que pensar.» ¿El resultado? En el mismo instante en que Bush cometía el desatino de castigarse con una guerra de guerrillas en Irak, Afganistán estaba siendo abandonada una vez mas en manos de los caudillos, los productores de heroína y los forajidos políticos.

El problema con Bush no radica en su coeficiente intelectual, sino en su inteligencia emocional, además de con lo que Martin Luther King Jr. habría denominado «el contenido de su carácter». En la naturaleza del temperamento de Bush falta algo, y el temperamento, tal y como observó de manera memorable Oliver Wendell Holmes, resulta más esencial que la inteligencia para alcanzar la gloria como presidente. La mezquindad espiritual de Bush está en el meollo del misterio. ¿Por qué alguien con un pasado tan esplendoroso se rodea de almas oscuras? ¿Por qué ha convertido un mundo que quería ser su colega en uno que ve en él al más desagradable de los presidentes estadounidenses del que se tenga memoria viva, un presidente aun más censurable que Nixon? Él mismo afirma en ocasiones que los ataques del 11-S hicieron inevitable su enfoque agresivo, violento, hostil y victimista del mundo. Desde Pearl Harbor no había ocurrido nada igual, le gusta recordarnos. Se olvida de que después de Pearl Harbor, el presidente Franklin Roosevelt unió Estados Unidos y lo llenó de esperanza, y que se ganó el respeto y el amor del mundo tratando al mundo con amor y respeto.

Por el contrario, George W. Bush ha utilizado el 11-S para dividir y dividir y dividir. Ha convertido su responsabilidad constitucional de defender a Estados Unidos en el más controvertido de todo sus actos. En la presidencia de Bush, el 11-S es utilizado para disculparlo y justificarlo todo, pero no para explicar algo. George W. Bush —y todos aquellos cuyos consejos escoge seguir cuando toma decisiones de vida y muerte— consideraban al mundo y sus posibilidades con sombrío desprecio desde mucho antes del 11-S.

Ningún presidente reciente ha mantenido su yo más íntimo tan alejado del pueblo estadounidense, pero, también en el caso de

Bush, a veces se abren resquicios. Tal cosa ocurrió dos meses después de que anunciara que Estados Unidos se había «impuesto», justo antes de la festividad del 4 de julio. Los estadounidenses estaban viendo todas las noches por televisión morir a otros estadounidenses en Irak. Hay momentos en que Bush descubre que tiene alma —y éste fue uno de ellos—, y hay que ver lo sombría e insensible que resulta ser. La ventana del alma de Bush se abrió cuando le preguntaron por su reacción ante el goteo de estadounidenses muertos en Irak. La respuesta de George W. Bush sobresaltó incluso a algunos republicanos: estaba encantado con esas muertes, se deleitaba con ellas, le llenaban de júbilo. «¡Adelante con ellas!», desafió a los asesinos de estadounidenses.

A los pocos días, se descubrían los cuerpos en descomposición de dos soldados tirados en las afueras de Bagdad. El sargento Gladimir Philippe, de 37 años, era de Roselle, Nueva Jersey, y el soldado raso Kevin Ott, de 27, de Orient, Ohio.

Ott tenía una Harley-Davidson en Ohio. Philippe era hijo de unos inmigrantes haitianos que, representando su propia versión del sueño americano, habían prosperado en los suburbios. La familia de Ott —como suele ser frecuente en el entorno social de norteamericanos anglosajones—, pidió que se les permitiera sufrir en privado. «Por favor, no nos molesten en este momento y muchas gracias por respetar nuestros deseos», le dijo a un periodista la voz que contestó el teléfono de los Ott. En Nueva Jersey, el hermano pequeño de Philippe, Fedlyn, de 16 años, dijo: «Siempre me decía que no me hiciera militar. Me decía que jugara al baloncesto, que me mantuviera firme en mis creencias y que no me preocupara por las chicas, y que me esforzara en el colegio».

Philippe, el haitiano de exótico nombre al que le gustaba ir a jugar a los bolos cuando estaba libre de servicio, había muerto con Ott, el motorista de las afueras de Cleveland cuya familia supo cómo rechazar a la prensa. Gladimir Philippe y Kevin Ott murieron cuando estaban de guardia en una ciudad llamada Balad, situada a unos cuarenta kilómetros al norte de Bagdad. Sus cuerpos fueron encontrados desarmados; el Humvee fue recuperado antes que los cuerpos, en otra localidad.

Las muertes de Philippe y Ott fueron de las primeras cosas que demostraban de manera fehaciente lo que la Administración Bush ha negado reiteradamente: que la invasión de Irak se había basado desde el principio en unos cálculos fantasiosos. Las inquietantes muertes de estadounidenses como Philippe y Ott, que ocurrían por doquier en Irak, no eran, como los funcionarios estadounidenses se obstinaban en asegurar, unos «incidentes aislados». Tales muertes eran las primeras bajas de una guerra que la fuerza de ocupación estadounidense habría estado incapacitada para librar incluso en el caso de que Bush y los que lo rodean hubieran tenido el valor de admitir la realidad, extraordinariamente sombría, que su arrogancia y torpeza habían creado para Estados Unidos en el Medio Oriente.

Gracias a la invasión de Bush, Estados Unidos se enfrentaba ahora a la perspectiva de librar una guerra imperial en la misma tierra que, en definitiva, redujera a cenizas a toda superpotencia que hubiera presumido alguna vez de enarbolar sus pendones a las sombras de Babilonia. Ingleses, franceses, otomanos, Gengis Kan, Alejandro Magno: todos habían llegado, visto y, al final, habían sido vencidos. Hasta qué nivel de falta de preparación la Norteamérica de George W. Bush iba a seguir los pasos de los «civilizadores» occidentales o de las hordas mongolas lo ilustraron las muertes del sargento Philippe y el soldado Ott. Desde un punto de vista histórico, se podría decir que sus muertes fueron inevitables, pero desde el realismo no fueron sino la consecuencia de lo que el derecho penal llamaría una negligencia constitutiva de delito. Si el gobierno de Estados Unidos, en primer lugar, hubiera escuchado las voces de la razón y no hubiera invadido Irak, nunca los habrían matado. Si la Administración Bush, una vez decidida a invadir Irak a cualquier precio, hubiera escuchado las voces de la razón a la hora de evaluar el coste, probablemente tampoco nunca los hubieran matado.

Pero George W. Bush había escogido ser un irresponsable a bajo precio. Así que, poco antes del 4 de julio de 2003, un tipo de Nueva Jersey y otro de Ohio se encontraron solos en un pueblo iraquí que, antes de que llegaran, había sido gobernado por Sadam

Husein durante más de veinte años. Algunos iraquíes se acercarían a ellos y los convencerían para que salieran de su vehículo. ¿Para investigar algo? ¿Para ayudar a alguien?

¿Cómo se los atrajo fuera del Humvee? ¿Por qué no dispararon para defenderse? Jamás lo sabremos. Como pasa siempre con las meteduras de pata de Bush, no había recursos y no habría investigación. Lo que sí sabemos es que si George W. Bush hubiera prestado atención a las estimaciones sobre las fuerzas del Pentágono, en lugar de decidir a través de gente como Rumsfeld, tal vez esos dos ciudadanos estadounidenses jamás se hubieran encontrado solos en un lugar tan peligroso.

¿Había una razón adicional para que muriesen? Alguien que conozca de verdad la guerra por experiencia propia podría especular que, quizás, un error esencial de apreciación provocó que Ott y Philippe malinterpretaran fatalmente la naturaleza del peligro al que se enfrentaban. Uno podría especular —y no dejaría de ser más que una especulación— que murieron porque, al igual que la mayoría de los estadounidenses, creyeron lo que su presidente les había contado de su invasión de Irak: que, siguiendo con el pan comido hasta Bagdad, una población iraquí enardecida y agradecida les daría la bienvenida como liberadores. Ni Bush ni nadie más, inclusión hecha de la prensa libre de Estados Unidos, le había contado a la gente como las familias de Philippe y Ott la verdad, sin ambages ni adornos: «Tus seres queridos están siendo enviados a una aventura demencial. Que dios los ayude».

Todo era mentira. Todo había sido mentira siempre. Y no las mentiras concretas, por ejemplo, sobre las armas de destrucción masiva. La mentira fue todo el falso concepto manipulado y vuelto a manipular por Bush y su camarilla, con tal pericia, que habían convencido a la mayor parte de los estadounidenses —aunque a nadie más— de que la invasión de Irak era, si no absolutamente esencial para la autodefensa de Estados Unidos, sí, sin ninguna duda, algo plausible y deseable que había que hacer.

Ahora que la guerra de goteo estaba en marcha, era el momento de tejer nuevas mentiras; esta vez, sobre quién estaba matando estadounidenses en Irak y por qué. Además de los leales a

Sadam Husein y los «criminales comunes», un portavoz oficial, al ser preguntado por la desaparición de los dos soldados, declaró a Associated Press que los responsables del creciente peaje mortífero de estadounidenses eran «agitadores externos». Aquellas muertes en Irak tenían resonancias de la larga y trágica historia de Oriente Próximo, aunque esta última explicación oficial de por qué se estaban matando estadounidenses procedía directamente del propio pasado de Estados Unidos. Los funcionarios estadounidenses del llamado Sur Profundo también habían responsabilizado a los «agitadores externos» de las marchas por la libertad de la década de 1960, mientras dispersaban a los manifestantes con porras, perros de ataque y cañones de agua.

Fue en reacción a la desaparición de Philippe y Ott, y a una serie de muertes como las suyas, cuando Bush soltó su desafío: «Adelante con ellas». Una vez recuperados, los cuerpos de los dos soldados fueron enviados en avión desde Irak al depósito de cadáveres de la base que el Ejército del Aire norteamericano tiene cerca de Dover, Delaware. Así que la casualidad quiso que el mismo 4 de julio, mientras los dos cadáveres reposaban en una base aérea, George W. Bush perorara sobre los conspiradores en otra. A los norteamericanos, y también a los extranjeros, les gusta pensar en Estados Unidos como en un país nuevo, pero aquel era el duecentésimo vigésimo séptimo 4 de julio. Los estadounidenses llevan celebrando el 4 de julio desde hace ya casi un cuarto de milenio. Gracias a Bush, este «Glorioso Cuatro», como se le denomina a veces, fue distinto a cualquier otro precedente.

Lo que lo hizo diferente fue que por todo el mundo tanto la gente corriente como los dirigentes nacionales estaban preocupados por cuestiones que, hasta hacía poco, jamás se les hubiera ocurrido plantearse: ¿qué más podría hacer Estados Unidos para perturbar y poner en peligro al mundo? ¿Qué se iba a hacer acerca de la amenaza que representaba Estados Unidos? Era el primer 4 de julio en el que se podía decir con toda justicia que Estados Unidos, y no alguna potencia extranjera, era el país más peligroso de la tierra.

Formaba todo parte de la transformación de George W. Bush. Sin advertirlo realmente, todo un país —y no un país cualquiera— había sido arrastrado con la transformación experimentada por George W. Bush en la presidencia. Si se les hubiera preguntado, el 12 de septiembre de 2001 la mayor parte de la gente de cualquier lado habría dicho que Osama bin Laden era el hombre más peligroso del mundo. Pero el 4 de julio de 2003, la mayor parte de la gente de fuera de Estados Unidos habría dado una respuesta diferente, porque podían ver lo que para millones de estadounidenses seguía siendo invisible.

¿Había traicionado Bush la confianza de Estados Unidos o sólo se había aprovechado de la asombrosa indiferencia de la población de este país hacia las realidades del mundo? Fuera como fuese, George W. Bush había desplazado a bin Laden como centro de la ansiedad y los temores del planeta. Se había convertido en el hombre más peligroso del mundo.

SECUESTRADO

1

El augurio

La transformación que George W. Bush ha llevado a cabo de Estados Unidos empezó con un secuestro, aunque no con los del 11 de septiembre de 2001. Los aviones con sus pasajeros, volatilizándose en las Torres Gemelas; las caras de las personas atrapadas en las ventanas, haciéndonos señas antes de morir. Todo eso ocurriría diez meses después. El principal secuestro de la presidencia de Bush ocurrió el 11 de diciembre de 2000. Tuvo lugar en Washington, y los autores esperaron a que se hiciera de noche.

El 11-S quedaría marcado a fuego en la conciencia del mundo por las imágenes de los estadounidenses muriendo transmitidas en directo por la televisión, pero, ¿quién se acuerda del 11-D? Esa fue la fecha en que el presidente del Tribunal Supremo, William Rehnquist, y otros cuatro activistas judiciales republicanos del Tribunal Supremo intervinieron para hacer a George W. Bush, el candidato perdedor de las elecciones a la presidencia del año 2000, presidente de Estados Unidos. No era la primera vez que unos políticos ataviados con togas judiciales habían frustrado la democracia en Estados Unidos. En 1876 —durante la época de los *robber barons*, los capitalistas sin escrúpulos de finales del siglo XIX— el candidato ganador a la presidencia, Samuel Tilden, también fue desposeído de la victoria. El candidato republicano, Rutherford B. Hayes, fue hecho presidente en un atraco partidista al poder, aun cuando había perdido las elecciones.

Tanto las elecciones de Tilden y Hayes como las de Gore y Bush tuvieron lugar el 7 de noviembre. En 1876, como en 2000, las votaciones dejaron repartido de forma muy equitativa el gobierno de Washington. Los republicanos consiguieron el control de la Cámara de Representantes; los demócratas, del Senado. En la carrera presidencial, el candidato demócrata Tilden fue el evidente ganador, consiguiendo el 51 por ciento de los votos frente al 48 por ciento de Hayes. Los titulares de los periódicos proclamaron a Samuel Tilden como siguiente presidente de Estados Unidos. Entonces, por vía telegráfica, llegaron noticias a Washington de que las irregularidades electorales de Florida, Luisiana, Carolina del Sur y Oregon habían creado un conflicto con los votos de esos Estados.

Al principio, los votos en disputa no parecían muy importantes; incluso sin ningún voto electoral añadido de los cuatro Estados impugnados, Tilden ya tenía 185 de los 186 votos electorales necesarios para convertirse en presidente. También estaba claro que, si no todos, Tilden había ganado algunos de los Estados controvertidos. Cualquiera de los votos electorales en litigio, que ascendían a un total de veinte, sería suficiente para asegurarle la victoria en el colegio electoral. En un principio, parecía inconcebible que no fuera a parar a Tilden alguno de los votos electorales en disputa, y que no se formalizara su elección como presidente. Aun así, el total combinado de votos electorales en litigio era suficiente para mantener a Samuel Tilden a falta de un tentador voto para la victoria formal en el colegio electoral.

¿Quién conseguiría los votos electorales en litigio, y quién decidiría quién se los llevaba? Según la Constitución de Estados Unidos, es al Congreso —y no al Tribunal Supremo— a quien le compete resolver las disputas electorales de esta naturaleza. La vía normal para resolver la controversia electoral en 1876, así como en el año 2000, habría sido que el Congreso, y no un juez del Tribunal Supremo, decidiera quien había sido realmente el ganador en cada uno de los cuatro Estados en discusión, y luego haber atribuido los votos electorales de los Estados en consonancia. Pero la de 1870 era una época de grandes cigarros y clientelismo político.

En lugar de tomar las riendas del asunto, el Congreso ideó una ingeniosa manera de quitarse el muerto de encima, y no tardó en sacarse de la manga una comisión electoral que se responsabilizara de resolver las disputas electorales. Luego, esta comisión se dedicó a no hacer nada, y semanas, meses después, seguía sin haber resolución. Unas elecciones presidenciales que no habían parecido especialmente reñidas se estaban convirtiendo en una crisis institucional. Cada vez era mayor el riesgo de que, llegado el día de la investidura, no hubiera presidente que investir; o, peor aun, que los dos hombres se presentaran en la ceremonia de investidura en Washington exigiendo cada uno que se le tomara juramento como presidente de Estados Unidos.

Ante la incredulidad del país, la incapacidad del Congreso para resolver un puñado de votos controvertidos se convirtió en la peor crisis institucional relacionada con la elección de un presidente desde 1800. En aquellas fechas, un empate no deliberado en el colegio electoral casi había provocado que un inestable Aaron Burr, y no el reverendo Thomas Jefferson, fuera elegido presidente. Al producirse apenas acabada la guerra civil, el empate entre Tilden y Hayes conllevaba el riesgo de desatar una crisis nacional aun mayor. Hubo quien predijo incluso el estallido de una nueva guerra civil.

¿Por qué la comisión electoral no hizo sencillamente su trabajo y, al estilo de una comisión de investigación imparcial, se aseguró de que cada candidato recibiera los votos electorales a los que tenía derecho? Los partidismos, lisa y llanamente, proporcionan la respuesta. El número de miembros de la recién creada comisión electoral, un organismo extraconstitucional único en la historia de Estados Unidos, había sido repartido a partes iguales, siete y siete, entre republicanos y demócratas, que los cubrieron con hombres del partido. Cómo políticos que eran, ninguno de los nombrados tenía intención de cambiar su ascenso en el partido por un lugar en la historia dejando que los votos electorales reales, y no la lealtad partidista, decidieran la orientación de su voto. El resultado fue que el empate entre los partidarios republicanos de Hayes y los demócratas de Tilden era consubstancial a la comisión electoral.

Dentro de ésta, la responsabilidad estaba difuminada más allá, al estar los miembros divididos a partes iguales, además de entre demócratas y republicanos, entre senadores y diputados. Pero la cantinflada no paró aquí. El Congreso también había nombrado a cuatro magistrados del Tribunal Supremo —dos republicanos y dos demócratas— para que integraran este organismo congresual encargado de ejercer lo que era una competencia del Congreso. Este movimiento harto discutible repartió aun más la responsabilidad política y alimentó el atasco político de la comisión.

A su vez, los cuatro magistrados estaban encargados de escoger en el mismo Tribunal Supremo a un quinto juez, supuestamente no partidista, que, integrando la comisión, proporcionara un decimoquinto voto que rompiera el empate. Aquí fue donde entró en escena el magistrado Joseph P. Bradley para convertirse en el primer ciudadano de la historia de Estados Unidos en escoger él solo al presidente. Tras una serie de irregulares intentos de seleccionar al decimoquinto miembro, fue Bradley el nombrado para ser el crucial miembro de la comisión que rompiera el empate.

Aunque republicano, el hasta entonces desconocido juez Bradley había sido escogido, al contrario que los restantes catorce miembros de la comisión electoral, por la supuesta imparcialidad que aportaría a la responsabilidad histórica única a la que en ese momento se enfrentaba. Al contrario que los otros, se suponía que no era miembro de ningún partido, que era independiente y justo.

A medida que la crisis se agravó, la controversia, como ocurre tan a menudo en política, se había desviado de la cuestión original —¿quién ha ganado la presidencia?— hacia un asunto que favorecía el salirse por la tangente: ¿qué potestades tiene la comisión electoral en cualquier caso? El Congreso se había escabullido también en esta materia, al transferir a la comisión sus «potestades, si las tuviera», para resolver la disputa. La incapacidad para definir las potestades de la comisión electoral abrió la vía para que los republicanos plantearan un ingenioso argumento. La comisión electoral, declararon, no tiene potestad para arbitrar la disputa electoral para cuya resolución fue creada de manera específica.

¿Por qué crear una comisión para resolver una disputa electoral sin potestad para resolver esa disputa electoral? ¿No había sido el único fin de la creación de la comisión electoral decidir qué candidato había ganado las elecciones y quién, por lo tanto, tenía derecho a los votos electorales en litigio? Los republicanos no dieron respuesta a estas preguntas; se limitaron a seguir argumentando que la comisión carecía de potestad para decidir sobre las disputas electorales de los cuatro Estados impugnados. Puesto que en éstos eran los demócratas los que impugnaban la decisión de los funcionarios estatales republicanos de atribuirle los votos al candidato republicano, ello significaba que, si prevalecía la argumentación republicana, todos y cada uno de los veinte votos en litigio irían a Rutherford B. Hayes. Sin embargo, como todos sabían —incluidos los republicanos—, Hayes no había ganado el voto en todos los cuatro Estados; incluso era posible que no hubiera ganado en ninguno. Si embargo, por más que se contasen los votos —mientras se contasen con honestidad—, el ganador era siempre Tilden, bien en el voto popular, el cual los republicanos ni siquiera ponían en entredicho, bien en el electoral. Negarle la presidencia, y hacer presidente al republicano perdedor Hayes, vendría a ser lo mismo que un golpe de Estado.

La genialidad de la argumentación republicana es que convertía la voluntad del pueblo estadounidenses, así como la orientación de su voto, en irrelevante; y, de paso, acababa con los derechos de la libertad política garantizada por la Constitución de Estados Unidos. Lo único que importaba, argüían, era que la comisión electoral no tenía potestad para investigar si había habido o no fraude en las votaciones. Puesto que la comisión electoral, según los republicanos, no tenía derecho a cuestionar las decisiones de los funcionarios del Estado —con independencia de lo sospechosos y prevaricadores que fuesen—, aunque eso supusiera contradecir la voluntad popular, debía permitirse que se mantuviera la decisión, justificada o no, de los funcionarios locales de atribuir los votos electorales a Hayes y hacer al perdedor de unas elecciones libres presidente de Estados Unidos.

Por su parte, los demócratas adoptaron una postura parecida a la que volverían a tomar 124 años después en Florida en representación de Al Gore. Argumentaron que la labor de la comisión era averiguar qué candidato había ganado realmente las elecciones, y no sólo autorizar los votos electorales de los Estados en disputa.

Los republicanos replicaron con un argumento que incluso le cortó la respiración a alguno de ellos y que hizo enrojecer a los demás. Cualquier intento de garantizar que al candidato que había obtenido la mayoría de los votos en los Estados en disputa se le fuera a conceder realmente los votos electorales de estos Estados, era de todo punto inaceptable, proclamaron los republicanos pro Hayes. ¿Por qué? Comprobar que los votos de un Estado concreto habían sido computados con honestidad, declararon, «invadiría» la soberanía de dicho Estado... Como si el gobierno federal de Washington, bajo un presidente republicano, Abraham Lincoln, no hubiera invadido ya la soberanía de los Estados del Sur durante la recién acabada guerra civil.

¿Aceptaría el juez Bradley el razonamiento republicano a pesar de las motivaciones a todas luces partidistas? ¿O, por el contrario, decidiría que el deber de la comisión electoral era, como su nombre y las circunstancias de su creación implicaban sin ningún género de duda, asegurar que los votos electorales impugnados fueran tabulados con honradez?

Desde un punto de vista político, Bradley era republicano, pero la clase de activista republicano cuyos principios, de haber sido fiel a ellos, le habrían conducido de manera lógica a tomar una serie de decisiones que, casi con absoluta certeza, habrían dado como resultado que Tilden el demócrata, y no Hayes el republicano, se convirtiera en presidente. A la sazón, las posiciones de los dos partidos principales eran prácticamente las contrarias de las que son ahora por lo que hacía a la idea del poder federal. Los republicanos eran el partido del «gran Estado»; los demócratas, los que se oponían a la injerencia de Washington. El mismo Bradley había sido nombrado juez del Tribunal Supremo en el entendimiento de que defendería el poder del Estado federal en las cuestiones económicas.

Podía suponerse que un juez del Tribunal Supremo filosóficamente comprometido con el principio de que era el Estado federal quien tenía la potestad para decidir cuánto dinero se utilizaba en cada Estado de la Unión, también apoyaría el principio de que ese mismo Estado federal tenía la potestad para asegurar que su funcionario más poderoso —el presidente— fuera elegido con imparcialidad en cada Estado miembro. También se esperaba de Bradley que, como única persona capaz de romper el empate presidencial, ejerciera sus responsabilidades con probidad, dignidad y sabiduría. En vez de eso, al encontrarse en el eje central de una de las mayores crisis constitucionales de la historia de Estados Unidos, optó por comportarse como si se tratara de un conflicto de clientelismos.

En el meollo de lo que ya se había convertido en una grave crisis nacional, yacían las mismas preguntas que en el 2000, durante la controversia Gore-Bush sobre los votos electorales de Florida; y, de la misma manera, también las manipulaciones políticas tendían a oscurecerlas: ¿A quién habían votado de verdad los estadounidenses? Tilden, como ya sabían todos a esas alturas, había ganado sin duda alguna las elecciones a nivel nacional por el pequeño, aunque claro, margen de 250.000 votos. Una investigación imparcial de la votación de los cuatro Estados en litigio habría determinado de inmediato en cuál de los cuatro había ganado Tilden, y cuál, de haber alguno, había ido para Hayes. Pero puesto que nadie, ni siquiera los republicanos, dudaba de que Tilden hubiera ganado en, al menos, uno de aquellos Estados, y puesto que el candidato demócrata necesitaba sólo un voto electoral más para conseguir la mayoría en el colegio electoral, tampoco había ninguna duda de que era a Tilden a quien le correspondía el derecho de ser el siguiente presidente de Estados Unidos.

¿Y qué pasaba con Rutherford B. Hayes, el candidato que acabó siendo realmente presidente? Pues que había que encontrar una manera de otorgarle todos los votos electorales de los cuatro Estados impugnados, con independencia de cuál hubiera sido la voluntad popular de aquellos Estados. Y el juez Bradley proporcionó el medio. Después de todo, lo único que de verdad era necesario para convertir al perdedor de las elecciones presidenciales de Estados Unidos de 1876 en ganador era que la comisión electoral otorgara, con o sin derecho a ellos, todos y cada uno de los votos en disputa a Hayes, el republicano. Y todo lo que hubo que hacer fue que el juez Bradley traicionara el principio democrático y la ética judicial, además de los principios de su propio Partido Republicano. Lo cual hizo, no una vez, sino cuatro, rompiendo el empate en cada una de las votaciones de la comisión (8-7, 8-7, 8-7 y 8-7), para dar los votos electorales de los cuatro Estados al hombre que había llegado en segundo lugar en la carrera presidencial. Lo que aumentó el escándalo fue que, para justificar su partidismo, los republicanos utilizaran una y otra vez el mismo argumento que los Estados esclavistas para justificar su rebelión contra el gobierno de Estados Unidos durante la guerra civil. Comprobar que los votos de los estadounidenses eran recontados con honestidad, afirmaron en el mismo momento en que secuestraban la presidencia, violaría la soberanía de los Estados; algo que los republicanos habían considerado su deber hacer con las bayonetas y los cañones sólo once años antes para que «el gobierno del pueblo, por el pueblo y para el pueblo no desaparezca de la Tierra.»

Aunque los historiadores, políticos y profesores de educación cívica siempre le han quitado importancia al hecho, la consecuencia fue una violación de la Constitución de Estados Unidos, sobre todo de la decimotercera, decimocuarta y decimoquinta enmiendas, a la sazón recién promulgadas, que prohibían de manera específica que los Estados violaran «privilegios e inmunidades de los ciudadanos de Estados Unidos», inclusión hecha tanto de su derecho al voto como del que les asiste para que éste sea recontado con honestidad. La investidura de Hayes como presidente también fue una traición a los principios por los que cientos de miles de estadounidenses, incluyendo al primer presidente de la República, Abraham Lincoln, encontraron la muerte durante la guerra civil.

Pero aun había otro paralelismo con el futuro. Al igual que con la investidura en el 2000 de George W. Bush como presidente, la de Rutherford B. Hayes en 1876 resultó desastrosa para Estados Unidos. Marcó el comienzo de una época de dominación política racista en el Sur que deformaría la vida nacional durante generaciones, al tiempo que señalaba la definitiva transformación de los republicanos: de ser el partido de reforma e igualdad de Lincoln pasaba a ser el partido de los intereses de los grupos de presión privilegiados; el partido cuyo corazón, al final, siempre pertenecería a los Howard Taft y no a los Teddy Roosevelt, a los magnates y grandes patrocinadores, a aquellos que hoy llamamos «grupos de presión». Los estadounidenses siguen viviendo de innumerables y casi inadvertidas maneras las consecuencias de la traición a la democracia que siguieron a la elección presidencial de 1876, de la misma manera que vivirán con las consecuencias de la elección de 2000 mucho después de que George W. Bush se haya unido a Rutherford B. Hayes en la lista de presidentes fallidos y olvidados de Estados Unidos.

2

La elección de Renchburg

El presidente del Tribunal Supremo William Rehnquist fue el Joseph Bradley de las elecciones presidenciales de 2000. Un diligente presidente de tribunal, fiel a sus obligaciones como guardián supremo de los derechos del pueblo estadounidense, habría garantizado el recuento honesto de los votos del pueblo. En su lugar, y utilizando al Tribunal Supremo como herramienta política del Partido Republicano, Rehnquist fue el artífice de un golpe de Estado judicial.

Gracias a Rehnquist, un agente político del Partido Republicano, nombrado miembro del Tribunal Supremo originariamente por Richard Nixon, los intentos por averiguar qué candidato había ganado de verdad en Florida fueron cortados en seco. Jamás se produjo un verdadero recuento; incluso el recuento parcial que había autorizado el Tribunal Superior de Florida fue detenido por órdenes de Rehnquist desde Washington. Él y otros activistas republicanos del Tribunal Supremo se limitaron a otorgar los votos electorales de Florida, y con ellos la presidencia de Estados Unidos, al perdedor de la carrera presidencial de 2000, George W. Bush. ¿Cómo podía un presidente del Tribunal Supremo desdeñar de esa manera el derecho de los estadounidenses a elegir su presidente? El mismo Rehnquist explicó la razón.

«La Constitución federal no reconoce al ciudadano individual el derecho a votar a los electores del presidente de Estados Unidos», declaró. Esta fue la declaración más desgraciada del presidente de un tribunal de justicia desde 1896, cuando el presidente del Tribunal Supremo Melville W. Fuller, en un famoso caso conocido como *Plessey contra Ferguson*, resolvió que la segregación racial no violaba las enmiendas decimocuarta, decimoquinta y decimosexta de la Constitución. En su descaro, el desprecio de Rehnquist hacia el derecho más fundamental de una democracia, el derecho al voto, ilustraba un aspecto que los estadounidenses suelen olvidar: que han sido tantos los mediocres, los truhanes y los cretinos que han poblado los estrados del Tribunal Supremo de Estados Unidos como los que han mancillado el suelo del Senado y deshonrado los lavabos de la Cámara de Representantes.

Algunos estadounidenses siguen sosteniendo que no hay ninguna diferencia entre un presidente republicano y otro demócrata. La usurpación de la democracia estadounidense llevada a cabo por Rehnquist demuestra lo contrario. Estados Unidos no sólo podía haber tenido un presidente distinto, sino que hoy podría ser un país diferente si un presidente republicano (Nixon) no hubiera nombrado miembro del Tribunal Supremo a Rehnquist, un segundo presidente republicano (Reagan) no lo hubiera hecho presidente del tribunal, y un tercer presidente republicano (George W. Bush) no hubiera sido puesto en el cargo gracias a Rehnquist. La utilización del Tribunal Supremo por Rehnquist con fines partidistas constituye una de las mayores artimañas judiciales de la historia de Estados Unidos; y también el último chanchullo de Richard Nixon. Tal y como demostró Rehnquist, la táctica de «ganar a cualquier precio» y la práctica de la lista negra de Nixon no habían sido desterradas del sistema político estadounidense en 1974, cuando Nixon dimitió para evitar el *impeachment* [el procesamiento por la comisión de delitos en el desempeño del cargo]. Como células durmientes, habían estado acechando en el Tribunal Supremo. Con la excepción de que, esta vez, lo robado no serían sólo unos simples documentos políticos; se trataba de la presidencia de Estados Unidos.

Hasta ser nombrado miembro del Tribunal Supremo, Rehnquist había sido una nulidad en asuntos nacionales. El que de manera inesperada le tocara en suerte un cargo tan alto fue consecuencia de la «estrategia del Sur» de Nixon para atraer a los votantes blancos enfurecidos por la integración racial y los graves problemas sociales que se desataron a raíz de la decisión del Tribunal Supremo, en 1954, de acabar con la segregación en los colegios públicos. Atraer a tales votantes fue la clave para el importantísimo e histórico avance que transformó el Partido Republicano y su permanente minoría en un partido que, por las buenas y por las malas, para cuando George W. Bush fue hecho presidente, había conseguido controlar las dos cámaras del congreso además del Tribunal Supremo. La clave para este cambio de fortuna republicano radicó en la consecución de los votos blancos en lugares —en especial en los antiguos Estados confederados del Sur Profundo— donde los republicanos no habían ganado las elecciones desde los días de Hayes y Tilden. En parte, precisamente, debido a que los republicanos habían robado la presidencia en 1876, los demócratas ganaron en los Estados del Sur Profundo en todas las elecciones durante los siguientes ochenta y ocho años. Entonces, en 1964, el candidato republicano a presidente, Barry Goldwater, puso la política estadounidense patas arriba. Goldwater barrió en el Sur Profundo; mientras perdía en el resto del país, excepción hecha de su Arizona natal.

La derrota de Goldwater dejó al descubierto las líneas maestras de una estrategia ganadora para los futuros candidatos republicanos. Si eran capaces de orquestar su llamamiento político de manera que siguieran barriendo en el Sur, mientras volvían a ganar también en los Estados del resto del país en los que normalmente lo hacían, podrían convertirse en el nuevo partido mayoritario de la nación.

Primero bajo Nixon, y luego, con absoluta maestría, bajo Ronald Reagan, los republicanos cambiaron con habilidad de papeles. De manera deliberada, y como parte de una estrategia bien ejecutada, se transformaron en el partido de los temores y el resentimiento, aunque no del bienestar económico y social, de los blancos sudistas de clase media y trabajadora; se convirtieron en lo que habían sido, antaño, demócratas y «dixiécratas» [de Dixie, nombre genérico de los Estados del Sur], el partido de la supremacía blanca. Sin embargo, tanto la nomenclatura como los tiempos han cambiado. La explotación explícita de una raza odiada ya no se permite; para tener éxito, este llamamiento republicano a lo que ya no podía ser llamado abiertamente el voto «anti-negro» tenía que ser tan discreto como calculado. En 1980, por ejemplo, Ronald Reagan podía haber iniciado su campaña presidencial en cualquier parte, y California habría sido la elección evidente. En cambio, emprendió su carrera a la presidencia en Filadelfia, Mississippi, donde en 1964 los racistas blancos habían asesinado a tres activistas por los derechos civiles —«unos agitadores externos»— del Norte. Mediante la simple omisión de condena de los crímenes del odio racial durante su visita a ciudad tan significada, dio a los votantes racialmente motivados la señal que necesitaban. Ese noviembre, los sureños blancos rechazaron abrumadoramente a Jimmy Carter, un sureño blanco, y votaron al actor de cine hollywoodense nacido en Illinois.

Cuando Nixon lo nombró miembro del Tribunal Supremo, William Rehnquist no era precisamente uno de los 5.000 magistrados más ilustres de Estados Unidos. Nixon ni siquiera conocía el nombre de Rehnquist y, cuando lo nombró miembro del Tribunal Supremo, no paró de llamar «Renchburg» al que llegaría a ser presidente del tribunal. Todo era parte de la política de Nixon para convertir a los demócratas y dixiécratas seguidores de los «derechos de los Estados» —esto es, de la supremacía blanca— en votantes republicanos degradando al Tribunal Supremo.

Como George W. Bush y su pandilla más tarde, Rehnquist estaba catalogado como conservador, pero tal y como su injerencia partidista en la elección de 2000 demostró, nunca fue el «intérprete estricto» que los propagandistas republicanos pretendían hacernos creer. Ni tampoco fue uno de los grandes presidentes activistas en la tradición, que se remontaba desde Earl Warren a John Marshall, de utilizar el Tribunal Supremo para ampliar los derechos y libertades de los estadounidenses. Por el contrario, Rehnquist era el arquetipo de la versión más sórdida, banal y extravagante de la justicia del Tribunal Supremo.

La escala de valores de Rehnquist también discurrió en sus orígenes por senderos contrapuestos a los de los temas preponderantes —mayor igualdad y más oportunidades para todos los estadounidenses— de la época, como demostró en 1952, cuando, recién salido de la facultad de derecho, consiguió un trabajo en Washington como pasante de Robert Jackson, un magistrado adjunto al Tribunal Supremo. Aun cuando allá por la década de 1890 aprobara la segregación racial, el Tribunal Supremo había declarado el principio de que todos los ciudadanos de Estados Unidos, cualquiera que fuera su raza o color, debían ser iguales ante la ley. Si un Estado excluía a los negros de los colegios de blancos, falló el máximo órgano jurisdiccional en *Plessey contra Ferguson*, tenía que proporcionar unas instalaciones educativas «separadas pero iguales» para la que, a la sazón, era llamada gente de color. Durante más de cincuenta años, esta doctrina proporcionó la base para la restricción de los derechos de los estadounidenses negros en todos los aspectos de la vida, desde la admisión en los cines hasta en las salas de urgencia de los hospitales. Pero incluso para la moral teñida de racismo de la época, estas restricciones seguían siendo manifiestamente inconstitucionales, porque el «igual» en aquel sistema de separación racial del «separadas pero iguales» fue siempre una mentira. Sólo había que observar los urinarios «de color», los vagones de ferrocarril «de color», por no hablar de los hospitales y colegios «de color», para darse cuenta de que las instalaciones que se obligaba a utilizar a los negros siempre eran inferiores, mientras que las reservadas a los blancos, de las que estaban excluidos los negros, eran invariablemente superiores. Como el propio Tribunal Supremo terminaría por decretar cuando repudió la sentencia de Fuller, el «separadas pero iguales» era intrínsecamente desigual, de ahí que fuera una violación de la Constitución y, por lo tanto, ilegal desde sus orígenes.

Rehnquist —que había alcanzado la mayoría de edad durante la II Guerra Mundial— estaba empezando su carrera jurídica a principios de la década de 1950. A la mayoría de estadounidenses de su generación aquella añeja sentencia de 1896, por la que el Tribunal Supremo legalizaba la segregación racial, les parecía una vergonzosa herencia de un tiempo pasado. Entre los abogados y jueces fue surgiendo la opinión generalizada de que había llegado el momento de que el Tribunal Supremo acabara con el sistema de discriminación racial que el propio tribunal había creado.

«Soy consciente de que es una posición impopular y antihumanitaria por la que he sido vilipendiado por mis colegas "liberales", pero debería volverse a ratificar la sentencia de *Plessey contra Ferguson*», escribía Rehnquist en 1952 mientras trabajaba para el magistrado del Tribunal Supremo Jackson. También abogó por que se impidiera votar a los negros estadounidenses en las elecciones primarias. Puesto que, a la sazón, en la mayoría de los Estados del Sur las elecciones primarias eran las que determinaban quién era realmente elegido gobernador o quién tenía que ir al Congreso, excluir a los negros equivalía a negarles el derecho al voto, una flagrante violación de la decimocuarta enmienda de la Constitución de Estados Unidos. ¿Y que razones legales esgrimía Rehnquist para semejante abreviación descarada de los derechos democráticos? «A los blancos del sur no les gusta la gente de color», escribió, como si el odio racial fuera un as que «matara» a la Constitución cuando de decidir quién votaba se tratase.

Rehnquist siguió combatiendo la igualdad de las razas ante la ley. En 1964, inició una campaña contra el proyecto de una ordenanza municipal que permitía a los negros comer en los restaurantes de Phoenix, Arizona. Más tarde, en 1970, mientras trabajaba como ayudante del Fiscal General del gobierno de Nixon, redactó una propuesta de enmienda a la Constitución de Estados Unidos que, de haber sido aprobada, habría legalizado *de facto* la segregación racial en los colegios públicos de todo el país.

En *El Gran Gatsby*, la clásica novela sobre la ilusión estadounidense de F. Scott Fitzgerald, el narrador reacciona complacido y sin enfadarse cuando Gatsby le presenta al «hombre que amañó las Series Mundiales de 1919.» Al principio de la década de 1960, los políticos republicanos reaccionaron de la misma manera ante Rehnquist, el hombre que terminaría amañando las elecciones presidenciales de 2000. En lo que respecta al ámbito legal, para el Consejo de Ciudadanos Blancos Rehnquist podría haber sido el fiscal local, pero su gran valía residía en el hecho de que no parecía, hablaba u olía como un fanático. Con su aspecto de sueco de Wisconsin y la trivialidad de su porte abogadil, parecía ser lo que George W. Bush se llamó a sí mismo tiempo más tarde, un «conservador compasivo.» La realidad era muy distinta. Rehnquist fue uno de aquellos activistas ideológicos que, en la década de 1960, empezaron a levantar la organización política que, primero, convertiría a los republicanos como él en los dominadores del Sur y el Suroeste; acto seguido, y gracias a la «Revolución Reagan», en los maestros nacionales del Partido Republicano; y, por último, en la época de George W. Bush, en dominadores de los tres poderes del Estado federal de Estados Unidos. Rehnquist y el daño que terminaría haciendo a la democracia estadounidense son la personificación de una de las grandes ironías de la historia moderna de Estados Unidos: justo en el momento —¡los sesenta!— en que la mayoría de los estadounidenses creían que su país entraba a trancas y barrancas en una nueva era de mayor libertad, otros estaban planeando imponer en el país, a la menor oportunidad, una estructura de poder muy diferente. Gracias a Rehnquist, George W. Bush sería esa oportunidad.

Durante casi cuarenta años —que culminan con su intervención en la elección presidencial de 2000—, la buena disposición de Rehnquist para elaborar argumentos de resonancias legales en defensa de las prácticas antidemocráticas lo hizo de utilidad para políticos como Richard Nixon y Ronald Reagan, ya no digamos para George W. Bush. Sin embargo, la maniobra política clave en los inicios de su carrera política fue geográfica. Tras la pasantía en el Tribunal Supremo, cambió su base de operaciones al escenario, mucho más afín ideológicamente, del Estado suroccidental de Arizona, el mismísimo territorio de Goldwater. Rehnquist trabajó con esmero para Goldwater cuando este se presentó a las elecciones presidenciales en 1964. Aun cuando fue derrotado, su proclama «El extremismo en defensa de la libertad no es un vicio» ayudó a hacer que, por primera vez, los puntos de vista de hombres como Rehnquist fueran políticamente aceptables. Entremedias de las campañas políticas, Rehnquist se metió de llenó en la lucha por mantener a los negros fuera de los colegios blancos de Phoenix.

Rehnquist actuó en 1968 como organizador político para Richard Nixon, que, ese año, por fin, consiguió llegar a la Casa Blanca después de su derrota en 1960 ante John F. Kennedy. Nixon nombró a Rehnquist ayudante del Fiscal General, un cargo de nivel intermedio, lo cual era muy acertado ya que el departamento de Justicia tiene encomendado el hacer cumplir la legislación sobre los derechos civiles. En Arizona, alegaron los oponentes de Rehnquist, éste había utilizado la intimidación para evitar que votaran los negros. Tales acusaciones lo hicieron aun más útil para el Partido Republicano, que, gracias a su estrategia sureña, ya estaba obteniendo triunfos a nivel nacional, además de en el Sur, al atraer a los votantes blancos enfadados por el apoyo de los demócratas a la discriminación positiva y a las sentencias judiciales que obligaban al traslado de escolares negros en autobús a colegios fuera de sus barrios para favorecer la integración racial. Como su posterior nombramiento para el Tribunal Supremo, el de Rehnquist como ayudante del Fiscal General fue un guiño político para los blancos del Sur y de otras partes del país. No podemos decir que estamos en contra de la igualdad racial, venía a decir el nombramiento de figuras como Rehnquist, pero —guiño, guiño— mira en manos de qué tipos estamos poniendo los derechos civiles.

Como Ayudante del Fiscal General en una de las administraciones presidenciales más legalmente corruptas de la historia de Estados Unidos, Rehnquist podría haber acabado en el museo de granujas de la era Watergate de no haber sido porque, a finales de 1971, justo cuando la fase de chanchullos de su presidencia estaba metiendo la directa, Nixon arrancó a Rehnquist de su casi anonimato y lo nombró magistrado adjunto al Tribunal Supremo de Estados Unidos. La inmortalidad propiamente le llegó en 1986, cuando el presidente Ronald Reagan lo promocionó al cargo de presidente del máximo órgano jurisdiccional del país. Como con Nixon anteriormente, la decisión de Reagan de escogerlo fue política, además de azarosa. Dado que el Senado debía confirmar los nombramientos a presidente del Tribunal Supremo, Reagan consideró que, puesto que el Senado ya había aprobado a Rehnquist una primera vez como magistrado asociado, encontraría dificultades para rechazarlo como presidente en una segunda, a pesar de la inquietud que suscitaba la ideología «conservadora» del propuesto. Como solía ser habitual, Reagan tuvo razón. Rehnquist fue confirmado, aunque sólo después de que hubiera planteado una defensa de su postura sobre el racismo digna de las maniobras de la comisión electoral de 1876 y de su propia, y posterior, casuística legal en defensa de George W. Bush.

El texto de su declaración «antihumanitaria» de 1952, en la que abogaba por la segregación racial, había aflorado durante las audiencias de su primera confirmación. Los enemigos de Rehnquist la volvieron a esgrimir cuando fue nombrado presidente del Tribunal. En ambas ocasiones, Rehnquist recurrió a una defensa lexicográfica de su idoneidad moral para el Tribunal Supremo. Entre otras cosas, no había ninguna duda de que había escrito lo siguiente: «[Yo] creo que la resolución del caso *Plessey contra Ferguson* es acertada». ¿Pero qué importaba el significado de las palabras cuando se trataba de la ley y el Tribunal Supremo? Rehnquist haría presidente a George W. Bush alterando el sentido de la Constitución; él mismo consiguió ser aceptado como presidente del Tribunal Supremo en 1986 mediante la redefinición del significado de la palabra «Yo». Tal y como explicó, cuando había utilizado el pronombre «Yo», lo había hecho con un significado que no aparecía en el diccionario. Mas concretamente, informó al Senado, aquel «Yo creo» no hacía referencia a lo que él pensaba, ni siquiera a que fuera él quien había hecho la reflexión. Aquél «Yo» hacía referencia a lo que él sugería que pensaba, o debía de pensar, su jefe, el juez Jackson.

El juez Robert Jackson es uno de los juristas estadounidenses mejor recordados, aunque no por el nombre. Tras la derrota de Hitler en la II Guerra Mundial, Jackson presidió los juicios por los crímenes de guerra celebrados en Nuremberg. Su histórico papel como el juez estadounidense que llevó a los criminales de guerra nazis ante la justicia quedó inmortalizado en la película *Vencedores o vencidos*. Habría sido una repugnante ironía que el juez que condenó a la horca a los racistas nazis hubiera sido él mismo un racista. ¿Había algo de verdad en la defensa de Rehnquist de que en sus informes favorables a la segregación racial había estado expresando las opiniones del juez Jackson y no las suyas?

El juez Jackson llevaba muerto más de treinta años cuando Rehnquist fue nombrado presidente. De forma poco favorable para éste, no había fallecido lo bastante pronto. En 1954, poco antes de su fallecimiento, Jackson había dejado bien sentado su opinión sobre el caso *Plessey contra Ferguson.* «Estoy convencido de que las condiciones actuales exigen que eliminemos de nuestros libros la doctrina de las instalaciones separadas pero iguales.» En el último gran acto jurisdiccional de su vida, Jackson, aunque gravemente enfermo, abandonó el lecho del dolor para ir a votar la revocación de la doctrina de *Plessey contra Ferguson.* Revocada por un unánime 9 a 0, la siguiente sentencia del Tribunal Supremo —*Brown contra el Consejo Educativo*— declaró que el «separadas pero iguales» era intrínsecamente desigual y, por lo tanto, inconstitucional. Esta decisión, que prohibía la segregación racial, marcó el comienzo de la tumultuosa era de la revolución de los derechos civiles en Estados Unidos, y el juez Jackson fue uno de sus fundadores.

Lo cual resultaba un extraño comportamiento para un magistrado que, según William Rehnquist, pensaba realmente que la segregación racial «estaba bien». Más extraño resultaba todavía que el juez Jackson, en el curso de una vida dedicada al derecho, jamás hubiera hecho expresión de su supuesto ideario segregacionista con su propia pluma, en sus propias palabras, y sí sólo a través de los escritos de un pasante llamado William Rehnquist que trabajó para él durante menos de un año. Había algo todavía más extraño en la redefinición de Rehnquist del término «Yo»: el contexto en el que lo había utilizado. «[Yo] me doy cuenta de que es una postura impopular y antihumanitaria por la que he sido vilipendiado por mis colegas «liberales», pero *Plessy contra Ferguson* debería ser ratificada», rezan las palabras exactas. Sin embargo, nadie recuerda que el difunto juez Jackson hubiera sido «vilipendiado» por los liberales, aunque, sin duda alguna, quién sí lo había sido a lo largo de su carrera era William Rehnquist.

La gente que había conocido a Jackson en vida montó en cólera ante las acusaciones de Rehnquist. Algunos llegaron incluso a acusar al inminente presidente de perjurio, pero la controversia del «Yo» acabó siendo otra polémica fructífera para los republicanos.

Mientras los políticos de Washington se peleaban por el significado de un pronombre, el mensaje real llegó alto y claro al núcleo de electores potenciales a quien la nominación de Rehnquist pretendía satisfacer.

Tal y como el propio Rehnquist había escrito en uno de los informes al juez Jackson: «Es el momento de que el Tribunal afronte el hecho de que a la gente blanca del Sur no les gusta la gente de color.» Para entonces, no era sólo a la gente blanca «del Sur». Millones de blancos de clase obrera de todo el país, normalmente votantes de los demócratas, estaban enfadados por las sentencias que ordenaban el traslado en autobús de escolares negros, por las que imponían la discriminación positiva y por otros intentos jurisdiccionales de conseguir la igualdad racial.

Los adversarios de Rehnquist habían querido desacreditarlo; en cambio, la controversia del «Yo» lo transformó de un burócrata de la era Nixon en un icono de la era Reagan. Precisamente porque había expresado unas opiniones raciales que, hasta poco antes de ese momento, se habrían considerado vergonzosas para un presidente de tribunal, Rehnquist se convirtió en un héroe para las dos variedades «neocon» del fanatismo republicano —los neoconservadores y los neoconfederados— que, finalmente, habrían de dictar las políticas del gobierno de George W. Bush. En el camino, se olvidó el verdadero asunto, que no era otro que el que Rehnquist era un candidato a presidente del Tribunal Supremo que despreciaba los derechos de todos los estadounidenses, y no sólo los de los negros. Por lo que a él tocaba, las libertades que generaciones de estadounidenses, desde los fundadores de la nación estadounidense en adelante, habían considerado tan manifiestas como inalienables, no existían en absoluto. Como los estadounidenses de todos los colores descubrirían en el 2000, las opiniones de Rehnquist sobre la cuestión racial eran sólo una parte de una descalificación mayor: sería un presidente de Tribunal Supremo para quien el término justicia no tenía una definición precisa en absoluto.

Su nombramiento surtió, desde el principio, un efecto funesto en la política nacional al introducir un modelo ponzoñoso en la selección de los jueces más importantes del país. La confirmación de los magistrados del Tribunal Supremo pasó a formar parte de la construcción de la coalición ideológica republicana. Al igual que George W. Bush prometería a los ricos el fin de los impuestos y proporcionaría a sus empresas favoritas nuevos contratos armamentísticos y las correspondientes guerras a cambio de los millones de dólares en donativos para la campaña, así los jueces del Tribunal Supremo se convertirían en lo que el partido del privilegio y de los intereses de determinados grupos ofrecía a esos tipos a cambio de sus votos. Los republicanos no estaban por la labor de proporcionar a la gente que vive en los aparcamientos de caravanas y en los viejos barrios en decadencia —ni a las familias de los chicos que agonizarían en Irak— una sanidad o una educación públicas decentes. Pero los militantes antiabortistas y los fundamentalistas religiosos podrían tener a los jueces del Tribunal Supremo a su disposición siempre y cuando defendieran a Estados Unidos contra los liberales y ayudaran a los republicanos a ganar. Semejante enfoque reportó beneficios políticos, pero corrompió el verdadero espíritu del federalismo al viciar la independencia del poder judicial. Tal y como descubrieron los estadounidenses en el 2000, también convirtió el supuestamente independiente poder judicial de Estados Unidos en un arma partidista de la guerra política.

Este proceso de degradación del Tribunal Supremo mediante la degradación del proceso de selección de sus magistrados alcanzó su punto más absurdo en la batalla suscitada en 1991 por el nombramiento de Clarence Thomas como magistrado asociado. Lo que había comenzado con el nombramiento de Rehnquist, un norteño cuyos prejuicios eran los del estereotipado Sur blanco, culminaría con el de un negro que, por lo que hacía a su historial de votaciones en el Tribunal Supremo, en muchos casos bien podría haber sido el de un estimado miembro incendiario de cruces del Ku Klux Klan. Mas tarde, los estadounidenses negros bromearían con que, al final, en la elección de 2000, habían sido ellos los que habían influido: un único voto negro —el de Thomas— había convertido a George W. Bush en ganador.

El Tribunal Supremo ya había caído en unas manos extrañas cuando los políticos republicanos de Florida, tras perder la batalla para evitar el recuento, corrieron a Washington en noviembre de 2000 para pedir al presidente del Tribunal Supremo, Rehnquist, que interviniera. Para entonces, el máximo órgano jurisdiccional de Estados Unidos ya no era un tribunal imparcial. Era un tribunal deshonesto. Al menos cuatro de los nueve magistrados votaban de manera habitual como ideólogos judiciales partidistas de los republicanos. El tribunal de Rehnquist era un órgano jurisdiccional que, cuando quería, desobedecía la ley, y, cuando le venía en gana, ignoraba el principio democrático, porque la mayoría de asuntos importantes que se le planteaban no los analizaba legal o constitucionalmente, sino política e ideológicamente.

3

Secuestrado

Mientras Internet bullía de especulaciones, el destino de la presidencia de Estados Unidos dependía del partidismo de un presidente de Tribunal Supremo con una idea decimonónica de cómo debería funcionar la democracia. El primer presidente estadounidense del siglo XXI sería escogido por un magistrado cuyo concepto de la libertad era de una época en la que no existían los teléfonos, en la que las mujeres no tenían derecho al voto, en la que los miembros del Senado todavía eran escogidos por las asambleas legislativas estatales; cuando, gracias a las elecciones primarias políticas cerradas y al uso disuasorio de la violencia, los votos de los hombres blancos como William Rehnquist eran los únicos votos que había que contar porque eran los únicos votos que contaban.

La respuesta de Rehnquist a la petición de ayuda de los republicanos de Florida estuvo llena de astucia: tendió una trampa a aquellos que querían un recuento justo de los votos presidenciales de Florida. Cuando un juez local autorizó el recuento, Rehnquist ordenó desde Washington que el mismo se suspendiera «temporalmente». Luego, cuando el Tribunal Supremo de Florida, la máxima autoridad jurisdiccional del Estado, ordenó que el recuento podía continuar, Rehnquist volvió a ordenar su detención por segunda vez, en esta ocasión con carácter definitivo y con el argumento de que no había suficiente tiempo para realizarlo.

Menuda argucia. Tras haber retrasado de manera deliberada el recuento de Florida, Rehnquist utilizó a posteriori el retraso que él mismo había provocado para pretextar la decisión jurisdiccional que le permitía lograr su objetivo político, a saber: hacer presidente a George W. Bush. Pero también fue un imponente ejemplo de usurpación de jurisdicción. Con su perentoria orden desde Washington de dar los votos electorales de Florida a los republicanos, Rehnquist, el supuesto intérprete estricto, anulaba el derecho de cualquier Estado federado para gobernarse de acuerdo con su propia Constitución. También usurpó la competencia federal sobre este tipo de disputas electorales, logrando infligir así uno de los ataques de más amplio alcance al imperio de la ley de la historia de Estados Unidos, puesto que, cuando un supuesto tribunal de justicia anula a los votantes, a los Estados y a los restantes poderes del Estado federal, y se arroga la potestad para escoger al presidente, ¿qué queda del federalismo o de la Constitución?

En el revuelo que siguió a la orden de Rehnquist, la cuestión esencial se olvidó en buena medida. En primer lugar, ¿tenía el Tribunal Supremo competencia para tomar semejante decisión? O, para poner la pregunta en contexto: en una disputa dentro de un Estado (Florida), acerca de una ley electoral estatal, ¿qué autoridad debería prevalecer: la del Tribunal Supremo de Florida con sede en Tallahassee, o la del Tribunal Supremo de Estados Unidos con sede en Washington? Hasta que el tribunal de Rehnquist decidió, por el margen de un voto, cambiar la ley en beneficio de George W. Bush, la interpretación aceptada de la ley, por lo que a «liberales» y «conservadores» concernía, era que entrometerse en los tribunales federales en cuestiones internas como aquellas no estaba permitido.

Hasta las elecciones de 2000, podría haberse argumentado que Rehnquist era un jurista de, al menos, un principio: el que podríamos llamar principio Poncio Pilatos de la injusticia estadounidense. Por más atroz que sea la injusticia, sostiene esta conveniente y farisaica doctrina, nada puede hacer al respecto el Estado federal salvo menear tristemente la cabeza y mirar para otro lado.

La larga adhesión de Rehnquist al principio Poncio Pilatos con anterioridad a la elección presidencial de 2000, había hecho de él un hombre constante; que no admirable. En toda la historia de Estados Unidos son pocos los principios que se han utilizado para justificar más injusticia. Eran los derechos y atribuciones propios de cada Estado, argumentaba el gobernador de Alabama, George Wallace, lo que permitía que los agentes del Estado mantuvieran a los niños negros fuera de los colegios blancos a punta de pistola. Se trataba de la misma opinión restrictiva de las potestades del Estado federal que pretendía —durante la Gran Depresión, cuando millones de estadounidenses pasaban hambre, no tenían trabajo y carecían de techo— que el Estado federal no tenía derecho, tal y como lo veía el presidente Hoover y los que lo apoyaban, a ayudar a los pobres ni a los parados ni a aquellos que hubieran perdidos sus granjas y casas. Remontándonos a mucho antes, esa misma insistencia de los predecesores filosóficos de Rehnquist en el Tribunal Supremo de limitar las potestades del Estado federal, había proporcionado la base legal para los barcos de esclavos, las subastas de esclavos y el «vende a tu hermano en el río» (como hacían con frecuencia los hijos blancos con los hijos negros de sus padres, una vez que los heredaban como propiedades).

Por lo que respecta al derecho, Estados Unidos tiene un oscuro pasado. Su historia legal es, en esencia, la historia de la batalla por el avance de los derechos humanos contra los defensores del tratamiento preferencial a los privilegiados. Muchas de esas controversias son apeladas inevitablemente al Tribunal Supremo. Pero a lo largo de las décadas de titularidad de Rehnquist, los legados de la esclavitud, la pobreza y otros tipos de injusticia, incluyendo el trato discriminatorio a las mujeres, en la medida que conforman las controversias legales recurrentes de los Estados Unidos modernos, jamás habían provocado que Rehnquist reconsiderara sus opiniones. Desde su perspectiva, el gobierno que menos perturbara sus privilegios especiales, y los de la gente como él, era el gobierno que mejor gobernaba.

Después de décadas de decirles a los demás que no podían tener lo que querían porque el gobierno federal no tenía autoridad para dárselo, ahora la pregunta se le planteaba directamente a Rehnquist. ¿Había algún límite legal en el uso de la potestad federal cuando la conveniencia del Partido Republicano estaba de por medio? Richard Nixon había respondido a esta pregunta en 1972 bajo la forma de robo con allanamiento de morada en el Watergate. Ahora, Rehnquist y los demás activistas judiciales republicanos del tribunal contestaron a su manera. Al poner la conveniencia política republicana por delante de la democracia, el país y la Constitución, resolvían que lo más importante era que el candidato de su partido fuera hecho presidente. Ésta, junto con el caso de *Plessey contra Ferguson* y la sentencia de Dred Scott, fue una de las decisiones más vergonzosas en la historia jurídica de Estados Unidos, aunque no se pueda decir que Rehnquist actuara con absoluto descaro.

Antes al contrario, se comportó como si comprendiera perfectamente que su actuación era bochornosa. Con su decisión de Florida, Rehnquist había cambiado el destino de Estados Unidos. ¿Y qué hizo Rehnquist en momento tan extraordinario? Se escondió. Tras hacer el trabajo sucio, él y los demás activistas pro Bush salieron a hurtadillas de la sede del Tribunal Supremo. Esperaron a que anocheciera. Sólo entonces se les hizo señas a los periodistas para que entraran en una sala vacía. Allí, apiladas en una mesa, estaban las copias de la decisión de Rehnquist. Había hecho bien en esconderse. La palabra clave de su resolución —y esta vez no podía haber duda de que aquel extraordinario pronunciamiento representaba realmente las propias opiniones de Rehnquist— venía a ser lo mismo que una abrogación de los derechos fundamentales de todos los estadounidenses por parte del Tribunal Supremo.

«La Constitución federal no reconoce al ciudadano individual el derecho a votar a los electores del presidente de Estados Unidos», proclamaba Rehnquist, «a menos y hasta que la Asamblea Legislativa del Estado designe unas elecciones de ámbito estatal como medio para ejecutar su potestad para nombrar a los miembros del colegio electoral.» En los cuarenta y ocho años transcurridos desde que escribiera su primera opinión jurídica «antihumanitaria», estaba claro que la visión que Rehnquist tenía de los derechos de los estaodunidenses, o mejor aún, de la falta de ellos, había sufrido una enorme dilatación. Su despreció hacia los derechos de la «gente de color» se había expandido hasta incluir el desprecio por los derechos de todos los estadounidenses.

Si tomamos la declaración de que «la Constitución federal no reconoce al ciudadano individual el derecho a votar» como su premisa, Rehnquist siguió adelante para construir un templo a la injusticia situado en la cumbre jurídica de los silogismos falsos. A partir de la responsabilidad, establecida constitucionalmente, de las asambleas legislativas de los Estados para establecer los procedimientos por los que han de ser elegidos sus electores presidenciales, Rehnquist destiló una doctrina jurídica en la que no importaba si «los ciudadanos individuales» eran excluidos por completo del proceso de elección del presidente de Estados Unidos. Vaya, había otra razón, añadió Rehnquist, por la que le estaba concediendo los votos electorales de Florida a George W. Bush. Gracias a las tácticas dilatorias empleadas por los activistas del Partido Republicano, e inducidas por el propio Rehnquist, en cualquier caso no había tiempo para recontar los votos y averiguar quién era el ganador.

Nada de esto era verdad. O, como podría haber dicho el presidente Harry Truman cuando las palabras significaban algo en la política estadounidense, todo era un maldito puñado de mentiras descaradas, incluyendo la parte de que no había tiempo para recontar los votos. Rehnquist entregó su informe el 11 de diciembre de 2000; el Congreso no tenía programado contar los votos electorales hasta el 5 de enero de 2001, y la investidura presidencial no tendría lugar hasta el 21 de ese mismo mes. Los retrasos en el recuento de los votos electorales se habían producido en Estados Unidos de forma periódica sin que nadie pretendiera que los tales justificaran que un tribunal federal ordenara la paralización del recuento de votos para la presidencia. En una fecha tan reciente como la de 1961, no se decidieron los votos electorales del Estado de Hawai hasta enero de ese mismo año, después de la elección de noviembre de 1960. En 1876 los votos de cuatro Estados permanecieron sin decidir desde noviembre hasta marzo de 1877, que era cuando se investían los presidentes entonces. Nadie hasta ese momento había pretendido jamás que una disputa electoral de un Estado fuera otra cosa que una contingencia que, tarde o temprano, ocurre periódicamente en una nación con 200 años de historia de elecciones políticas. Nadie, hasta que intervino Rehnquist, había imaginado que una disputa semejante en el seno de un Estado pudiera justificar que el Tribunal Supremo de Washington ordenara que no se contaran los votos válidos.

Como un abogado que alterara una prueba, Rehnquist omitió por completo el precedente legal más importante para resolver la disputa de la elección presidencial de Florida de 2000. Por asombroso que parezca, jamás mencionó la elección presidencial de 1876, aunque en su voto particular, la jueza adjunta Ruth Bader Ginsberg sí lo hiciera. Tras la disputa, señalaba la jueza, el Congreso había tomado medidas legales para el caso que tuviera que enfrentarse a otra crisis semejante. Y la ley no designaba al Tribunal Supremo para resolver tales problemas. «El Acta de Recuento Electoral, promulgada después de la reñida elección presidencial de 1876 entre Hayes y Tilden», señalaba la jueza Ginsberg, «especifica que, después de que los Estados hayan intentado resolver las controversias (por vía «judicial» u otros medios), el organismo autorizado fundamentalmente para resolver las disputas subsistentes es el Congreso.»

«La historia legislativa del Acta deja claro que su intención es asignar al Congreso, y no a los tribunales, la potestad para resolver tales controversias», continuaba la jueza Ginsberg, añadiendo: «A continuación, el Acta pasa a establecer las normas por las que habrán de regirse las resoluciones del Congreso sobre aquellos votos en litigio».

En su prisa por convertir a Bush en el ganador de Florida, Rehnquist no sólo había violado el espíritu del federalismo y contravenido el derecho estadounidense, sino que también se había negado a enfrentarse al verdadero problema que la elección presidencial de 2000 había puesto en manos del Tribunal Supremo: la amenaza latente a la democracia estadounidense planteada por el engendro electoral más extraño de la Constitución, el colegio electoral. Thomas Jefferson describió al colegio electoral como «la mancha más peligrosa de nuestra Constitución»; y, para cuando surgió la disputa entre Gore y Bush, su peligroso carácter impredecible había venido creando crisis electorales desde hacía 200 años: en 1876, en 1888, en 1824 y en 1800.

Una vez más, en ese momento, el extravagante sistema de elección presidencial estadounidense generaba en el 2000 una situación en la que la mayor democracia del mundo podía —y así lo haría— acabar por darse un presidente que no hubiera sido elegido democráticamente. ¿Cómo era posible algo semejante en la era de los microchips y los superordenadores y en el país que se considera el modelo democrático del mundo? Todo remitía a lo más sombrío de los pecados originales de Estados Unidos. Mientras proclamaban la libertad a los cuatro vientos, los artífices de la Constitución no sólo legalizaban la esclavitud, sino que reconocían a los propietarios de esclavos derechos especiales que no otorgaban a los ciudadanos normales.

Cuando se redactó la Constitución estadounidense, los propietarios de esclavos no sólo insistieron en que se garantizara su derecho a tener esclavos; hicieron hincapié en ser políticamente recompensados por practicar la esclavitud. Los fundadores de la nación, al ser los más ilustres entre ellos, a su vez, propietarios de esclavos, los complacieron. Crearon un sistema federal en el que los esclavos tenían la consideración de propiedades, y no de seres humanos, excepto para determinados y explícitamente definidos fines políticos. En esos casos, y sólo en esos casos, decidieron los fundadores, los esclavos serían tratados como seres humanos, aunque sólo en parte. Como decía el mismísimo artículo primero de la Constitución, la representación de cada Estado en la Cámara de Representantes «se determinará sumando al total del número de personas libres, inclusión hecha de aquellos obligados al servicio durante un período de años y con exclusión de los indios no tasados, las tres quintas partes de todas las demás personas.»

Esa previsión constitucional de las «tres quintas partes de todas las demás personas» significaba que cuantos más esclavos tuviera un Estado, con más miembros contaría en el Congreso. ¿Cuántos más? La constitución establecía una fórmula matemática de parvulario. Cuenta todos tus esclavos, chicos y chicas; ahora, multiplícalos por tres y divídelos por cinco y tendrás la respuesta. Este grotesco cálculo fue el primero de los grandes compromisos norte-sur sobre la esclavitud que, durante más de setenta años, aplazaría la guerra civil, pero que nunca eliminaría sus causas.

Considerar «personas» a los esclavos en lo relativo a la representación en el Congreso complicó aun más el irritante problema: ¿cómo elegir al presidente (y al vicepresidente) de Estados Unidos bajo la nueva Constitución? Los Estados esclavistas querían que la propiedad de esclavos les confiriera también una ventaja política añadida a la hora de escoger al presidente. De nuevo, se salieron con la suya. Puesto que la idea de dejar que los esclavos hicieran cola para ir a elegir al presidente —por más que cada esclavo sólo emitiera los tres quintos de un voto— resultaba intolerable para las convenciones de la época, los artífices de la Constitución, en su artículo II, esquivaron la cuestión de un voto popular directo para la elección del presidente, y decidieron que fuera escogido de manera indirecta por un colegio electoral.

Esto sólo reformuló la cuestión subyacente. ¿Quién elegiría a los compromisarios, y cuántos votos conseguiría cada Estado en el colegio electoral? El número de votos electorales que recibiría cada Estado estaría determinado, una vez más, por una fórmula que premiaría la esclavitud: cuantos más esclavos tuviera, mayor sería la voz de ese Estado en la elección del presidente. El número de electores presidenciales de cada Estado, se decidió, sería igual al total de miembros que cada uno tuviera en el Congreso; esto es, la suma de sus representantes o diputados —que variaban según la población, incluyendo el censo de esclavos—, más sus senadores, de los que cada Estado tenía dos. Esto daba una clara ventaja política a los Estados esclavistas del Sur en la política presidencial, y para Virginia y sus hijos predilectos equivalió a un filón cuando llegó el momento de elegir a los primeros presidentes de Estados Unidos. Virginia era, a la sazón, el Estado más poblado con diferencia. La representación añadida que consiguió en el Congreso, como consecuencia de su inmensa población esclava, la hizo aun más poderosa. En esos momentos, los hombres públicos más apreciados de Estados Unidos eran, sin ningún género de duda, Washington, Jefferson, Monroe y Madison. Los votos añadidos que la propiedad de esclavos confería a Virginia en el colegio electoral reforzaron su poder político aun más, de paso que introducía un impredecible comodín en la elección del presidente.

Una de las curiosidades de las consecuencias de la guerra civil fue que, aunque abolida la esclavitud, se mantuvo la institución política más importante ideada para potenciar la fuerza electoral de los esclavistas, el colegio electoral. Esto significaba que, aun cuando se siguiera fielmente el procedimiento constitucional y el voto presidencial fuera contado con precisión y honestidad en cada Estado, todavía seguiría existiendo la posibilidad de que un presidente estadounidense fuera elegido constitucionalmente, aunque no democráticamente. Esto fue justo lo que ocurrió en 1888, sólo doce años después del empate entre Tilden y Hayes. El presidente Grover Cleveland ganó el voto popular en su campaña para ser reelegido, pero su rival republicano, Benjamín Harrison, ganó en el colegio electoral. Al contrario que en la elección de 1876, la de 1888 originó escasa controversia y fue casi olvidada por completo con el tiempo por dos razones. Al cabo de cuatro años, la elección de 1888 se repitió, y esa vez Cleveland ganó tanto el voto electoral como el popular. Resultó que el segundo período de Cleveland en la Casa Blanca sólo había sido diferido por las extravagantes discrepancias del sistema de elección presidencial, que había convertido a Benjamín Harrison en un paréntesis presidencial. En segundo lugar, despuntando como estaba el siglo XX, se asumió sin más que aquellas cosas tan extrañas no volverían a suceder en los tiempos modernos en los que entraba Estados Unidos. Y durante mucho tiempo, durante más de cien años, así fue.

Entonces, apareció George W. Bush. En el ínterin, durante el siglo XX, Estados Unidos se había convertido en la mayor potencia del mundo. Durante ese siglo —el siglo de Estados Unidos— la mayor parte del mundo se había transformado por el atractivo y el poder de la democracia, tan personificada por los Estados Unidos de América. Pero una cosa no había cambiado. Al empezar el siglo XXI, Estados Unidos seguía disponiendo de un sistema electoral del siglo XVIII que podía —y que, de repente, ahora pudo— hacer posible que el candidato que perdiera unas elecciones democráticas ganara la presidencia. El problema al que se enfrentó el tribunal de Rehnquist en el 2000 fue el de la peligrosa imprevisibilidad del sistema de elección presidencial de dos niveles.

La elección presidencial de 2000 ofreció al Tribunal Supremo la oportunidad de enfrentarse al hecho de que las «condiciones de hoy en día» exigían una reevaluación fundamental de un sistema electoral presidencial que se había vuelto peligrosamente anacrónico. Sin embargo, hacerlo habría exigido del presidente del tribunal que superara el partidismo. Rehnquist habría tenido que buscar consensos constitucionales; y William Rehnquist era un presidente de tribunal tan ducho en temas de controversia como ducho en temas de controversia sería George W. Bush como presidente de los Estados Unidos. Y, por el más estrecho de los márgenes, dictó una de las resoluciones más creadoras de división de la historia del Tribunal Supremo.

Los resultados de las elecciones son siempre reveladores; y, a veces, cuando las elecciones son un robo, aún más. En la época en que Tilden y Hayes concurrieron a las elecciones, el epicentro del destino de Estados Unidos había superado el eje Norte-Sur. El ferrocarril había llegado hasta California, y nuevas oleadas de inmigrantes afluían a la isla de Ellis. Como el enfoque de la estrategia republicana a las elecciones de 1876 demuestra, el Partido Republicano ya no era el de Lincoln, sino el de las grandes empresas, el dinero y la incipiente Revolución Industrial estadounidense. ¿Qué les importaba perder las elecciones? Se quedarían con el premio de todas maneras.

Aun más que la usurpación de la presidencia de 1876, fue la apática respuesta a lo ocurrido lo que reveló lo mucho que había cambiado Estados Unidos desde la guerra civil. «Normalismo» fue un término que acuñaría el presidente Warren Gameliel Harding cuarenta años más tarde. Pero normalismo era lo que quería Estados Unidos y, tras el robo de los republicanos en las elecciones de 1876, normalismo fue lo que obtuvo.

La apatía a nivel nacional en el 2000 también resultó ser reveladora. Tras la investidura de George W. Bush como presidente, no se produjo ningún esfuerzo significativo para mejorar los procedimientos electivos nacionales, así como ningún movimiento regeneracionista, ya no digamos abolicionista, del colegio electoral. Los estadounidenses del año 2000 asistieron al drama judicial subsiguiente a la elección con la misma actitud con la que, tiempo atrás, habían contemplado el juicio de O. J. Simpson. Fueron unos fervientes telespectadores de un drama judicial cuyas consecuencias los dejaron impertérritos.

La política presidencial se había convertido en algo que los estadounidenses observaban, no que hacían. Alrededor del cincuenta por ciento de los ciudadanos con derecho al voto no había ejercido su derecho nunca. En ese momento, era evidente que incluso a aquellos que habían votado, el resultado no les importaba lo suficiente para hacer uso de sus indiscutibles derechos constitucionales de reunión y de libertad de expresión para protestar por la usurpación de la presidencia de los Estados Unidos. Esa era una respuesta que, comprensiblemente, un hombre como George W. Bush —que había sido colocado en el cargo de la manera que lo había sido— podía interpretar como una señal de que, una vez en la Casa Blanca, podría hacer lo que quisiera sin temor a la ley ni a la reprimenda del pueblo estadounidense.

«Aunque tal vez nunca tengamos la absoluta certeza de la identidad del ganador de la elección presidencial de este año, la del perdedor está perfectamente clara. No es otro que la confianza de la nación en la judicatura como guardiana imparcial del imperio de la ley», escribió el magistrado Stephen Breyer en otro voto particular. Breyer estaba equivocado en ambos razonamientos. La confianza de la nación en la judicatura como guardiana imparcial del imperio de la ley se había desvanecido mucho antes, y gracias, en parte, a las leyes sobre la libertad de información de Florida, al final se supo con absoluta certeza que en la votación del 7 de noviembre de 2000, Al Gore había derrotado a George W. Bush en Florida y que, en consecuencia, había ganado la presidencia.

Como suele ser habitual, los medios de comunicación tejieron una historia irreconocible. Aun cuando quedó claro que un recuento total en Florida —esto es, empezando por el recuento exacto de cuanta gente había votado realmente en Florida— habría demostrado que Gore era el ganador, los titulares y las noticias se centraron en la posibilidad de que, si sólo se hubieran recontado los votos de los condados de Palm Beach y Dade, podría ser que aún hubiera ganado Bush, aunque, concedieron, también podría haberlo hecho Gore. La revelación de que había sido Gore quien de verdad había conseguido la mayoría de los votos se convirtió en una nueva jornada informativa de Gore *El Tontorrón*. De hecho, Gore no sólo había conseguido la mayoría de votos en Florida, sino que incluso había conseguido más votos para ser presidente —más de cincuenta millones en total— que ningún otro candidato de la historia, excepto Ronald Reagan en la campaña de su reelección. Había derrotado a Bush en todo el país por casi 600.000 votos, lo cual era un margen mucho más amplio que el que había obtenido Kennedy sobre Nixon en 1960, aunque ligeramente más estrecho que el ya exiguo con que Nixon ganó a Humphrey en 1968. En lo único que cuenta de verdad en la democracia —los votos— Gore no sólo había superado, desde un punto de vista histórico, a los dos Bush, sino que había superado a vencedores aplastantes como Johnson y Eisenhower.

Ronald Reagan es reverenciado como el padre del republicanismo contemporáneo. ¿Pero qué hay del padrino? El legado de «falta de respeto hacia la ley» de Nixon es el gran e inadvertido tema moral y ético —o mejor aun, inmoral y carente de ética— que domina la política republicana moderna. Mejor que cualquier otro factor, el desprecio por la ley —la estadounidense, la internacional, todas y cada una de las leyes, incluyendo las del civismo— ayuda a explicar el cómo, si es que no siempre el por qué, de lo que George W. Bush le ha hecho a Estados Unidos y a su posición en el mundo. Su permanente dependencia de la falta de escrúpulos más radical pasa sorprendentemente inadvertida, al menos dentro de Estados Unidos, en parte debido a la incontestable superioridad republicana sobre los demócratas en lo relativo a la manipulación fraudulenta de la imagen política y patriótica. Pero la principal razón de que la mentira le haya sido tan útil a George W. Bush radica en el hecho de la enorme degradación del lenguaje del discurso político estadounidense. Términos con siglos de trascendencia política y filosófica acrisolada se han visto privados de significado. Así que, aun cuando los políticos como Bush demuestran ser lo contrario de lo que dicen ser, todo resulta como Rehnquist y su corrompido pronombre. Logran escaparse con sus definiciones falsas; en el caso de George W. Bush, con el injustificado uso de la etiqueta de «conservador» para describirse a sí mismo y a lo que ha estado haciendo.

En realidad, George W. Bush, como el magistrado que le ha hecho presidente, es un ultrarradical, y su presidencia, una peligrosa desviación de las anteriores normas de comportamiento de Estados Unidos. Un conservador es alguien que, al contrario que George W. Bush, desconfía de los conceptos ideológicos y que, siempre que es posible, respeta las normas consuetudinarias de comportamiento, tanto si le gustan como si no. Un líder conservador antepone la costumbre establecida a los intereses ideológicos; un conservador se adapta a la realidad, y coloca a esta por delante, y no a sí mismo en primer lugar.

Un radical odia la realidad; un radical hace la guerra a la realidad, que es lo que George W. Bush ha hecho desde Bagdad a Langley, Virginia, y desde Naciones Unidas al Capitolio de Estados Unidos. Haya sido por un inexistente eje del mal o por unas ilusorias armas de destrucción masiva, él y los ideólogos que lo rodean se han visto impulsados por la necesidad de demostrar la superioridad de la presunción ideológica sobre el hecho, cualquiera que haya sido el coste para el pueblo estadounidense en vidas, dinero, seguridad y aliados. Esta aversión a la realidad por la imposibilidad de ésta en corresponder a sus exigencias ideológicas tal vez explique su ira; sin duda, ayuda a explicar por qué fracasan en casi todo excepto en el control de la manipulación política.

La definición del verdadero conservador es que, si se ve obligado a escoger, siempre optará por trabajar dentro de un sistema o marco establecido tales como la Constitución de Estados Unidos o el Consejo de Seguridad de Naciones Unidas, incluso si lo encuentra fastidioso. Jamás destruirá lo que existe en un ataque ciego para sustituirlo por una idea abstracta, no probada, de lo que debería ser la realidad. O, como el demócrata conservador Bert Lance dijo en una ocasión, «Si no está roto, no lo arregles.» En el año 2000, los supuestos conservadores republicanos se habían convertido en el Partido de Las Cosas Rotas. Gracias al Tribunal de Rehnquist, que rompió la Constitución, la presidencia de Estados Unidos cayó en manos de un radical, George W. Bush, cuyo sobredimensionado impulso estratégico consistía en romper cosas.

¿Qué ocurre en un mundo donde las cosas son tan fáciles de romper y tan extremadamente difíciles, a veces imposibles, de arreglar una vez que las has roto? Gracias al golpe de Estado de Rehnquist, esta sería la pregunta que plantearía la presidencia de George W. Bush.

4

Discriminación positiva

George W. Bush pertenece a esa generación de estadounidenses que alcanzó la mayoría de edad durante el escándalo Watergate, pero cuya opinión de la democracia de su país no se sintió escarnecida por las revelaciones que salieron de la Casa Blanca de Nixon. Es uno de esos millones de estadounidenses que, incluso en su momento, no apreciaron nada excesivamente malo en lo que hizo Nixon, de la misma manera que no vieron nada malo en la guerra de Vietnam, mientras no tuvieran que ir allí y resultar heridos o muertos.

Son muchas las tradiciones norteamericanas auténticas y nada admirables que convergen en la persona de George W. Bush y su presidencia. La más destacable es el patriotismo festivo al estilo de «que los demás mueran mientras yo me divierto.» Mientras 55.000 estadounidenses de su edad morían en Vietnam, él se divertía con la Guardia Nacional del Aire de Texas, eso cuando no se ausentaba sin permiso. Gracias a esta inmerecida exención de tener que arriesgar la vida en Vietnam, George W. Bush podía haber aprendido a pilotar un avión. Nunca se molestó. La presidencia de George W. Bush, al igual que su vida, ha consistido en una serie de variaciones sobre lo que fue su visita de mayo de 2003 a un portaaviones, donde, en contra de la realidad, se proclamó a sí mismo vencedor. Otro tuvo que pilotar el avión, pero George W. Bush fue el que se quedó en la cubierta de vuelo y se llevó los aplausos. En el ínterin —a bastante distancia, fuera de la vista—, estaba pasando algo horrible de lo que Bush rechaza toda responsabilidad. A medida que se acercaban las elecciones presidenciales de 2004, el patriotismo festivo de George W. Bush iba pareciéndose cada vez más a una recaudación de fondos. Para entonces, los estadounidenses ya no morían de uno en uno ni de dos en dos; sufrían emboscadas, eran víctimas de camiones bomba y sus helicópteros eran derribados todos los días.

En ninguna otra guerra habían muerto ni resultado heridas ni quedado irremediablemente desfiguradas tantas mujeres estadounidenses. La mayoría de los estadounidenses muertos y mutilados, fueran hombres o mujeres, no eran soldados profesionales, sino los típicos Joes y Janes de la casa de al lado que se alistaron en la Guardia Nacional en parte por patriotismo, pero también para conseguir algo de dinero extra y algún beneficio añadido. En ese momento, se hallaban en el lejano Irak siendo víctimas de una guerra innecesaria, en la que ni la retirada ni la victoria se contaban entre las opciones.

Un presidente con valor se habría enfrentado al espantoso dilema que su desastrosa falta de criterio había originado de forma gratuita: él solito, George W. Bush, le había ocasionado a Estados Unidos un enorme e insoluble problema de política exterior y militar con consecuencias de largo alcance para el mundo entero, pero le faltaban agallas para admitir el error. En cualquier caso, las muertes de estadounidenses en Irak, de las que era absoluta y personalmente responsable, tuvieron que pasar a un segundo plano, por detrás de su campaña para las elecciones presidenciales de 2004. Desde la perspectiva de la conveniencia política personal, su único y permanente criterio, la retirada era impensable, lo mismo que la escalada del conflicto. Así que, mientras George W. Bush cruzaba Estados Unidos recolectando fondos, 140.000 estadounidenses eran abandonados a su suerte en Irak; rehenes de la imprevisión, la cobardía y el miedo de Bush a perder las elecciones de 2004.

Para George W. Bush, la vida en el 2004, como siempre, sería una fiesta. En cada parada, el animado mitin de vitalidad patriótica con la debida puesta en escena era seguido de una comida para recaudar fondos, donde George W. Bush acababa empapelado en dinero. Todo lo que querían sus acaudalados seguidores —y ninguno, y menos que nadie George W. Bush, sienten la menor vergüenza en reconocerlo— es que siguiera haciendo durante otros cuatro años exactamente lo mismo que había estado haciendo desde que fuera nombrado presidente: sigue rebajándonos los impuestos, señor presidente, mientras envías a las hijas e hijos de esa otra gente a Irak para que defiendan nuestras libertades.

Esta es la historia de George W. Bush, no sólo de su presidencia. Primero, uno la caga; luego, se deja que las alabanzas y el dinero fluyan sobre uno. Si alguien le acusa de no jugar limpio, se desacredita su patriotismo o, al menos, se le acusa de ser un liberal. Y cuando hay miles de muertos y se están tirando miles de millones en una ratonera por culpa de uno, se acusa a los terroristas, al «mal» y a los demócratas. No importa a quien, con tal de que la responsabilidad no recaiga nunca sobre uno.

Es natural que haya resultado ser un presidente así. Ya desde su época de estudiante universitario, George W. Bush siempre ha sido un inútil. Lo cual daba igual, porque siempre se hacía con la recompensa. Otros niños ricos tenían tutores privados; él contó con su propio programa especial de discriminación positiva. ¿Un expediente infecto durante el bachillerato (en la superelitista Phillips Academy, de Andover)? ¡Ningún problema, joven George, bienvenido a Yale! Pese a ser un estudiante mediocre en Yale, de todos modos los liberales de Harvard lo admitieron en la Escuela de Negocios. (El pequeño secreto de Harvard, el mismo que el de Yale, es que los hijos de los embajadores y de los políticos —y de los multimillonarios y de los astronautas— conseguían puntos de admisión extras años y años antes de que la «discriminación positiva» para los chicos negros desagradara a tantos «conservadores» y nadie jamás se ha quejado; para qué hablar de proclamar su inconstitucionalidad. ¿Y qué si no eras Teddy Kennedy o George W. Bush o, más tarde, un negro? ¡Mala suerte, colega! Disponen de universidades estatales para la gente como tú.)

Por lo general, una licenciatura en Yale y otra en Harvard convierten a un tipo en miembro de la elitista Ivy League [la agrupación de las ocho universidades más prestigiosas de Estados Unidos], sobre todo si ha nacido, como George W. Bush, en Greenwich, Connecticut, en el seno de una familia que «veraneaba» en Kennebunkport, Maine. Pero de la misma manera que se le acercaría una empresa petrolífera sin que él tuviera que descubrir petróleo; y, más tarde, un equipo de béisbol sin que tuviera que jugar un solo partido, así, cuando se presentó para presidente, y como si se tratara de una licenciatura honorífica, ya se le había conferido una imagen política de buen chico. George Walker Bush —en consonancia con la tradición WASP [*White Anglo-Saxon Protestan*: blanco, anglosajón y protestante] de clase alta de no incluir en los nombres el vulgar «junior», poniéndole al hijo el mismo primer nombre, pero no el segundo, del padre— era el hijo del presidente George Herbert Walker Bush. Era, además, el nieto del senador Prescott Bush de Connecticut. Pero cuando George W. Bush se presentó a presidente, el estudiante de secundaria licenciado en Yale y Harvard, y con unos antepasados registrados en Nueva Inglaterra, había sido etiquetado de nuevo. En el mismísimo sentido en que el presidente del Tribunal Supremo Rehnquist se había convertido en un «interprete estricto», Bush era ya el *outsider*, que se presentaba contra la élite liberal del nordeste. Con todo, y como siempre, George W. Bush dio poco de sí. También, como siempre, no importó, salvo que, en esta ocasión, lo que consiguió de los comités de admisión fueron votos electorales extras.

Los medios de comunicación estadounidenses informaron de la investidura de George W. Bush con cara seria, pero ¿qué les pareció a los demás? Para hacerse una idea, sólo hay que volver las tornas. Supongamos que ocurriera lo mismo en otra gigantesca, imperfecta y turbulenta democracia. Imaginemos que la cabecera es la de un periódico de Brasilia que informa de la noticia: Otro candidato consigue más votos, pero, de todos modos, el perdedor, Jorge Busquito, es investido presidente. ¿Y sabes qué? El gobernador del Estado donde el perdedor es declarado ganador es ¡hermano del tipo! Y el juez que amaña la elección es un compinche político del padre de Jorge. ¡Ah, vaya con estos latinos! ¡Qué se puede esperar? No sería lo mismo si tuvieron las tradiciones anglosajones de juego limpio.

El resto del mundo vio desde el principio lo que muchos estadounidenses se niegan a ver incluso ahora. La discriminación positiva —también conocida como privilegio inmerecido— había concedido a George W. Bush el mayor ascenso que la vida pública puede ofrecer en Estados Unidos. Esta última e inmerecida distinción planteaba automáticamente una pregunta que ningún comentarista del info-show televisivo había pensado jamás que tuviera que llegar a hacer: ahora que tiene un Comandante en Jefe que no ha necesitado luchar ni una sola vez en su vida por nada, ¿qué suerte le espera a Estados Unidos? Entre otras cosas, significaba que el mando de las fuerzas armadas estadounidenses pasaba a manos de una persona con una concepción irreal e infantil de las realidades y posibilidades de la guerra.

Las circunstancias de la privilegiada vida de George W. Bush contestaban otra pregunta que muchos estadounidenses se empezarían a hacer cuando fuera demasiado tarde: ¿Por qué diablos había resultado ser un presidente tan desastroso? La respuesta es de lo más fácil de comprender si, una vez más, te limitas a invertir la pregunta. Lo primero de todo, ¿por qué demonios habría que suponer que un tipo que no podría haber accedido a la universidad de no ser por sus contactos —ya no digamos de llegar a la presidencia sin la intervención del Tribunal Supremo— iba a resultar otra cosa que un desastre de presidente? Lo más lógico era que, junto con la ilegitimidad electoral, la incompetencia acabara siendo la gran característica de la presidencia de George W. Bush.

Tal y como han demostrado los acontecimientos, George W. Bush no estaba más capacitado para gobernar Estados Unidos que para aterrizar sobre la cubierta de un portaaviones, lo cual, en el momento en que asumió el cargo, planteaba otra pregunta: ¿Quién «copilotaría» el avión? Por desgracia para los estadounidenses, esa fue una elección que George W. Bush ya había hecho él solito incluso antes de que jurara el cargo como presidente, cuando escogió al misterioso, terrorífico y malsano Dick Cheney como candidato a la vicepresidencia. Pongamos a un perdedor en la Casa Blanca, y lo más probable es que se rodee de personajes peligrosos e incompetentes que amenazarán nuestro bienestar nacional. La predilección de George W. Bush por depositar un poder inmerecido en almas siniestras a las que les gusta destrozar las cosas, devendría en uno de los rasgos que definirían su presidencia.

La elección de Cheney fue el preludio de todo esto. Bush se regodeó en su elección, denominándola su «primera decisión presidencial». Al igual que en el conjunto de su presidencia, la decisión de elegir a Cheney no sólo resultaba mala para Estados Unidos, sino también contraproducente para el mismo presidente. La verdad es que Bush podría haber ganado las elecciones en buena lid si hubiera escogido a un candidato a la vicepresidencia con algún interés sincero y alguna experiencia real en gobernar en beneficio de la gente real, en lugar de hacerlo en el de las corporaciones empresariales —como la Halliburton Corporation de Cheney— y los intereses de determinados grupos, sobre todo los de la industria petrolífera. Por el contrario, con Cheney, optó por poner a un paso de la presidencia a un candidato vicepresidencial con mal paso y ningún sentido de la responsabilidad pública. Cientos de estadounidenses notables podían haber ocupado el puesto de vicepresidente con distinción, pero Bush no tendría a otro e insistió en escoger a una sombría eminencia sin seguidores nacionales dentro del cerrado mundo republicano de la política del poder.

Bush se presentó a sí mismo durante la campaña presidencial como un hombre práctico, impaciente y con una mente especulativa y abstracta. Diseñó su imagen de campaña para atraer a los estadounidenses cansados de las tácticas republicanas de confrontación ideológica que personificaba el antiguo presidente de la Cámara de Representantes, Newt Gingrich. «La ayuda está en camino», diría Bush a las cámaras cuando, en cada alto de la campaña, pronunciaba su discurso de repertorio a un selecto puñado de republicanos entusiastas. (En la mayor parte de los mítines, los manifestantes no podían ni acercarse a donde estaba él y sólo se podía acceder a sus mítines, por lo general celebrados en espacios cerrados, mediante la correspondiente entrada.) Pero la elección de Cheney era indicativo de algo más: los problemas estaban en camino.

Bush —el autodenominado «conservador compasivo»— había escogido a un siamés ideológico. Nadie jamás había acusado a

Dick Cheney de compasivo, y no era más conservador que el propio George W. Bush. Cheney era un ultrarradical, el primer nombramiento importante de la que resultaría ser la Administración más peligrosamente ultrarradical de la historia moderna de Estados Unidos. La elección de Cheney era el acto de un candidato a la presidencia cuyo círculo íntimo, cuando se tratase de tomar decisiones vitales, sería tan gratuitamente desafiante con las realidades del mundo y se mostraría tan obcecado a la hora de imponer su agenda ideológica preseleccionada a los acontecimientos como el propio George W. Bush.

La elección de Cheney también proporcionó una incipiente pista en cuanto a cómo se tomaría y se utilizaría el poder en el seno del círculo de gobierno. En un principio, Cheney ni siquiera integraba la candidatura para la nominación a la vicepresidencia; de hecho, estaba tan fuera de la candidatura que Bush le pidió que dirigiera el comité para buscar al candidato a la vicepresidencia. La ética y la costumbre exigían, por tanto, que Cheney adoptara un enfoque desinteresado, se eliminara a sí mismo de cualquier posible consideración y, tras una cuidadosa valoración de los candidatos potenciales, presentara a Bush una lista reducida de posibles nominados.

Por el contrario, Cheney organizó la selección de manera que fuera él el elegido; de igual manera que, más tarde, se arreglarían las cosas para que, por lo que a George W. Bush atañera, la única elección fuera rechazar el Tratado de Limitación de los misiles antibalísticos [ABM] y burlarse de los esfuerzos por reducir los efectos del calentamiento global. No es que Bush fuera engañado, no. Disponía de los excelentes consejos de gente como James Baker, el antiguo secretario de Estado, hombre de gran sentido común político, que sería enviado a salvar la situación en Florida para Bush durante la crisis postelectoral. El problema residía en que, al igual que Lyndon Johnson, otro presidente texano al que le gustaba empezar guerras innecesarias, George W. Bush despreciaba de manera sistemática los consejos inteligentes que tenía al alcance de la mano. Por ejemplo, había infinidad de gente que podía haber informado a Bush de que invadir Irak era una idea de locos, además de contraproducente. Muchos lo hicieron. Pero, una y otra vez, Bush haría lo que Cheney quisiera que hiciera por la misma razón que le había escogido como vicepresidente. Cheney —reservado, regordete, sin carisma— es al dinámico George W. Bush de sonrisa arrugada lo que el retrato a Dorian Gray. Por encima de cualquier otra figura del gobierno, Cheney sería el *alter ego* del presidente.

George W. Bush sería como el oficial del barco del relato de Conrad, *El confidente secreto*, y, en las futuras crisis de fabricación propia, Cheney representaría el papel del sombrío ello de su gárrulo superyo. Lo que les guiaba, lo que los convertía en pareja predestinada, era el impulso de arrojar a Estados Unidos al corazón de las tinieblas.

Escoger a Cheney compartía la misma dinámica: la arrogancia tensándose hacia el desastre, que impulsaría los demás desastres del gobierno de Bush. Al igual que la decisión de invadir Irak, la decisión de elegir a Cheney fue ideológica, y no motivada por el realismo. Para quien se molestara en observar, demostraba bien a las claras, y bien pronto, las oscuras obsesiones con las que Bush trufaría sus decisiones presidenciales. También demostraba lo introspectivo y desinteresado que era a la hora de buscar las mejores opciones cuando se enfrentaba a las disyuntivas difíciles. La promesa de la campaña de Bush fue una promesa de normalismo. Escoger a Cheney revelaba otra cosa: lo verdaderamente anormal que sería su visión del mundo en cuanto le echara el guante a la presidencia.

5

El candidato de Wyoming

En el momento en que Bush lo seleccionó como candidato a la vicepresidencia, Richard Cheney, natural de Nebraska, era un empresario multimillonario que residía desde hacía tiempo en Dallas, Texas. Por lo tanto, la elección de Cheney era predecible en otro sentido: suponía la primera y deliberada conculcación de la Constitución de Estados Unidos por George W. Bush.

La Constitución estadounidense no impide la elección de un presidente y un vicepresidente del mismo Estado. Sin embargo —y aquí, una vez más, el colegio electoral siembra la confusión y proporciona, de paso, argumentos adicionales para su abolición— sí que impide que los electores de su Estado voten tanto al presidente como al vicepresidente. Aunque nada prohíbe que los electores de Oklahoma o Maine voten a dos texanos, esta disposición significa que un elector de Texas no puede votar a un presidente de Texas (Bush) y también a un vicepresidente del mismo Estado. Hasta que llegó George W. Bush, ningún partido político importante había nominado jamás a dos candidatos del mismo Estado. Y no lo hicieron porque, al contrario que él, fueron conscientes del excesivo riesgo, sobre todo en elecciones con resultados muy reñidos. El tenor literal de la Constitución estadounidense dice lo siguiente: «Los compromisarios (...) elegirán por votación al presidente y al vicepresidente, uno de los cuales, al menos, no será habitante del mismo Estado que ellos.» La palabra clave aquí es habitante. Su significado es inequívoco, pero en las elecciones de 2000, los republicanos, tras escoger inicialmente a un candidato presidencial de Texas, escogen a continuación, a instancias de George W. Bush, a un candidato a la vicepresidencia que también era «un habitante» del mismo Estado; luego, al final, los electores de Texas votaron a ambos, aun cuando la Constitución lo prohíbe.

El presidente y el vicepresidente son los dos únicos funcionarios estadounidenses que son escogidos a escala nacional; la intención de los fundadores de la nación al animar a que procedieran de Estados diferentes era impulsar una visión nacional. La idea era que la diversidad geográfica animaría a la diversidad filosófica cuando se tratara de escoger a los dos más altos funcionarios de la nación. Sin embargo, no prohibieron una situación como la que Bush y Cheney planteaban abiertamente. La cita constitucional sólo desanima a que el presidente y el vicepresidente sean del mismo Estado. Es posible que el presidente y el vicepresidente sean del mismo Estado siempre y cuando ganen por un gran margen en el colegio electoral. El Estado de Texas, por ejemplo, tenía treinta y nueve votos electorales. Para ganar, se necesitan 270 votos electorales. Si la candidatura Bush-Cheney hubiera conseguido 270 votos electorales más 39, para un total global de 309 nueve votos electorales, tanto Bush como Cheney podrían haber sido elegidos constitucionalmente, aun cuando los electores titulares de los treinta y nueve votos de Texas se hubieran visto obligados por la Constitución a abstenerse de votar a uno u a otro.

¿Qué ocurre en unas elecciones muy reñidas cuando los dos candidatos ganadores son del mismo Estado? En cuanto a las elecciones de 2000, significaba que, si se hubiera respetado la Constitución, George W. Bush podría haber sido escogido presidente por el colegio electoral, o haberlo sido Dick Cheney como vicepresidente, después de que Rehnquist decretara que conseguirían los votos de Florida, pero no los dos. Bush y Cheney no podían aceptar el cargo constitucionalmente porque los votos electorales de Texas no podían, bajo ninguna circunstancia, ir a los dos; y sin los cruciales treinta y nueve votos de Texas, Bush y Cheney carecían de la mayoría en el colegio electoral.

De verse obligados a escoger, sin duda que los electores de Texas habrían votado al candidato presidencial republicano, George W. Bush. ¿Pero qué hubiera pasado con la vicepresidencia? Puesto que Cheney habría carecido de una mayoría en el colegio electoral, la elección de vicepresidente habría recaído —siguiendo con la gratuita complejidad electoral promovida por los fundadores de Estados Unidos— en el Senado estadounidense, originando todavía otra crisis constitucional, una atroz complicación que los partidos políticos estadounidenses han intentado evitar siempre. Al menos, hasta que George W. Bush tomó su «primera decisión presidencial».

La solución evidente para Bush hubiera sido escoger a alguien de cualquiera de los otros cuarenta y nueve Estados. ¿Seguro que no habría en ninguno de ellos, desde el glacial Alaska hasta el glorioso Hawai pasando por el forrajero Kentucky y el valeroso Rhode Island, al menos un «habitante» capaz de servir con simpática distinción como candidato a la vicepresidencia de George W. Bush?

No. Definitivamente, no. George W. Bush quería a Cheney, así que tenía que ser Cheney, y al cuerno con la Constitución (al igual que la carta de Naciones Unidas más tarde). Por consiguiente, los manipuladores informativos de Bush se enfrentaron a su primera gran prueba: ¿podrían colar una mentira tan descarada durante una acalorada campaña electoral a una nación de más de 250 millones de habitantes? Podían y lo hicieron. La casa donde vivían Cheney y su esposa estaba enclavada allí, como lo estaba la empresa donde trabajaba, y no se trataba de una empresa cualquiera. Con unos ingresos anuales de casi 15.000 millones de dólares, unos 100.000 empleados en todo el mundo y con su inmensa filial radicada en Houston, Halliburton, con sede en Dallas, es una de las joyas de la corona de la economía tejana. Alegar que el consejero delegado de Halliburton no fuera habitante de Texas, sería lo mismo que alegar que el de General Motors no lo fuera de Michigan. Cheney no sólo ganaba su dinero en Texas sino que estaba censado como votante en ese Estado (aunque resultó que no se había molestado en votar a George W Bush en las primarias presidenciales de

Texas en el 2000.) En su declaración de la renta federal aparecía una dirección de Texas; incluso llevaba un carné de conducir de Texas. Ningún problema. La máquina informativa de Bush se ocuparía de la presencia de Cheney en Texas de la misma manera que, tiempo más tarde, lo haría de la ausencia de armas de destrucción masiva en Irak, aunque aquí el tejemaneje iría a la inversa.

De manera más concreta, afirmaron que Cheney, a pesar de que se le viera mucho y con frecuencia por la zona de Dallas, en realidad era «habitante» del estado de Wyoming. Cheney tenía propiedades en Wyoming, señalaron, había pasado parte de su juventud allí y allí había ido a la universidad, añadieron. Pero la Constitución de Estados Unidos no dice una sola palabra acerca de las propiedades inmobiliarias ni de a dónde se vaya a la universidad. No establece ningún requisito infantil para el vicepresidente de Estados Unidos. Sí que especifica de manera inequívoca que, a fin de evitar complicaciones políticas, el candidato a la vicepresidencia debe ser «habitante» de un Estado diferente al del candidato presidencial.

Desde un punto de vista legal y constitucional, además del de las circunstancias de su vida profesional y personal, Cheney no era más «habitante» de Wyoming que de la luna, pero, cuando llegó el momento, los treinta y nueve electores de Texas —en clara violación de la Constitución— votaron tanto al tipo de Crawford, Texas, como al tipo de Dallas, Texas.

Legalmente hablando, Dick Cheney no alcanzó la vicepresidente de Estados Unidos, puesto que los votos que le dieron los electores de Texas no fueron válidos. Constitucionalmente hablando, el puesto de vicepresidente ha permanecido vacante, puesto que el Senado, tras el fracaso de Cheney en conseguir una mayoría válida en el colegio electoral, no cumplió con su obligación constitucional en esta materia. Pero, de todas maneras, ¿qué importancia tienen términos como «ilegal»» cuando la ley se aplica de una manera a George W. Bush, y a aquellos que selecciona para recibir un tratamiento especial, y de otra a todos los demás?

Aunque Wyoming no era el hogar de Cheney, aquel lejano y apenas poblado Estado de las Rocosas había sido el escenario de la única experiencia de Cheney como candidato a un cargo electivo con anterioridad a las elecciones de 2000. Desde 1979 a 1989, Cheney había representado a Wyoming en el Congreso, tras lo cual ya no se presentaría a más contiendas electorales. A partir de entonces, apenas se volvió a ver en ese Estado la cara del «habitante» Cheney. Desde un punto de vista político, Wyoming es uno de los Estados menos importantes de la Unión. En circunstancias normales, ser un ex diputado de Wyoming no te permitirá conseguir un trabajo en algún grupo de presión de Washington, ya no digamos la nominación a la vicepresidencia de un partido político importante. Pero en el año 2000, y por lo que a George W. Bush concernía, Cheney era uno de los hombres más influyentes del mundo.

Cheney había obtenido su gran influencia, y su gran riqueza, convirtiéndose en un representante indispensable dentro de Texas y, sobre todo, entre los sectores de la élite republicana de la familia Bush. Ese mundo de poder político e influencia financiera era, a su vez, parte de un mundo aún más amplio de poder político e influencia financiera que se extiende bastante más allá de los rascacielos de Texas, hasta Arabia Saudí, el resto de Oriente Próximo y muchos, muchos otros lugares en los que se extrae petróleo de la tierra como resultado de acuerdos políticos que hacen inmensamente ricos a aquellos que están en el ajo.

El petróleo es la sangre, pero el dinero es el alma, y la guerra, el utensilio político primordial de este mundo en el que Cheney floreció después de abandonar el Congreso. Un mundo en el que los extremismos religiosos —con el cristianismo a un lado, y el islamismo en el otro— coexisten en simbiosis con las obsesiones básicas del poder y el dinero. También es un mundo de rígidos códigos morales y de constantes violaciones de los mismos. Así mismo, es un mundo de lo que a los demás les pueden parecer resentimientos paranoides; acaso porque, cuando lo esencial es el petróleo, la riqueza y la posición, incluyendo el estatus dinástico y político, en lugar de construirse o ganarse, también se extraen. Esto tal vez explique la razón de que, sea de Riad o de Houston, el principesco heredero (George W. Bush u Osama bin Laden) vuele a

Nueva York (o a El Cairo) y baje la pasarela de desembarco mosqueado. El problema es que el príncipe sabe —o, al menos, cree saber— que aunque sea más rico y más duro que los sofisticados miembros de la élite tradicional norteamericana (o árabe), ellos jamás lo aceptarán. Siempre conspirarán contra él. Desde el punto de vista estadounidense, George W. Bush es extraño, incluso atípico; ni siquiera responde del todo a la parodia del republicano derechista y paranoide del suroeste del país. Pero tengamos en cuenta su peculiar mezcla de enojo político, fervor ideológico y fariseísmo moral, apliquémoslo todo a este particular rompecabezas, y empezarán a encajar muchas de las piezas irregulares.

Las familias principescas necesitan secuaces astutos. Ahí es donde entra Dick Cheney en la foto. Durante los años transcurridos desde que había dejado de ser el solitario congresista del Estado de los vaqueros, Cheney se había convertido en un habilidoso manipulador de talla mundial que siempre conseguía lo que quería; uno de aquellos, casi invisibles, que aparentan no hacer casi nada y que, sin embargo, dan la sensación de saberlo todo. Era uno de los muchos contactos, por ejemplo, de la familia Bush con la familia bin Laden, además de con la familia real saudí.

Con Cheney al timón en Dallas, Halliburton y sus filiales hacían dinero en más de cien países. Casi todos los beneficios procedían del petróleo o la industria armamentística, lo cual significaba que Cheney y Halliburton tenían unas relaciones muy intimas con montones de regímenes desagradables. «Tienes que ir a donde está el petróleo. No pienso mucho en ello.» Dijo Cheney en la reunión anual de 1998 de la Panhandle Producers and Royalty Owners Association.

Al contrario que George W. Bush, Cheney no había nacido para el privilegio. Lincoln, Nebraska, su patria chica, estaba enclavada en el límite septentrional de la Norteamérica semidesértica. Allí nació Cheney en 1941, cuando la Gran Depresión daba sus últimos coletazos poco antes de que Estados Unidos entrara en la II Guerra Mundial. Al igual que Rehnquist, Cheney pertenecía a una familia que apenas se había despegado de la pobreza. Tanto si esta proximidad explica algo como si no, lo cierto es que, a lo largo de su carrera, la reacción visceral de Cheney ante los menos favorecidos ha sido de desagrado, y no de simpatía. Como su registro de votaciones del Congreso demostraría, las posturas de Cheney sobre el racismo fueron aquellas que normalmente se asocian, no obstante lo injusto, con los varones blancos del sur. Los orígenes de Cheney no podían ser más diferentes de los de George W. Bush, aunque desde el principio adquirieron algo en común: Yale. Después de terminar el bachillerato, Cheney obtuvo una beca para ir a Yale. Mientras Bush se las arreglaba para aprobar con la ayudita de sus amigos, Cheney abandonaba Yale después de menos de un año de permanencia.

Abandonar la universidad en la década de 1960 fue una decisión que tendría consecuencias de vida y muerte para muchos jóvenes varones estadounidenses, pero para Cheney no supuso ningún problema evitar cumplir el servicio militar en Vietnam. En un anticipo de la habilidad, de la que haría gala más tarde, para arreglar las cosas a su conveniencia a niveles mucho más altos del Estado, fue consiguiendo prórroga tras prórroga de los centros locales de reclutamiento para el servicio militar obligatorio. Al igual que con las exigencias constitucionales de residencia para la vicepresidencia, las responsabilidades militares de Cheney como estadounidense en edad de reclutamiento obligatorio en caso de guerra no le supusieron ningún inconveniente en absoluto. Tras abandonar Yale, se dirigió de nuevo al oeste, a Wyoming. Allí asistió a la universidad y se casó, proporcionándose un doble motivo de prórroga de su reclutamiento para ir a luchar a Vietnam. Después de licenciarse, permaneció otro año más en Wyoming para realizar un curso de postgrado y, de esta manera, conseguir otra prórroga. Luego, mostrando un fervor por las actividades académicas que nunca más volvería a aflorar en el curso de su notable carrera, Dick Cheney se matriculó en otra licenciatura (y en otra excusa para no hacer el servicio militar), esta vez en Wisconsin.

En aquellos días, los centros de reclutamiento dejaban de llamar al servicio militar a los jóvenes en cuanto estos cumplían veintiséis años, aunque tal exención no se aplicaba a los prófugos que actuaban con premeditación. Tras cumplir esa edad, y al igual que había hecho en Yale, Cheney abandonó Wisconsin sin acabar la licenciatura con la intención de probar suerte en Washington, D.C. Al poco de llegar allí, Richard Nixon salió elegido presidente, y Cheney dio el primero de los muchos y asombrosos saltos de éxito en su carrera. Consiguió un empleo en la Casa Blanca como miembro de la nueva Administración, en la misma época en que William Rehnquist, junto con otros muchos manipuladores políticos republicanos que, andando el tiempo, le serían de gran utilidad a Cheney, llegaba a la ciudad.

Richard Nixon había ganado la presidencia con la promesa de «un plan secreto» para acabar con la guerra, pero no era más que una mentira. La guerra de Vietnam continuaría durante otros seis años. Los melenudos manifestantes demócratas contra la guerra como Bill Clinton no fueron los únicos que evitaron luchar por su país cuando el conflicto de Indochina se alargó mucho más de lo que hubiera imaginado la mayoría. El propio gobierno de Nixon era un refugio de prófugos, plagado de brillantes jóvenes que deseaban la victoria en el Vietnam, pero no participar en su consecución. Las oficinas de reclutamiento de lugares como Nebraska, Wyoming y Wisconsin no tenían la costumbre de llamar para el servicio militar a jóvenes que trabajasen para el presidente de Estados Unidos y, por lo que hacía a las propias oficinas de reclutamiento de Washington, los jóvenes bien conectados como Cheney estaban aun más seguros. Washington tenía una inagotable reserva de jóvenes negros en edad de reclutamiento a quienes enviar a luchar en la jungla. Además, ¿trabajar para importantes políticos de la capital de la nación no constituía una forma de defender Estados Unidos tan válida como pegar tiros a la gente en Asia? Gracias a sus empleos con Nixon, en lo tocante a evitar el servicio militar, Cheney y los de su ralea prácticamente tenían la victoria asegurada. Aun cuando sus prórrogas anteriores no les eximían, técnicamente hablando, del servicio militar y sólo posponían sus obligaciones para con el país, ninguno de los altos consejeros de George W. Bush —con la sola excepción de Colin Powell— luchó en Vietnam.

En Washington, Cheney descubrió su vocación: recadero del poderoso. Su primer empleo fue el de ayudante del director de la

Oficina para la Oportunidad Económica (OEO), una reliquia de la guerra contra la pobreza de Lyndon Johnson. Utilizar el gobierno federal para dar oportunidades a otra gente que no fueran ellos, no era para los republicanos más prioridad entonces que ahora. El trabajo de director, para qué hablar del de ayudante del director, habría sido, en circunstancias normales, un peldaño en el camino hacia el olvido, salvo por una cosa: en concreto, el director republicano de la OEO que contrató a Cheney era un ex congresista del extrarradio de Chicago llamado Donald Rumsfeld. Aquello fue el principio de una asombrosa ascensión al poder no electo para ambos. Durante los siguientes treinta y cinco años, las ambiciones de Cheney y Rumsfeld se entretejerían como las líneas de una doble espiral hasta que ambos hubieron alcanzado casi la cumbre de la estructura de poder de Estados Unidos. En otras circunstancias, podrían haber alcanzado la mismísima cumbre, llegado a la propia presidencia, salvo que, primero un George Bush, y luego, otro, llegaron antes.

Incluso tan tempranamente, la carrera de Cheney ilustraba el inexplicable poder que se puede llegar a tener en Estados Unidos, y cómo, si sabes dónde está y cómo agarrarlo, puedes granjearte influencias que los funcionarios electos por el pueblo rara vez gozan. En el momento en que Richard Nixon es elegido presidente en 1968, Cheney era prácticamente un desconocido; cuando Nixon dimitió oprobiosamente de su cargo en 1974, Cheney era uno de los manipuladores republicanos de Washington mejor relacionados. En 1975, estuvo a punto de escalar aún más. La derrota de Vietnam y la crisis del Watergate no habían ralentizado el ascenso al poder de Cheney desde dentro. Antes al contrario, a medida que se abría vacío de poder tras vacío de poder, Cheney los llenaba con su insulsa y omnipresente persona. Un profético acontecimiento clave de estos primeros años, tanto para Cheney como para Rumsfeld, fue el intento de ambos de organizar un golpe de palacio que, de haber dado todos sus frutos, les habría otorgado el control efectivo del gobierno de Estados Unidos. Ocurrió a finales de octubre de 1975. Tras convertirse en presidente a raíz de la dimisión de Nixon, Gerald Ford —un veterano congresista por Michigan— había escogido a Ronald Rumsfeld, en otro tiempo colega suyo por Illinois en la Cámara de Representantes, para que ocupara el cargo de jefe de personal. Rumsfeld se llevó de ayudante a Cheney.

Desde un punto de vista técnico, se supone que el jefe de personal del presidente es un factótum y no alguien que toma decisiones. Se suponía que Rumsfeld y Cheney estaba allí para hacer que la maquinaria de la presidencia funcionara sin contratiempos para Ford, no para satisfacer sus propios objetivos personales. Pero, entonces y después, no era así como funcionaban. Una vez en la Casa Blanca, Rumsfeld y Cheney empezaron a conspirar para derribar a los mandarines más poderosos de la Administración, en especial al secretario de Estado, Henry Kissinger, al secretario de Defensa, James Schlesinger, y al vicepresidente, Nelson Rockefeller. Los dos prepararon el camino infiltrándose y, más tarde, ocupando por entero la mente y los cálculos del presidente Ford. Una vez hecho esto, golpearon. En la llamada Masacre de Halloween de 1975, el presidente Ford, en el mejor estilo de un sultán sumiso, siguió los designios de dos visires, Rumsfeld y Cheney. Henry Kissinger —hasta el momento considerado una inteligencia invencible— fue burlado y degradado. A Nelson Rockefeller —cuyo solo nombre es sinónimo de poder en Estados Unidos— se le dijo que se buscara otro empleo. Al secretario de Defensa Schlesinger se le ordenó sin más que recogiera lo que tenía en su escritorio y se largara. Algunos de los hombres más poderosos de Estados Unidos habían sido defenestrados por Rumsfeld, —cuya única y previa experiencia de gobierno había sido la de congresista suburbano—, y por Cheney —que carecía de cualquier experiencia de gobierno que no fuera la de manipular al organismo nacional de reclutamiento para evitar hacer el servicio militar. Incluso para la época del LSD, aquello fue un resultado alucinógeno.

Su siguiente paso consistió en recompensarse. Rumsfeld se nombró secretario de Defensa; a sus cuarenta y cinco años, el más joven de la historia. Cheney se convirtió en el jefe de personal de la Casa Blanca; a los treinta y uno, el presidente en funciones de hecho. Entonces, empezaron a ejecutar su propia agenda oculta, que no era otra que la de acabar con la distensión con la Unión Soviética y deshacerse de aquellos vergonzosos tratados de limitación armamentística que los peleles como Kissinger habían acordado con los comunistas. Pero sus intrigas y temeridad condujeron a la derrota. Por culpa, en parte, de varias asombrosas pifias en política exterior, que podrían haberse evitado si su jefe de personal se hubiera asegurado de que el presidente fuera debidamente informado, Ford fue derrotado en las elecciones presidenciales de 1976. Mientras Ford se convertía en un afable nombre del pasado, Rumsfeld era arrojado a la oscuridad política, de donde no volvería a salir, rumbo a otro gabinete, hasta pasados veinticuatro años, cuando George W. Bush, como si lo arrancara de una cápsula del tiempo, lo volvía a colocar en el mismo cargo, secretario de Defensa, que había dejado vacante casi un cuarto de siglo antes.

¿Y Cheney? Por primera vez, aunque no por última, el desastre para su jefe (Gerald Ford) y su mentor (Rumsfeld) supuso el pasaje de Dick Cheney hacia un nuevo éxito. El sueño de muchos empleados de la Casa Blanca consiste en abandonar Washington e irse a algún lugar como Wyoming para salir elegidos congresistas, de manera que puedan volver a la capital para reanudar allí el juego del poder como funcionarios elegidos, y no nombrados. Pocos lo han conseguido alguna vez. Los talentos del experto cortesano washingtoniano son muy diferentes de las habilidades de un candidato político de éxito. Pero tras la derrota de Ford en 1976 y el destierro de Rumsfeld, fue eso lo que hizo Cheney. En 1978 fue elegido diputado al Congreso por Wyoming. Entonces, utilizó la Cámara de Representantes —como antes había utilizado la OEO y la Casa Blanca— para promover su carrera como uno de los más consumados poseedores de información privilegiada de Washington. En apariencia, era sólo uno de los 535 congresistas; en el fondo, se convirtió en un personaje clave, hacia quién se volvían los republicanos importantes cuando las cosas se ponían difíciles.

Su siguiente oportunidad le llegó en 1989, poco después de que el primer George Bush sucediera a Ronald Reagan. Bush había escogido a John Tower, un antiguo senador por Texas, como secretario de Defensa en la suposición de que el Senado no rechazaría un nombramiento de quien había sido uno de los suyos. Pero cuando los conocidos problemas de Tower con las mujeres y la botella desbarataron la candidatura, Bush llenó el hueco con Cheney. El congresista de Wyoming encandiló a los senadores que le interrogaron con el mismo dominio del detalle e idéntica imagen apacible de las que haría gala en los debates para la vicepresidencia de 2000.

Cheney fue confirmado como secretario de Defensa por unanimidad. Según parece, el hecho de que careciera de experiencia militar de cualquier tipo no lo descalificó ante ni un solo senador para asumir el mando de las fuerzas militares más poderosas del mundo. El ejército de Estados Unidos es una de las instituciones más complejas del país desde un punto de vista racial, pero los documentos sobre las opiniones raciales de Cheney no parecieron molestar a los senadores más de lo que les habían molestado los de Rehnquist, aun cuando aquel, al igual que éste, hubiera dejado constancia de su oposición a la igualdad de derechos de los negros estadodunidenses. En el Congreso había sido uno de los escasos representantes no procedente del Sur Profundo que se había opuesto a la legislación que protegía el derecho a la igualdad de voto.

La derrota del presidente Bush en la reelección de 1992 abrió nuevas puertas a Cheney, esta vez en Texas. Tras haber supervisado billones de dólares en gasto militar como secretario de Defensa, ahora seguiría ganando miles de millones de dólares en contratos para la Halliburton Company, radicada en Dallas. También se hizo multimillonario en su calidad de presidente y consejero delegado de la empresa tejana, cuyos beneficios procedían en buena parte de reconstruir cosas, a expensas de los contribuyentes estadounidenses, que habían destruido las fuerza armadas de Estados Unidos. Cuando George W. Bush lo escogió como vicepresidente, bien se podía decir que, con sus ires y venires, cuando y donde fuera que Estados Unidos hiciera la guerra, y fuera cual fuese el motivo, Dick Cheney iba a ser, sin duda, el ganador. Si George W. Bush le hubiera vuelto a nombrar secretario de Defensa, la elección habría parecido lógica, aunque se habría suscitado una evidente cuestión de conflicto de intereses. Cheney era un tipo que seguro que sacaba provecho a la guerra, a cualquier guerra. Pero, ¿Cheney como vicepresidente?

Estrenando sus realmente extrañas decisiones «presidenciales» con ésta, George W. Bush dejaba ver sus intenciones en cuanto a sus prioridades ideológicas. La etiqueta que había escogido para sí mismo era la de «conservador compasivo», pero los registros de las votaciones de Cheney en el Congreso pronosticaban las posiciones implacablemente extremistas que la presidencia de George Bush adoptaría en un montón de temas, tanto internos como externos. Durante su paso por el Congreso, Cheney no sólo se había opuesto al derecho de igualdad de voto de los negros, sino también a las medidas para proteger las vidas de los policías, en especial a la prohibición de las balas «asesinas de polis». Cheney votó en contra de la creación del departamento de Educación, al tiempo que intentaba quitarles comida y medicinas a los ancianos y a los niños en edad preescolar.

En el Congreso, Dick Cheney se había mostrado resueltamente contrario a la intervención estatal en cualquier aspecto de la vida privada de los ciudadanos individuales, salvo en lo tocante a los órganos sexuales femeninos. A ese respecto, apoyó la legislación que convertía en delito que una mujer abortara aun cuando se certificase la necesidad médica de hacerlo para salvar la vida de la madre. En el terreno de las relaciones exteriores, Dick Cheney se alió con la derecha segregacionista de Sudáfrica; y, pese a que los sudafricanos blancos la apoyaban, también se opuso a la liberación de Nelson Mandela.

El otro actor importante del gobierno de George W. Bush sería el antiguo colega y mentor de Cheney, Donald Rumsfeld. Durante décadas, sus carreras habían corrido paralelas. Dentro o fuera del cargo, uno de los muchos rasgos que los dos compartían era la poca afición, tras sus iniciales aventuras en contiendas políticas electorales, a conseguir el poder por procedimientos democráticos. Tras ser nombrado secretario de Defensa, Cheney jamás buscaría un cargo electivo de nuevo. Al cabo de sólo tres trimestres en el Congreso, Rumsfeld también dejó definitivamente de presentarse a comicios electoralas. Al igual que Cheney, Rumsfeld organizó su carrera en torno a la consecución del poder no electo y el dinero. Los dos consiguieron un enorme éxito en ambos empeños, aunque a Rumsfeld, al contrario que a Cheney, jamás se le ofreció lo que, en realidad, a diferencia de la forma, es el máximo cargo por designación de Estados Unidos: la vicepresidencia.

En la década de 1970, cuando Rumsfeld era un niño prodigio republicano, había parecido que sería él, y no Cheney, el que más probabilidades tenía de conseguir el nombramiento para un cargo nacional. Pero en 1980, Ronald Reagan escogió a George Bush padre para que fuera su vicepresidente. Rumsfeld, que había confiado en ser nombrado, ni siquiera consiguió un puesto en el gobierno. Lo que hizo que el desaire fuera aun más amargo era que Rumsfeld despreciaba profundamente al viejo Bush. Aunque este, al contrario que él, había entrado en combate durante la II Guerra Mundial, Rumsfeld, que había ido a Princeton, consideraba que el viejo Bush era un pelele de Yale. Bajo las sonrisas de la foto protocolaria, la animadversión era recíproca. Rumsfeld no consiguió ningún puesto en el primer gobierno de Bush, que duraría desde 1989 a 1993.

Los republicanos con más acceso a la información privilegiada supusieron en un principio que George W. Bush tampoco le haría ningún regalito a Rumsfeld, pero después de conseguir ser nombrado vicepresidente, Cheney se constituyó en comité unipersonal de selección para cubrir los puestos de poder de todo tipo de la Administración entrante. Con la decisión de George W. Bush, a instancias de Cheney, de traer de nuevo a Rumsfeld al centro del poder, el equipo Rumsfeld-Cheney (ahora trasmudado en el equipo Cheney-Rumsfeld) volvía a hacerse de nuevo con el inmenso poder que tan tentadoramente familiar se les había hecho tras la Masacre de Halloween de 1975.

En el ínterin, el mundo había cambiado, pero las prioridades de Cheney-Rumsfeld, no. Tal y como demostraron los acontecimientos, el abierto desprecio mostrado por Rumsfeld hacia la «vieja Europa» durante los preparativos para la invasión de Irak no fue una arrebato ocasional. Al igual que Rumsfeld, Cheney —además del propio George W. Bush— despreciaba el enfoque multilateral pro Naciones Unidas y centrado en la OTAN que el viejo Bush había aplicado a su política exterior. Como el mundo aprendería,

Rumsfeld, Cheney y George W. Bush tenían una idea bastante diferente de cómo, y con qué propósitos, debería utilizarse el poderío estadounidense.

Cuando llegó el día de la investidura, ya había surgido un eje Bush-Cheney-Rumsfeld dedicado a utilizar el poder militar de Estados Unidos para acometer una agenda radical. El objetivo intermedio consistía en desestabilizar, incluso destruir, el actual orden mundial basado en la íntima coordinación con los aliados en la persecución de objetivos tan nobles como los derechos humanos y la protección medioambiental. El objetivo a largo plazo era imponer un nuevo orden mundial en el que Estados Unidos podría hacer lo que quisiera, cuando y donde se le antojara. Los aliados, junto con los valores estadounidenses, podían irse al diablo.

Esta agenda, aunque no totalmente oculta, había sido camuflada con ingenio mediante la imagen antielitista de la campaña de Bush. Sin embargo, para ver lo que se estaba tramando en realidad, uno sólo tenía que mirar a los ojos a los dos hombres situados al lado de George W. Bush, cuyas visiones del mundo y políticas adoptó el presidente como propias por encima de cualesquiera otras. Cheney y Rumsfeld habían empezado cuatro décadas antes como unos brillantes chicos del Medio Oeste, pero, a esas alturas, su versión del éxito norteamericano los había convertido en dos personificaciones gemelas de unos objetivos oscuros y antidemocráticos.

Si uno se molestaba en echarle un vistazo, el registro de votaciones de Cheney lo aclaraba todo. Ya desde el principio —bajo Nixon, trabajando juntos en la OEO—, el equipo Cheney-Rumsfeld había fraguado un enfoque del Estado que se había convertido en el paradigma de George W. Bush. Cerrando centros de preescolar y de secundaria mientras se envían adolescentes a morir en guerras en el extranjero: así es como empezaron Rumsfeld y Cheney bajo Nixon. Y así es como volverían a estar una vez más bajo George W. Bush: el gobierno de unos pocos, por unos pocos y para unos pocos. Habría riqueza... corporativa; habría compasión... para los ejecutivos de Enron y Arthur Andersen. En lo concerniente a los programas sociales, el gobierno de George W. Bush tomaría los recursos por baremo: cuantos más recursos tengas, mayor será tu reducción de impuestos.

Los únicos beneficiarios a largo plazo de las actividades de Rumsfeld y Cheney en la Oficina de Oportunidades Económicas fueron ellos mismos. Una vez en el poder, continuarían utilizando el gobierno federal para concederse ventajas a ellos y a sus amigos. Entre 1969, cuando Nixon les facilitó a ambos la entrada en el mundo del poder no electo, y 2001, cuando George W. Bush los convirtió en los dos hombres más poderosos de su gobierno, estos dos hijos del corazón de Estados Unidos se habían convertido en unos consumados practicantes de lo que George W. Bush le dijo al país que estaba combatiendo: la política de la información privilegiada. En ese sentido, como en muchos otros, la presidencia de George W. Bush sería una mentira desde el primer día.

6

Capos

Cheney y Rumsfeld fueron los capos de la camarilla ideológica que, ya desde el principio, confirieron a la presidencia de George W. Bush ese mal talante que la caracteriza. Compartiendo la misma actitud victimista hacia el mundo exterior, incluidos los aliados de Estados Unidos, además de un desprecio socarrón hacia los derechos humanos y las leyes internacionales, estos burócratas ideológicos fueron incrustados por las circunstancias en los puestos claves de designación a dedo. No les llevó mucho tiempo convertir a Estados Unidos de una de las naciones más respetadas del planeta en una de las más molestas. La primera víctima de esta, en definitiva, guerra no provocada contra el mundo fue la confianza en Estados Unidos.

Los manipuladores de Bush llaman a este comportamiento «conservadurismo». En realidad, se trata de una irascible cruzada para destruir las políticas que el tiempo ha demostrado que funcionan, además de las relaciones estratégicas de décadas que cualquiera que verdaderamente valorase la seguridad estadounidense se esforzaría en conservar. Esto no es «dar la cara por Estados Unidos», como George W. Bush proclama ante sus patrocinadores; es hacerle un corte de mangas al mundo.

Con George W. Bush en la Casa Blanca no hay situación demasiado grande o demasiado pequeña que no se pueda convertir en un asunto de presión a nivel mundial. Millones de mujeres desnutridas y analfabetas podrían contraer el sida en África y transmitir el virus a niños no deseados nacidos de embarazos evitables debido a que la Administración Bush retiró los fondos destinados a la asistencia sanitaria a las clínicas locales que hubieran proporcionado información sobre el aborto. Jugar a la política con el sida en África proporciona geniales titulares sobre los valores de la familia a los informativos de televisión. También, durante una breve parada en Nigeria, produjo uno de los clásicos momentos para «reír o llorar» de George W. Bush.

Ante una enorme concurrencia de africanos —en su inmensa mayoría jóvenes y pobres, tanto, que muchos ni siquiera podrían permitirse comprar preservativos— George W. Bush se comprometió a lo que sigue: «Apoyaremos una educación para los jóvenes en colegios, iglesias y centros sociales basada en la abstinencia sexual». Esta fue su cantinela evangelizadora sobre lo que, en la práctica, todos los fanáticos estadounidenses piensan en un momento u otro, aunque pocos lo digan en voz alta: a olvidarse de las clínicas de planificación familiar, los dispositivos intrauterinos, los anticonceptivos o los condones. Con que sólo seamos capaces de enseñar a estas gentes a controlar sus impulsos sexuales, no necesitarán nuestra caridad.

Los acuerdos internaciones que habían evitado el holocausto nuclear también se tiraron a la basura. Durante más de cincuenta años, los hombres de Estado estadounidenses trabajaron para construir un sistema que limitaría las pruebas y el despliegue de la más terrorífica de todas las armas de destrucción masiva: las cabezas nucleares de largo alcance alojadas en misiles balísticos. La ruptura de este sistema devino en objetivo estratégico para George W. Bush. Primer paso: convertir a Estados Unidos en la primera nación de la historia en repudiar el tratado de limitación de armas nucleares, abriendo el camino al desarrollo multibillonario (en dólares) del impracticable sistema de defensa antimisiles de la «Guerra de las Galaxias».

¿Minas terrestres? ¡Dejad que los niños jueguen a la rayuela encima de ellas! ¿Crímenes de guerra? ¡Dejemos que los asesinos de masas queden en libertad! ¿La capa de ozono? Dejad que esas industrias químicas escupan a la estratosfera; eso enseñará al espacio exterior quién manda aquí abajo. Bush, Cheney y Rumsfeld proporcionaban la visión global. Pero cuando se trataba de los niveles gubernamentales más bajos, aquellos donde realmente se hacen y se deshacen las cosas, la figura totémica en toda su negatividad y capacidad destructiva era un insulso «intelectual de la defensa» de mediana edad, voz profunda y tranquilizadora y ojos de mirada honesta llamado Paul Wolfowitz. Hasta que George W. Bush no convirtió las peligrosas ideas de Wolfowitz en la doctrina estratégica de Estados Unidos, Wolfowitz —al igual que Rumsfeld— había estado alejado del poder durante largo tiempo, actuando en la periferia de lo intelectualmente respetable en los gabinetes estratégicos de Washington, D.C.

Durante mucho tiempo había sido un protegido de Dick Cheney, justo desde que este había empezado a serlo de Rumsfeld. Los tres se habían llegado a obsesionar con la idea de invadir y ocupar Irak mucho antes de que George W. Bush decidiera utilizar el 11-S como excusa para un ataque. El puesto oficial de Wolfowitz en el gobierno de George W. Bush era el de ayudante del secretario de Defensa, aunque lo que debería haberse rotulado en la puerta de su despacho del Pentágono debía haber sido «CUIDADO, MUNDO». Wolfowitz era la personificación de la intensa necesidad de la pandilla de Bush, y sobre todo del mismo George W. Bush, de empezar la guerra. Al igual que el presidente, Wolfowitz era otro victimista de la Ivy League (y no un vaquero del suroeste), en su caso de Cornell. A mayor abundamiento, Wolfowitz compartía un revelador título con muchos de los nombramientos pro guerra de George W. Bush: su escaqueo del servicio militar. Al igual que Dick Cheney y casi todos los halcones de la guerra de Bush, había sido un perseverante y afortunado prófugo de la guerra de Vietnam.

Una vez hecho con las riendas, George W. Bush se montaría a horcajadas sobre el mundo para domarlo, cual turista que se subiera en uno de esos potros salvajes mecánicos de parque temático texano. Luego, en Irak, se embarcaría en la más injustificada e infantil aventura militar estadounidense en el exterior desde la invasión de Camboya de 1970. Wolfowitz, apoyado por Rumsfeld y animado por Cheney, discurriría la jerigonza estratégica para racionalizar la insensatez de Bush.

En la subsiguiente crisis generada por Bush, Wolfowitz sería a la doctrina del ataque preventivo lo que Ptolomeo había sido a la idea de que el sol giraba alrededor de la Tierra: el teórico jefe de un sistema que desafiaba a la realidad. El secretario de Estado Colin Powell interpretaría la figura de Galileo. Sabía cómo se movía realmente el mundo, pero cuando se le hizo comparecer ante la curia del despacho Oval, Colin —el único de todos con un conocimiento directo de la guerra y mucho más— mascullaría entre dientes su conformidad y dejaría que el cardenal Cheney, el arzobispo Rumsfeld y monseñor Wolfowitz se salieran con la suya.

La energía para dar forma al pensamiento político de un presidente de Estados Unidos ha estado buscando a Paul Wolfowitz durante mucho tiempo. Ya en 1992 había instado a que Estados Unidos adoptara como doctrina estratégica la idea de que la ley mundial y el orden mundial no contaban para nada cuando Estados Unidos deseaba violar la una o invertir el otro.

El padre de George W. Bush lo conocía mejor. Cuando el jefe y mentor de Wolfowitz durante el gobierno del primer Bush, el entonces secretario de Defensa Dick Cheney, le presentó las propuestas políticas de Wolfowitz para su aprobación, Bush padre rechazó aquel primer borrador de lo que más tarde se convertiría en el programa de la política exterior de «con nosotros o en contra» de su hijo.

Bush padre, un veterano combatiente de la II Guerra Mundial, había caído en la cuenta de que aquellas panaceas estratégicas de Wolfowitz no eran ninguna tontería: eran las recetas para el desastre; en sí mismas, una amenaza para la seguridad de Estados Unidos. Lo que da la medida de la diferencia entre el padre y el hijo, es que George W. Bush adoptó como propias las mismas propuestas que su padre había reconocido como peligrosas e insensatas.

En el intervalo entre los dos gobiernos Bush, Wolfowitz permaneció como una figura poco destacada fuera de los círculos ultrarradicales; luego, George W. Bush le volvió a otorgar el favor presidencial. Al igual que el resucitado Rumsfeld, en Washington se labró la condición de ídolo. Las propuestas otrora rechazadas fueron, entonces, objeto de un estudio digno de los rollos del Mar Muerto. Sin embargo, el documento de Ur del informe Wolfowitz es su currículo oficial del departamento de Defensa, la biografía de una vida peligrosamente divorciada de la realidad del mundo, tal y como ha acabado siendo la política exterior de Bush.

Cuando Wolfowitz salió de Cornell en 1965 con una licenciatura en ciencias exactas, Estados Unidos ya se encontraba profundamente dividida a causa de la guerra de Vietnam. La gran controversia entre los pensadores estratégicos era si la guerra de Vietnam debía intensificarse o no. Wolfowitz no tuvo arte ni parte en aquel debate. En su lugar, en una época en que otros jóvenes estadounidenses o bien luchaban en Vietnam o bien protestaban contra la guerra, Wolfowitz —al igual que Cheney— empezó a aprender cómo mover los hilos internos del Estado para hacer realidad su propia agenda, a la sazón, cómo evitar involucrarse en los traumas de la guerra de Vietnam por completo.

Wolfowitz no sólo eludió el reclutamiento; consiguió que el gobierno federal le pagara por hacerlo. Nada más salir de la facultad, y al mismo tiempo que conseguía la primera prórroga, se sacó su primer sueldo del Estado. «Un año de prácticas de gestión en la Agencia Presupuestaria (1966-67)» es como el futuro consejero presidencial en la guerra estratégica describe su primera experiencia laboral de una carrera que jamás implicaría cumplir con una nómina, sacar un beneficio o producir algo de utilidad real para el público estadounidense. Una cosa que podría haber aprendido Wolfowitz de la Agencia Presupuestaria, aunque es evidente que no lo hizo, es la manera en que una guerra innecesaria puede arruinar las finanzas de un país.

Los estudios académicos no podían hacerse apresuradamente en aquellos años de guerra, que fueron testigos de la Ofensiva del Tet y los asesinatos de la Universidad de Kent State, además del programa de vietnamización de Nixon. Tras las prácticas funcionariales, Wolfowitz pasó los siguientes cinco años escondido en selectas torres de marfil, entre ellas la Universidad de Yale y la de

Chicago, donde la preparación de la tesis doctoral le ayudó a prolongar las prórrogas durante media década.

Además de evitar el servicio militar, Chicago permitió que Wolfowitz se sumergiera en las teorías platónico-negativas del cuasisuperhombre del guru neoconservador Leo Strauss, que le supervisaba la tesis doctoral. La triste historia de la filosofía política de los siglos XIX y XX se puede entender, en parte, como la historia de una plaga de itinerantes filósofos alemanes que, tras fracasar tanto en la detención como en la explicación del triunfo de la barbarie intelectual en la propia Alemania, a continuación pasaron a confundir a licenciados impresionables de Chicago hasta el día del juicio final. Pensemos en Strauss como en un refugiado político antimarxista de la región central, y en Wolfowitz —hijo de un profesor de matemáticas del norte del Estado de Nueva York— como en el equivalente suburbano anticomunista de todos aquellos universitarios inmaduros que, allá en los años sesenta del siglo XX, pensaban que el Che y Marcuse eran buenísimos, y nos haremos una idea. Tal y como lo veía Strauss, el amor de Estados Unidos por la libertad y sus protestas contra una guerra injusta eran signos de que Estados Unidos —la nación que había derrotado a Hitler y le había salvado a él y a tantos otros de la persecución y la muerte en sus propios países—, se estaba convirtiendo en otra República de Weimar. Es una imagen interesante: Wolfowitz empapándose de la idea de la decadencia de Estados Unidos defendida por Strauss, mientras el profesor autoriza su aplazamiento del servicio militar.

Tras cumplir los veintiséis años, le llegó el momento a Paul Wolfowitz de volver a la nómina federal: «Cuatro años (1973-77) en la Agencia de Desarme y Control Armamentístico, trabajando en las conversaciones sobre limitaciones de armas estratégicas y una serie de temas de no proliferación nuclear» es cómo lo describe su currículo. En Washington, Wolfowitz conoce a otros jóvenes ideólogos que también habían decidido que los pensamientos del jefe (del departamento de filosofía) Leo Strauss proporcionaban la clave para la utilización global del poder estadounidense. Entre estos «intelectuales de la defensa» se incluía Richard Perle, cuya receta para Oriente Próximo era, siempre y de manera inevitable, poner el poderío de Estados Unidos por entero y sin ningún cuestionamiento al servicio de lo que, en cada momento, se le antojara hacer a Israel. Otra figura de ese círculo era Elliott Abrams, cuya idea del ejercicio adecuado del poder de Estados Unidos consistía en incitar el terrorismo (los neoconservadores lo llamaban «guerra de baja intensidad») contra los países del Tercer Mundo cuya filosofía de gobierno no hubiera aprobado Leo Strauss. Abrams sería procesado más tarde (aunque absuelto en segunda instancia) a consecuencia de su participación en el escándalo de Reagan con la Contra nicaragüense.

Durante el siguiente cuarto de siglo, Leo Strauss fue a esta camarilla de ocupados neoconservadores lo que Ayn Rand a los chiflados de *El Manantial*. A su alrededor siempre había, también, el tufillo de Tolkien y sus *hobbits*, además de *Superman* (tanto el superhombre de Nietzsche como el personaje de cómic). Aunque estos tipos se veían a sí mismos como pensadores profundos, en realidad estaban empapados de las trivializaciones que la cultura moderna hace de Platón y Homero: de Leo Strauss, no de *La República*; de *El señor de los anillos*, no de las guerras troyanas. Décadas más tarde, la guerra de Irak sería lanzada por un puñado de doctorados que, durante todo el tiempo que habían dedicado a eludir el servicio militar, era evidente que jamás se habían molestado en leer la *Ilíada* ni en entender lo que revela acerca de la guerra y lo que esta les hace a los seres humanos. La futura obsesión de eliminar a Sadam Husein sería el toque de mal gusto, la trivialización postmoderna de *La pureza del corazón consiste en desear una cosa* de Kierkegaard.

Mientras se preparaba para el día en que George W. Bush le concediera el poder real que fortalecería sus conceptos ideológicos, Wolfowitz pasaba el tiempo escribiendo propuestas políticas. En el mundo washingtoniano de los artículos políticos generados por funcionarios —el tipo de documentos que no significan nada a menos, y hasta, que alguien con verdadero poder se los toma en serio—, un talento que todo guionista estratégico de éxito debe tener es el don de asegurar que acontecimientos del tipo de las elecciones presidenciales no perturben la producción permanente de sus documentos posicionales. Esta fue una habilidad de la que Wolfowitz hizo gala desde los mismos inicios. Por lo que hacía a la mayoría de los estadounidenses, la elección de Jimmy Carter como presidente en 1976 supuso un gran cambio: el que iba de la concepción del poder de Estados Unidos de Nixon y Kissinger, a uno basado en los derechos humanos. Pero bajo Carter, al igual que bajo Reagan, la carrera de Wolfowitz siguió adelante ajena a la orientación del voto de los estadounidenses o a lo que ocurriera en el mundo. Quienquiera que fuera presidente, su enfoque seguía siendo sencillamente aritmético: cuantas más armas tuviera Estados Unidos, y más las utilizara, tanto mejor. Es esta inflexible política de la «seguridad nacional», imperturbable a lo largo de décadas e impermeable a la realidad geopolítica la que, al igual que algunos hámsteres inofensivos de una película de ciencia ficción, crecería hasta convertirse en un monstruo que amenazaría la Tierra una vez que la atención radiactiva de George W. Bush la bombardeara.

Sin embargo, fue bajo el pacífico Jimmy Carter cuando Wolfowitz lograría el trabajo decisivo que lo conduciría a todo eso. Cuando todavía contaba treinta y pocos años, fue nombrado ayudante del secretario de Defensa para los programas regionales. La reciente derrota de Estados Unidos en Indochina había comenzado como un problema regional. Luego, a lo largo de más de una década de listas de bajas, las administraciones de Johnson y de Nixon la habían intensificado hasta convertirla en una humillación global para Estados Unidos. Tras la autoinfligida catástrofe, no había duda de que Estados Unidos necesitaba nuevos planteamientos para los problemas regionales. En ninguna parte estaba más trasnochado el viejo enfoque de la teoría del dominó que en la enorme región del océano Índico, que, atravesando el subcontinente indio e Irán, se extiende desde el sudeste asiático hasta el mundo árabe e Israel. Aquí, el planteamiento tradicional, aquel que hacía hincapié en las «soluciones» militares a los problemas sociales y económicos, en combinación con el apoyo político a los dictadores locales, estaba algo más que equivocado: no tenía sentido.

Después de la derrota de Indochina, se respiraba el cambio. Si se querían evitar más desastres, sería necesaria una nueva clase de entendimiento estratégico, y no sólo nuevas clases de sistemas armamentísticos. Todo esto era tan incomprensible para Wolfowitz como para Rumsfeld y Cheney y, más tarde, para George W. Bush. Wolfowitz describe sus actuaciones de entonces para fraguar un nuevo enfoque regional estadounidense tras el desastre militar en Vietnam como una ayuda para la «creación de la fuerza que, más tarde, se convertiría en el mando central de Estados Unidos y que pondría en marcha los barcos de preposicionamiento marítimo, la espina dorsal del despliegue inicial estadounidense doce años después en la operación Escudo del Desierto.»

Este ejercicio mecánico-militar técnicamente competente prefiguró la ilimitada fe que los estrategas estadounidenses depositarían en las guerras tecnológicas durante el siguiente cuarto de siglo. Tal cosa no hizo nada por separar los intereses regionales de Estados Unidos del destino del sha de Persia. Éste, al igual que otros diversos déspotas apoyados por Estados Unidos, seguía siendo un «pilar de estabilidad» de los planteamientos estratégicos estadounidenses; hasta que su pueblo lo derrocó en 1979. Al no haber sido prevista en absoluto por los mandarines de la seguridad nacional de Estados Unidos, la caída del sha condujo, entre otras cosas, a la toma del poder en Irán por los ayatolás, la invasión de Irán por parte de Sadam Husein y los escándalos Irán-Contra, por no hablar de las dos guerras que Estados Unidos libraría en Irak más adelante.

Miles de millones de dólares en armamento no habían hecho viable al régimen del sha, ya no digamos convertirlo en un pilar de estabilidad. Los buques de guerra de Wolfowitz situados en el océano Índico tampoco evitarían el ascenso del fundamentalismo islámico; ni siquiera serían capaces de impedir que los manifestantes tomaran la embajada de Estados Unidos en Teherán y mantuvieran prisioneros allí al personal estadounidense durante más de un año. Los revolucionarios iraníes —como Osama bin Laden veinte años después— ni se inmutaron por la estrategia de Wolfowitz-Rumsfeld-Cheney y (finalmente) George W. Bush, de «proyección» de los multibillonarios (en dólares) sistemas armamentísticos estadounidenses en el océano Índico. Entonces, como más tarde, Wolfowitz y los otros no tendrían ni idea de cómo estaban conectadas en realidad las fuerzas armadas de Estados Unidos —y, lo que aun es más importante, ni de cómo conectarlas— con el mundo real. Como ocurre a menudo en Washington, su alejamiento de la realidad le resultó a Wolfowitz de enorme utilidad en su carrera, pues lo dejó libre para generar la clase exacta de tontería fantasiosa «estratégica» que tanto les gusta encontrar en sus cajones a Rumsfeld, Cheney y George W. Bush.

Para la mayoría de los estadounidenses, el desplazamiento desde la postura frente al mundo personificada por Jimmy Carter a la encarnada por Ronald Reagan fue otro gran cambio. Para Wolfowitz supuso cambiar su trayecto diario desde casa al trabajo. A pesar de su absoluta falta de experiencia diplomática, fue trasladado del departamento de Defensa al de Estado, donde se le puso al frente del personal de planificación política. Este es siempre un puesto frustrante, ya que la política exterior estadounidense nunca se planea, al menos no en el departamento de Estado, aunque para Wolfowitz fue un peldaño hacia su promoción más importante hasta el momento, la de ayudante del secretario de Estado para los asuntos del Pacífico y el Extremo Oriente.

Este nombramiento era un ejemplo estrambótico del verdadero funcionamiento de Washington. No se trataba sólo de que Wolfowitz se hubiera ausentado por completo de la guerra de Vietnam y entonces se pusieran en sus manos las relaciones de Estados Unidos con todos los países ribereños del Pacífico, incluida Indochina. Es que no tenía ninguna experiencia académica ni diplomática ni personal de ninguna parte del Lejano Oriente; ni siquiera como turista. Aun más: Wolfowitz no había representado jamás a Estados Unidos en el extranjero en calidad de nada. No sabía lo que era luchar o hacer la paz en un país asiático, ni siquiera sabía, en realidad, dirigir una delegación de una empresa estadounidense. Pero, en ese momento, en las propias palabras de Wolfowitz, «tenía a mi cargo las relaciones de Estados Unidos con más de veinte países», incluidos China y Japón, en la era posterior a la guerra de Vietnam.

Durante el segundo mandato de Ronald Reagan, Wolfowitz adquirió por fin alguna experiencia, siquiera fuera subido en una limusina, del mundo allende las costas de Estados Unidos. Fue nombrado embajador en Indonesia. Este sigue siendo el único puesto gubernamental de todos los ocupados por el principal teórico estratégico que haya tenido George W. Bush en el que se viera implicado en la realización de algunos servicios reales a los contribuyentes y ciudadanos de Estados Unidos. Ser embajador en un enorme y fascinante país como Indonesia era una forma de exilio de lo que a Wolfowitz le importaba de verdad: la elaboración de planes de guerra en Washington. Fue embajador en Yakarta de 1986 a 1989. El principal éxito de su actividad como embajador allí es que «durante su titularidad, la embajada de Yakarta fue citada como una de las cuatro mejor gestionadas, de las inspeccionados, en 1988.»

La jornada laboral de Wolfowitz experimentó un cambio espectacular cuando Dick Cheney se convirtió en secretario de Defensa de Bush padre y lo llamó de nuevo al Pentágono para que fuera su subsecretario de Defensa. En el mandarinato de Washington, ser ayudante de secretario es bonito; ser nombrado subsecretario es casi tocar el cielo. En melodiosa prosa del Pentágono, Wolfowitz describe lo que ocurrió cuando terminó su exilio en Indonesia: «De 1989 a 1993, el doctor Wolfowitz sirvió como subsecretario de Política de Defensa al mando de las 700 personas del equipo de Política de Defensa y como responsable ante el secretario Dick Cheney de los asuntos concernientes a la estrategia, los planes y la política. Durante este período, el secretario Wolfowitz y su plana mayor asumieron la responsabilidad principal de la reestructuración de la estrategia y la postura de fuerza en el final de la guerra fría.»

La frase clave que hay que captar aquí es «el final de la guerra fría», el cual representó una amenaza mayor para los fondos y el poderío del Pentágono que cualquiera de las que hubieran planteado los intrigantes del Kremlin. A instancias de Cheney, Wolfowitz y sus enredadores políticos invirtieron millones de horas humanas en exponer las maneras de aumentar el gasto militar estadounidense aun cuando, con la caída de la Unión Soviética, la amenaza comunista se había volatilizado sin que Estados Unidos hubiera tenido que disparar un tiro. El mayor despilfarro de todos —la Guerra de las Galaxias— se lo había inventado el viejo y astuto Ronald Reagan sin la ayuda de nadie. Pero encierra a 700 «intelectuales de la Defensa» en sus despachos del Pentágono e infórmales de que no habrá ascensos a menos —y hasta— que no discurran suficientes nuevas falsas amenazas contra la seguridad de Estados Unidos, amén de los sistemas armamentísticos multibillonarios (en dólares) necesarios para contrarrestarlas, de manera que se garantice la imposibilidad de poder reducir el gasto militar. Antes de que uno se dé cuenta, tendrás un presupuesto de «Defensa» que te garantizará que ni un solo centavo del «dividendo de la paz» de la posguerra fría retornará jamás al pueblo estadounidense. Este es el estúpido trabajo en el que andaban enfrascados Wolfowitz y sus subordinados cuando, el 2 de agosto de 1990, Sadam Husein invadió Kuwait, acontecimiento que le pilla a él, a Cheney y al resto tan desprevenidos como, años más tarde, les cogerían los ataques del 11 septiembre de 2001.

La operación de desembarque estadounidense tras la invasión de Kuwait fue impresionante. Desde la II Guerra Mundial, el poderío militar estadounidense no había estado tan perfectamente asociado a un fin militar legítimo. Además de victoria militar, la guerra de Kuwait fue un triunfo diplomático para Estados Unidos. Tanto Bush padre como su secretario de Estado, James Baker, se habían encargado de que fuera así. Los dos comprendieron que, para que triunfara, cualquier nuevo orden internacional posterior a la guerra fría tendría que basarse en el derecho tanto como en la fuerza, y sobre esa base habían organizado la campaña dirigida por Estados Unidos y sancionada por Naciones Unidas para contrarrestar la agresión de Sadam. Esa fue la razón de que en 1991, George H. W. Bush, al contrario que George W. Bush en el 2003, fuera capaz de organizar una autentica coalición de aliados. Desde Argentina a Siria, y desde Francia a Turquía, los países apoyaron la lucha con entusiasmo, y también pagaron por aquella primera guerra de Irak porque se libraba por razones que entendían, para defender los principios que compartían; y porque, a la sazón, al contrario que después, Estados Unidos trató a los demás países con respeto.

La total y absoluta rapidez de aquella primera victoria sobre Irak fue asombrosa, pero nada impresionó tanto al mundo como el enfoque ético asumido por Estados Unidos tras la derrota de Sadam. Las fuerzas de Estados Unidos podían haber continuado la invasión hasta Bagdad, pero en su lugar, el primer presidente Bush se ganó la admiración del mundo con su decisión de no transformar la liberación autorizada por Naciones Unidas de Kuwait en una conquista estadounidense de Irak. Detener la guerra antes de que Sadam fuera derrocado fue una decisión dolorosa, pero Bush padre comprendió que mantener el imperio de la ley entre las naciones era más importante que ajustarle las cuentas a un sucio dictador. Al contrario que George W. Bush más tarde, también comprendió que un asalto unilateral y no autorizado de Estados Unidos a Irak, seguido de una ocupación militar del país, socavaría la seguridad estadounidense al poner a la mayoría del mundo árabe y musulmán en contra de Estados Unidos.

Wolfowitz y sus 700 burócratas no jugaron ningún papel en la asombrosa victoria de Kuwait. Mientras andaban ocupados en producir «doctrina» estratégica a espuertas, la guerra real fue planeada, dirigida y ganada por militares profesionales como Colin Powell. Eso no evitó que Wolfowitz decidiera que él debía ser quien determinara lo que habría de ser la política de seguridad nacional a la luz de la decisiva victoria. Algo más de un año después de que la operación Tormenta del Desierto hubiera demostrado ya la mejor manera para que Estados Unidos librara y ganara guerras en la era posterior a la guerra fría, Wolfowitz contribuyó con una contrapropuesta radicalmente diferente. Era el mismo patrón hacia el desastre que once años más tarde se interpretaría bajo George W. Bush.

El plan bélico de Wolfowitz llevaba una etiqueta de aparente inocuidad. A su receta para destruir el sistema de seguridad internacional de la posguerra lo llamó «Guía para la planificación de la defensa». Incluso si sus contenidos no hubieran sido perniciosos, su existencia habría resultado innecesaria. Con la operación Tormenta del Desierto, Powell y los otros ya habían creado y probado con éxito el paradigma de la actuación triunfal de Estados Unidos que, tras los ataques del 11-S diez años más tarde, serviría también a Estados Unidos en Afganistán, tal y como había sucedido en Kuwait. La clave tanto del triunfo en Kuwait en 1991 como del éxito de 2002 en Afganistán no radicó en la abrumadora superioridad tecnológica en la guerra moderna de Estados Unidos; la clave del éxito fue que la abrumadora superioridad estaba siendo utilizada de manera legítima en la búsqueda de un objetivo que merecía la pena y que era apoyado por la abrumadora mayoría de los países del planeta.

La «Guía para la planificación de la defensa» adoptó la forma de un panfleto de cuarenta y seis páginas que rechazaba tanto el probado éxito diplomático-militar del modelo de guerra de la Tormenta del Desierto como los ideales democráticos y las concepciones estratégicas —desde las Cuatro Libertades hasta la contención— que, a través de todas las locuras y peligros, habían conseguido salvar del desastre total a Estados Unidos y al mundo durante la primera mitad de siglo de la era nuclear. La victoria de Kuwait había sido una victoria para los internacionalistas y multilateralistas del Partido Republicano, es decir, para todos aquellos peleles, de Kissinger a Powell, que Rumsfeld y Cheney habían intentado expulsar del poder antes de nada durante su Masacre de Halloween de 1975. La «Guía para la planificación de la defensa» era la táctica con que se abría una campaña que no conseguiría triunfar hasta el 2001, cuando George W. Bush, hábilmente aconsejado por Dick Cheney, llevase de nuevo a la jungla política a Donald Rumsfeld, y este, a su vez, encargase a Wolfowitz que le diera un cierto barniz intelectual a su delirante política de incesante provocación al resto del mundo.

Cuando la «Guía para la planificación de la defensa» apareció en 1992, el mundo en el que Paul Wolfowitz y el resto de nosotros vivíamos había cambiado tremendamente. Los acontecimientos habían puesto a prueba muchas teorías estratégicas, demostrando que estaban equivocadas. La guerra de Vietnam, por ejemplo, se había perdido. Pero, aun después de que Estados Unidos fuera derrotado, las fichas de dominó no habían caído. Fue el comunismo el que cayó después de que Estados Unidos perdiera la guerra que, supuestamente, había tenido que librar para detener el, de lo contrario, inexorable avance de aquel. En el curso de la propia y no electa ascensión de Wolfowitz a un nivel de poder que pocos funcionarios públicos electos consiguen alguna vez en democracia, innumerables, enormes e imprevisibles acontecimientos redujeron a escombros las concepciones estratégicas que habían guiado —y la mayor parte de las veces, equivocado— a los responsables de la política estadounidense durante décadas.

¿Cuál fue el resultado de aquellos cambios? De alguna manera, Estados Unidos no sólo había sobrevivido a la «amenaza comunista» y a todas las demás supuestas amenazas; había seguido siendo la nación más poderosa de la tierra. De aquella sucesión de acontecimientos imprevistos se podían obtener importantes lecciones. Como subsecretario para la Política de Defensa, Wolfowitz tenía la responsabilidad de intentar estudiar detenidamente el significado de la fastidiosa discrepancia entre las preconcepciones estratégicas de Estados Unidos y lo ocurrido realmente en el mundo en relación con el multibillonario gasto en armas del país. En su lugar, inició una propuesta de dominación industrial y militar estadounidense del mundo.

En la «Guía para la planificación...» Wolfowitz tiraba a la basura todo el valioso planteamiento que había permitido la victoria en Kuwait y proponía un ejemplo opuesto y sombrío, el de un mundo en el que sólo una nación, Estados Unidos, dominaría el planeta a la manera en que la Unión Soviética había dominado otrora Europa del Este. Al cabo de todos estos años, leer la «Guía para la planificación de la defensa» sigue produciendo escalofríos. En la misma se combinan los objetivos de la doctrina de Breznev con la retórica de la gran esfera de la coprosperidad de la Gran Asia Oriental del Japón Imperial. Al leerla, cuesta creer que semejantes nociones pudieran provenir de la mente de un estadounidense. El primer presidente Bush estuvo acertado en bajarle los humos a Cheney cuando le llevó la propuesta de Wolfowitz. De haberse descubierto en los archivos del KGB, la «Guía para la planificación...» habría resultado un documento alarmante.

Los estadounidenses crecen en la convicción de que su destino es salvar a todos los demás del matón del barrio. El objetivo estratégico que Wolfowitz adelantaba era convertir a Estados Unidos en el matón global. El primer paso para la dominación permanente del mundo, según él, era asegurarse de que nadie se interpusiera en el camino de Estados Unidos. Jamás. A lo largo de la siguiente década, los enemigos más peligrosos de Estados Unidos resultarían ser los virus de infiltración (como ya había demostrado el sida) y los grupos de fanáticos que actuaban con independencia de cualquier autoridad nacional (como demostraría el 11-S). Pero Wolfowitz estaba obsesionado en librar una nueva guerra fría contra una nueva Unión Soviética; sólo que esta vez la guerra no sería fría, y Estados Unidos no se conformaría con la contención.

En la «Guía...», Wolfowitz hace hincapié en que el objetivo general de Estados Unidos no es simplemente impedir la agresión, ni siquiera contenerla, como había sido la estrategia bajo todos los presidentes, republicanos o demócratas, desde el final de la II Guerra Mundial. El objetivo, por el contrario, es imponer un «nuevo orden» que haga imposible que cualquier país que no sea Estados Unidos «genere poder global», sean cuales fueren las circunstancias o los motivos.

El mal genio de George W. Bush, además de la arrogancia que tanto él como los que le rodean manifiestan, desconcertó a muchos más tarde. El arrebato del secretario de Defensa Rumsfeld contra la «vieja Europa» sobresaltó a la gente. Una de las razones de que Bush y los que le rodean trataran a los aliados de Estados Unidos con tanto desprecio fue que, para entonces, las ideas expresadas en la «Guía de la planificación de la defensa» eran una parte muy enraizada de la visión del mundo que compartían desde hacía años. Como el mismo Wolfowitz había afirmado, ni «siquiera se iba a tolerar la aspiración a un papel regional mayor o global» por parte de los «competidores potenciales», incluyendo los aliados de Estados Unidos.

Combinemos esta intolerante visión del mundo con el planteamiento «con nosotros o en contra» de George W. Bush y tendremos lo que, diez años después de que Wolfowitz escribiera la

«Guía...», se ha convertido en una profecía que acarrea su propio cumplimiento. Cuando Bush invadió Irak no eran sólo los rusos y los chinos, y todos eso africanos y asiáticos, y, como siempre, los franceses, los que estaban «en contra de nosotros». Incluso Canadá se había convertido en «competidor»

Tras definir el objetivo como la eliminación incluso de la posibilidad de que los demás aspiren a representar una alternativa al liderato estadounidense o tan siquiera a complementarlo sobre una base regional, Wolfowitz propone entonces que Estado Unidos acabe con todo el sistema de seguridad colectiva posterior a la II Guerra Mundial personificado por la cooperación de Estados Unidos con la OTAN y Naciones Unidas. En sus propias palabras: «En primer lugar, Estados Unidos debe demostrar el liderato necesario para establecer y proteger un nuevo orden que mantenga la promesa de convencer a los potenciales competidores de que no necesitan aspirar a un mayor protagonismo ni a perseguir una postura más agresiva para proteger sus legítimos intereses».

¿Y luego? «En segundo lugar, en las áreas no defensivas —continúa Wolfowitz—, debemos liquidar suficientemente los intereses de las naciones industrializadas avanzadas para desanimarlas a que desafíen nuestro liderato o a que busquen darle la vuelta al orden económico y político establecido.» Tras hacer una pausa para considerar el verdadero significado de la última oración, incluso ahora resulta difícil pensar en una declaración de un funcionario estadounidense más profundamente despectiva —e ignorante— de las realidades humanas y culturales, además de militares y estratégicas, de Europa y el resto del mundo. En pocas palabras, he aquí en lo que se convirtió la doctrina Bush diez años después. Aunque Estados Unidos decida qué hacer, dónde hacerlo, cuándo y a quién hacérselo, no obstante será lo bastante magnánimo para «liquidar suficientemente los intereses de las naciones industrializadas avanzadas para desanimarlas a que desafíen nuestro liderato.»

Una cosa era proponer la hegemonía universal de Estados Unidos, tal y como hizo la «Guía de planificación...» en 1992. Pero, ¿cómo conseguirlo? Esa era la pregunta que se suscitó a principios de enero de 2001, cuando George W. Bush intentó poner realmente en práctica el planteamiento megalomaníaco de la política mundial de Wolfowitz. Como los aliados de Estados Unidos, entre otros, intentarían de manera infructuosa hacer comprender a George W. Bush, imponer el control estadounidense, incluso en un país de tamaño medio de Oriente Próximo como Irak, no sería cuestión de coser y cantar. ¿Cómo conseguir, entonces, el dominio global con el que soñaban Cheney, Rumsfeld y los demás ultrarradicales? E, incluso si tal dominio pudiera conseguirse, ¿cuál sería el beneficio para el pueblo estadounidense?

Esas eran las preguntas prácticas que suscitó la «Guía...» pero que nunca contestó. Por fortuna, por el momento Estados Unidos no tenía rivales globales serios, razón por la cual, una vez en el cargo, George W. Bush tendría que crear uno bajo la apariencia del «eje del mal». Tras la caída de la Unión Soviética, Rusia era sólo un gigante desgalichado. Aquellos europeos con aires de superioridad podrían, a su debido tiempo, convertirse en la segunda superpotencia democrática del mundo, pero no era probable que eso fuera a ocurrir enseguida. Por otro lado, no sólo parecía probable sino inevitable que —en el extremo opuesto de Eurasia, mirando a Estados Unidos a través del océano Pacífico— China llegara a convertirse en un «nuevo rival», y no amistoso precisamente, si Estados Unidos insistía en tratar el ascenso de China a la condición de gran potencia como una «amenaza».

Y eso es exactamente lo que era cualquier desarrollo semejante desde la perspectiva estratégica decretada en la «Guía para la planificación de la defensa»: una amenaza. No importaba si una China próspera y modernizada (o India o Indonesia, en realidad) fuera amistosa o no. Su mera emergencia como gran potencia era una «amenaza» que Estados Unidos debía evitar que surgiera. Por supuesto, George W. Bush empezaría etiquetando a China como un «competidor estratégico en el Pacífico.» Sin embargo, pronto, tuvo que reconocer que la cooperación con China era vital en muchos aspectos para la seguridad de Estados Unidos, incluida las relaciones con Corea del Norte.

Eso apuntaba hacia un problema fundamental con semejante planteamiento dominante. En el mundo real, al contrario que el de las polémicas radicales neoconservadoras, lo que es verdad para la gente corriente también lo es para los países. Podemos sentirnos amenazados cuando los vecinos se compran un coche más grande o instalan una piscina mayor, pero si no queremos ver la basura esparcida por nuestro jardín, lo mejor es que no los tratemos con desprecio, por no hablar de anunciarles que nosotros, y sólo nosotros, vamos a decidir desde ahora lo que va a suceder en el vecindario. Esto mismo sigue siendo verdad a nivel de política mundial. Por lo general, también a los países tan poderosos como Estados Unidos, no les queda más remedio que tratar a los demás países, incluyendo a los rivales, como socios. Los negocios del mundo, entre los que se cuentan perseguir los objetivos de la política exterior de Estados Unidos, exigen un planteamiento cooperador. Pero supongamos que Estados Unidos escoge actuar de manera anormal; supongamos que decide aplicar a China la versión Wolfowitz de la doctrina Breznef. ¿Qué podría hacer en realidad Estados Unidos para evitar que China, y sus más de mil millones de habitantes, rivalizara con él y, por supuesto, algún día lo sobrepasara —a la manera en que, un siglo antes, Estados Unidos sobrepasó a Gran Bretaña— para convertirse en la nación más poderosa del mundo? ¿Qué alternativas tendría?

La mera mención siquiera de los tipos de «opciones» que realmente podrían ocasionar que Estados Unidos mantuviera la superioridad permanente sobre China, revela la chifladura suicida del planteamiento de la «Guía para la planificación de la defensa». Estados Unidos, por ejemplo, podría bombardear China hasta hacerla retroceder a la Edad de Piedra, tal y como en realidad se había llegado a proponer durante las etapas más históricas de la guerra fría. El ataque nuclear sobre el corazón industrial de China interrumpiría, de hecho, su emergencia como «rival potencial», aunque esa sería un opción que pocos pensadores estratégicos estadounidenses seguirían considerando aconsejable, ahora que los propios misiles nucleares chinos podrían alcanzar Washington.

Otra manera posible, en palabras de Wolfowitz, de que Estados Unidos «evite el resurgimiento de un nuevo rival», consistiría en animar a los maoístas radicales a reafirmarse en el control de

China. Desatar otra Revolución Cultural retrasaría a buen seguro la capacidad de China «para generar un poder global». También desataría el pánico en los mercados financieros y destruiría la efervescente economía de los países de la costa del Pacífico sobre la que basa su futuro crecimiento la economía de Estados Unidos. ¿Y qué pasa con otras formas menos drásticas de guerra económica? La reimplantación del embargo comercial de Estados Unidos ralentizaría el desarrollo militar chino, además del económico; pero también destruiría la Organización Mundial del Comercio y desataría una depresión a nivel mundial. También significaría decir adiós a los videojuegos y ordenadores personales baratos y de alta calidad que se venden en los centros comerciales de los extrarradios, allí donde el llamamiento republicano al voto oscilante resulta esencial para mantener a George W. Bush, además de a Paul Wolfowitz, en la nómina federal.

Pero Wolfowitz no sólo proponía evitar la emergencia de China como «otro rival», sino también excluir semejante eventualidad, o incluso la posibilidad de que surgiera en algún momento, en «Europa Occidental, Asia Oriental, el territorio de la antigua Unión Soviética y el sudeste asiático.»

«Por último —escribe Wolfowitz—, debemos mantener los mecanismos para disuadir a los competidores potenciales de que aspiren siquiera a un mayor protagonismo, global o regional.» ¿De que aspiren siquiera? El dominio del mundo por Estados Unidos, como se proponía aquí, no consistía meramente en dominar el mundo y todas y cada una de sus regiones; también pretendía dominar sus aspiraciones. ¿Y qué diablos quería decir con lo de «mecanismos»?

Estas son, todas, preguntas difíciles; y peligrosas. Pero tanto antes como después de que se montara en su potro salvaje mecánico, estas son la clase de preguntas que George W. Bush jamás se molestó en plantearse.

LA MADRE DE TODAS LAS POLÉMICAS

7

La usurpación del 11-S

La gente hablará de aquella mañana de septiembre mientras las hojas sigan amarilleando en Central Park. ¿No parecía el cielo más azul que nunca poco antes del impacto del primer avión? ¿No es verdad que el aire parecía presagiar todas las maravillas del verano, y todo lo ideal del otoño, antes de que el aluvión de cascotes cayendo desde lo alto hiciera que el sur de Manhattan pareciera un volcán en erupción? En ese momento, la gente que durante todos los días de su vida había contemplado los ríos que rodean Manhattan se dio cuenta por primera vez de que estaban hechos de agua. Cuando las Torres Gemelas se desplomaron, se preguntaron: ¿seré capaz de ponerme a salvo a nado?

Todo el bien y el mal humano afloraron aquel día, porque el bien y el mal nos rodean siempre, como el nitrógeno del aire. La riqueza, la tristeza, la dulzura de vivir y su precariedad y amargura: siempre están ahí, a nuestro alrededor, dentro de nosotros, pero hasta que un gran acontecimiento no nos sacude por los hombros, son como la luz de las estrellas durante el día; no podemos verlos. Entonces, ocurre un gran eclipse, como el de los acontecimientos del 11 de septiembre de 2001 o del 11 de marzo de 2004 en Madrid, y nos quedamos boquiabiertos.

La valentía, la solidaridad y la sangre fría fueron las grandes virtudes cívicas que la gente de Nueva York, y del Pentágono, y sobre los cielos de Pennsylvania, exhibió aquel día. Nada podrá cambiar jamás la nobleza que la gente corriente mostró el 11-S. Pero las acciones futuras de George W. Bush deshonrarían la magnificencia de aquella respuesta. Como ya había hecho antes, y como haría después, cuando se le presentó una gran e inmerecida oportunidad para hacer el bien, George W. Bush empeoró las cosas caprichosamente. Lo hizo de manera tan concienzuda y habilidosa que, ahora, es imposible vislumbrar ningún medio claro y honorable por el que se pueda enmendar, con facilidad o sin ella, el mal que ha causado. George W. Bush había echado a perder su presidencia una vez antes del 11-S; después, la deshonró por segunda vez, esta vez a escala mundial.

Casi todo el mundo quería saber dos cosas sobre el 11-S: el cómo ocurrió, y el cómo podemos estar seguros de que no volverá a ocurrir. Hay que decir «casi todo el mundo», porque desde el principio, George W. Bush tenía el propósito inverso. Su objetivo consistió en obstaculizar cualquier investigación coherente sobre el más reciente y formidable fracaso de los servicios de inteligencia de Estados Unidos. Tenía una buena razón para desear encubrir el asunto. Sin ninguna duda, cualquier investigación honrada sobre el fracaso de la CIA y el FBI en prevenir los ataques de Al Qaeda conducirían directa e inevitablemente a la consideración de la propia incompetencia y falta de honestidad de George W. Bush. Así que se metió en un enorme ejercicio de diversión para evitar que la gente comprendiera lo que había ocurrido realmente aquella mañana del 11 de septiembre de 2001 y por qué. Esta es la razón fundamental de que su subsiguiente «guerra contra el terror» fuera tan absolutamente imprecisa. ¿Cómo se puede combatir algo que te niegas a entender?

Irak se convertiría con mucho en el ejercicio de distracción más espectacular de George W. Bush. Mientras tanto, en casa, la obstaculización de cualquier investigación imparcial sobre el mayor fracaso de la inteligencia estadounidense desde Pearl Harbor era permanente. «LA CASA BLANCA SE NIEGA A FINANCIAR LA COMISIÓN», «LOS CONTROLES DE BUSH FRUSTRAN LA COMISIÓN», «LOS FAMILIARES DE LAS VÍCTIMAS ENFURECIDOS», rezaban los titulares, tanto inmediatamente después de la tragedia como luego, mes tras mes.

Los ataques del 11 de septiembre pusieron de manifiesto la depravación moral de la escuela de fanatismo islámico del *playboy*

Osama bin Laden; también quedó al descubierto el fracaso político de la misma. Aquel fue un acto de asesinato en masa tan misteriosamente exquisito como un poema de Rimbaud, pero ¿con qué fin se desataban esas resonancias de pesadilla? ¿La gente de Irak o Afganistán se harían mejores musulmanes a raíz del perfecto acto de nihilismo de Al Qaeda? ¿Acabaría la humillación de los árabes en Irak o en los territorios ocupados? ¿Se despertaría de repente la empatía de Estados Unidos —nada menos que bajo el mandato de George W. Bush— como consecuencia de ser abofeteados en la cara? ¿O, gracias a Al Qaeda, los estadounidenses se volverían aún más ajenos a su complicidad en las injusticias que afligían a la parte del mundo de Osama bin Laden?

El período inmediatamente posterior al 11-S puso de manifiesto la vacuidad moral y la depravada visión del mundo de George W. Bush. En respuesta a semejante acontecimiento, ¿qué clase de líder —qué clase de estadounidense— asignaría más recursos a Irak, a lo despilfarro-Halliburton, que a la seguridad interior? En esencia, la incompetencia de George W. Bush era la consecuencia de una filosofía de gobierno que siempre pone al pueblo estadounidense en último lugar. Aun cuando hubiera sido un jefe de Ejecutivo menos chapucero, su concepto de gobierno garantizaba que en la mañana del 11 de septiembre, así como después, se revelara incapaz a la hora de asegurar la ejecución de aquellas tareas rutinarias pero esenciales para la gente de Estados Unidos. No perder la pista a los falsificadores de visados, investigar a los pasajeros en el momento de embarcar en los aviones, asegurarse de que el tráfico interestatal es seguro: obligaciones cívicas todas ellas responsabilidad del poder ejecutivo del Estado federal dirigido por George W. Bush.

Nada de esto se hizo. Si lo hubiera hecho alguien, puede que aquel día no hubieran muerto miles de personas. No se trataba de unos sistemas armamentísticos de miles de billones de dólares a lo «Guerra de las Galaxias» ni se necesitaba la aprobación del Consejo de Seguridad de Estados Unidos. La orden gubernamental de que los pilotos cerraran las puertas de las cabinas podía haber protegido a Estados Unidos y a sus gentes, de la misma manera que en el mes de noviembre anterior unas simples protecciones en las máquinas de votación podrían haberles garantizado su derecho a escoger al presidente.

Los ataques probablemente evitables del 11 de septiembre demostraron lo que ya era evidente para los que observaban con honestidad la manera en que está siendo gobernado Estados Unidos. El sistema de gobierno estadounidense, nunca óptimo en su funcionamiento, lo hacía aun peor con George W. Bush en el cargo. Echar las culpas de los terribles sucesos acaecidos a los estadounidenses a Osama bin Laden (o, más tarde, a Sadam Husein) no era una explicación suficiente, ya no digamos una justificación, para la flagrante y negligente imprevisión por parte del gobierno. La Constitución encomienda al presidente —y no a los terroristas y tiranos extranjeros— la defensa de Estados Unidos. Si el gobierno no hubiera sido tan flagrantemente inepto en el desempeño de sus funciones más elementales, se podría haber evitado el 11-S, y eso a pesar del hecho innegable de que, por supuesto, el mundo está lleno de gente mala que desea hacer daño a Estados Unidos. Una crisis sistémica en las operaciones básicas del gobierno explica la razón por la cual más tres mil personas resultaran abrasadas, aplastadas y asfixiadas hasta morir. Como comandante en jefe, Bush carga con la responsabilidad del monumental fracaso de gobierno en no conseguir que las grandes cosas, las medianas e, incluso, las pequeñas funcionaran.

El gran fallo: si los dispositivos secretos de espionaje de coste multimillonario de la Agencia de Seguridad Nacional tuvieran una relevancia real para la seguridad del país, Estados Unidos habría contado con alguna alerta previa sobre los ataques del 11-S. Pero en esto, como más tarde en Afganistán e Irak, la «inteligencia» de Estados Unidos no se entero de la misa la mitad. Si el Servicio de Naturalización e Inmigración (INS) hubiera estado haciendo su trabajo, asegurándose de que sólo las personas con derecho a que se les sellara el visado entraban en el país y que, luego, lo abandonaban antes de que expirase la validez del mismo, los conspiradores clave de los ataques de Al Qaeda ni siquiera habrían estado en Estados Unido el 11 de septiembre. En cambio, el INS —tras ignorar la presencia de los secuestradores en Estados Unidos mientras estaban vivos y organizando los ataques— siguieron concediéndoles visados a algunos después de que hubieran matado a más de 3.000 personas y de que ellos mismos estuvieran ya muertos.

Los pequeños fallos: Si se hubieran establecido los procedimientos administrativos más elementales con objeto de regular operaciones rutinarias que van desde las condiciones de admisión de las escuelas privadas de aviación hasta las verificaciones fiables de identificación para los permisos de conducir, tal vez se pudieran haber frustrado los ataques. Los acontecimientos del 11 de septiembre removieron las emociones más hondas; y siempre lo harán. Pero acabadas las lágrimas, ¿cómo no echarse a reír de un gobierno federal que, bajo el liderazgo de George W. Bush, concede permisos póstumos para residir en Estados Unidos a unos asesinos de masas?

Pero no es que George W. Bush no recibiera ningún aviso por adelantado. Hubo una multitud de intentos de alertar a la Administración del peligro; todos fueron desdeñados. Uno de los más importantes procedió de los ex senadores Gary Hart, demócrata, y Warren Rudman, republicano. Hart y Rudman eran copresidentes de un equipo de trabajo oficial denominado Comisión sobre la Seguridad Nacional de Estados Unidos. Dicha comisión había sido creada de manera específica por una ley del Congreso para analizar las amenazas no convencionales a la seguridad de Estados Unidos. La comisión contaba entre sus miembros con Newt Gingrich, el ex presidente republicano de la Cámara de Representantes. Ya en septiembre de 1999, dos años antes de los ataques, la Comisión sobre la Seguridad Nacional publicó el primero de una serie de avisos proféticos. A menos que se produjeran cambios sustanciales en la manera de defenderse, advertía, «probablemente, los estadounidenses morirán en suelo estadounidense y, posiblemente, en gran número» como consecuencia de la falta de preparación del Estado federal para combatir al terrorismo. Entonces, a final de enero de 2001, justo cuando George W. Bush tomaba posesión del cargo, Hart y Rudman publicaron en 150 páginas un detallado conjunto de propuestas para aumentar la seguridad de

Estados Unidos. El informe se titulaba *Hoja de ruta para la Seguridad Nacional: imperativo para el cambio*. En él, escribieron: «Necesitamos mejoras de gran magnitud en la planificación, la coordinación y la ejecución». Entre las muchas, útiles y proféticas sugerencias se contaba la propuesta de crear una nueva Agencia de Seguridad Interior Nacional que coordinara los esfuerzos para proteger a Estados Unidos de ataques del estilo de los de Al Qaeda, una propuesta a la que George W. Bush seguiría oponiéndose aun después de los ataques del 11-S.

Hart se reunió con la consejera de Seguridad Nacional de George W. Bush, Condoleezza Rice, poco menos de una semana antes de los ataques del 11 de septiembre. El senador la exhortó a que empezara a centrarse en lo que, sólo días después, quedaría demostrado que era la mayor amenaza de seguridad para Estados Unidos desde la II Guerra Mundial. Una de las preocupaciones era la falta total de preparación para actos que incluyeran «armas de destrucción masiva en un edificio de muchas plantas.» Como es costumbre, Rice, además de no tener ni idea, no hizo ni caso. La consejera de Seguridad Nacional no hizo nada, ni entonces ni después de los ataques, para actuar conforme a la advertencia de Hart. El intento de comunicación de Hart con Rice fue un anticipo de otros vanos intentos posteriores de gente como Hans Blix, el jefe de los inspectores de armas para Irak de las Naciones Unidas, de poner a Rice en contacto con la realidad. Y todo, con la vana esperanza de que Condoleezza pudiera, entonces, aportar de algún modo un atisbo de realismo a la visión del mundo de su jefe. Pero la propia Rice es uno de los síntomas del autismo estratégico de George W. Bush: ¿por qué si no escoge alguien a una persona de semejante mediocridad para que sea su consejera de Seguridad Nacional, como no sea porque su objetivo es aislarse de la información útil y el pensamiento honesto?

Hart se reunió con Rice en la Casa Blanca el jueves 6 de septiembre; el martes siguiente las Torres Gemelas serían derribadas y ardería el mismo Pentágono. Como ha observado Harold Evans, antiguo director del *Sunday Times* de Londres, la Casa Blanca obstaculizó de manera deliberada los esfuerzos por alertar a los estadounidenses del peligro que, al final, caería sobre el país de manera tan inesperada. En realidad, el Congreso ya tenía previsto celebrar unas sesiones dirigidas a dar publicidad a las propuestas de Hart-Rudman a principios de mayo de 2001. La fecha exacta programada fue la del 6 mayo, pero la Casa Blanca saboteó el esfuerzo la víspera, anunciando que ni siquiera consideraría las propuestas.

La Comisión sobre la Seguridad Nacional había dirigido sus investigaciones con admirable objetividad y de una manera absolutamente bipartidista. Con el apoyo tanto de demócratas como de republicanos, se había constituido de manera específica para aconsejar a la Casa Blanca y educar a la nación en los nuevos tipos de amenazas a la seguridad nacional. Liberales como Hart y derechistas como Gingrich apoyaron las propuestas de la comisión, pero el gobierno de George W. Bush se negó incluso a considerarlas. «No querían que el Congreso estuviera al frente del asunto», señaló Evans. «El 5 de mayo, la Administración anunció que, en lugar de adoptar las propuestas de Hart-Rudman, creaba su propio comité, dirigido por el vicepresidente Dick Cheney, el cual espera presentar sus conclusiones en octubre.»

Las tácticas dilatorias de la Casa Blanca funcionaron. «Los Estados, los terroristas y otros grupos de desafectos adquirirán armas de destrucción masiva, y algunos las utilizarán. Es probable que los estadounidenses mueran en suelo estadounidense, y es posible que en gran número», habían advertido Hart y los demás. Pero, tal y como Bush y Cheney deseaban, los estadounidenses permanecieron ajenos a la potencial amenaza hasta la mañana del 11 de septiembre, tras lo cual, Cheney llenó a toda prisa el nuevo agujero que la Administración había excavado por sí sola con su imagen autoritaria y desabrida. «En realidad, la Administración ralentizó la respuesta a las propuestas de Hart-Rudman en la primavera, cuando estaba aumentando el impulso», le dijo el excongresista republicano Newt Gingrich a Evans. Después del 11-S ya no había ninguna necesidad de que la Administración le quitara la primicia a Hart; Osama bin Laden se había ocupado de eso, aunque el «informe de octubre» de Cheney finalmente se publicó, no en octubre de 2001, sino en el de 2003.

En su detallado informe de 150 páginas, Hart y los demás autores habían realizado sugerencias concretas sobre cómo evitar que ocurrieran ataques como los del 11-S más de tres años antes. Por su parte, *La estrategia global para combatir el terrorismo* de Cheney adoptó la forma de una arenga al Wakonda Club de Des Moines, Iowa. En su discurso, Cheney reiteró las falsedades que la Administración había utilizado para racionalizar el ataque contra Irak, y sacó a colación la imputación de que Sadam poseía armas de destrucción masiva, de las que Naciones Unidas no había encontrado el más mínimo rastro. A Cheney parecieron moverle más a compasión que a enfado las sugerencias antipatrióticas de que el fracaso en encontrar cualquier prueba que apoyara las imputaciones de la Administración demostraba, de alguna manera, que Bush y él no habían tenido motivos justificados para ir a la guerra.

«Uno de los debates a los que habéis asistido en los últimos días —le dijo Cheney a su auditorio—, es esta cuestión de que, vaya, quizá Sadam no tuviera realmente ningún arma de destrucción masiva. Y hay gente por ahí haciendo proselitismo con esa idea, esos que están intentando minar nuestro ataque, la decisión que ha tomado el presidente. Pero jamás me lo he creído ni un segundo. Creo que es abrumadora la constancia de que, de hecho, había realizado grandes inversiones en armas de destrucción masiva.» En medio de todos los aplausos e intrincadas racionalizaciones, de los labios de Cheney se escapó una frase ingeniosa de lo más reveladora. «Lo que aprendimos el 11-S fue que somos vulnerables», dijo Cheney, como si no hubiera sido evidente hasta ese momento.

Había otra razón, además de la habilidad política del Gobierno de Bush y Cheney, para que la extraordinariamente valiosa advertencia del ex senador Hart fuera ignorada. Este era la víctima prototípica de lo que Bill Clinton llamaría más tarde la «política de la destrucción personal.» Hart había sido un serio aspirante a la presidencia y una fuerza nacional en la política estadounidense hasta que una enorme cobertura informativa de sus desventuras sexuales proporcionara un campo de pruebas para el posterior asunto de Mónica Lewinsky. Mucho después de que los teleobjetivos se centraron en otros, sobre el senador Hart seguía flotando un aroma a ridículo sexual; y en el mundo de la política washingtoniana de principios del siglo XXI, el hecho de que un hombre haya estado involucrado en un escándalo sexual en una ocasión, lo descalifica para ser tomado en serio, incluso cuando profiere una advertencia que podría salvar miles de vidas.

Hubo muchos otros avisos antes del 11 de septiembre, algunos realizados directamente al vicepresidente Cheney y al mismo George W. Bush. Aun cuando no hubiera habido ninguna, las señales de alerta habrían seguido allí. No se necesitaban sesiones del Congreso para alertar a Bush, Cheney, Rice y Rumsfeld del hecho de que Osama bin Laden llevaba siendo uno de los principales y más famosos enemigos de Estados Unidos desde hacía años. Los primeros atentados terroristas gemelos de las embajadas de Kenia y Tanzania habían demostrado la inclinación de Al Qaeda por los ataques dobles sincronizados contra edificios estadounidenses. Un intento de terminar el trabajo, combinado con los ataques a otros iconos de Estados Unidos, apenas deberían haber escapado a la imaginación de la Casa Blanca, la CIA y el FBI. Entonces, a finales de febrero de 2001, un indicio aun mayor de sucesos venideros salpicó las pantallas de televisión de todo Estados Unidos. En Afganistán, los talibanes dinamitaban los dos Budas de Bamiyan.

Yuxtapongamos las imágenes de antes y después de las torres gemelas y los dos Budas; la similitud visual entre las dos parejas de gigantescos monumentos perpendiculares condenados es asombrosa. En el islam pervertido de los talibanes de Al Qaeda, juntos constituían unos símbolos monstruosos y blasfemos de idolatría, por un lado, y de usura, por el otro, que debían ser destruidos. Bastante antes de los ataques del 11-S, era evidente que Afganistán era un manantial de extraños efluvios. ¿Qué podría ocurrir a continuación? Antes del 11-S, estas preguntas traían sin cuidado a George W. Bush y a sus capos. No sólo las ignoraron, sino que trabajaron activamente para evitar que se formularan.

¿Podrían haber resultado las cosas de otra manera si hubiera sido otro el presidente? Todo somos profetas a toro pasado; una vez que ha ocurrido el desastre, todos los errores son evitables, pero sigue pareciendo extraordinario que a lo largo de todo el 2001, cuando se oía a lo lejos el tictac de la bomba de relojería del terrorismo, todos los mandamases de la «seguridad» de George W. Bush se afanasen en sofocar la conciencia de semejante amenaza. En cambio, permanecieron obsesivamente centrados en los enfrentamientos con villanos como Sadam Huseim.

A consecuencia de su despreocupación, morirían decenas de miles de personas, tanto en Estados Unidos, y después en Europa con el atentado de Madrid, como en Oriente Próximo; por un lado, las vidas que se perdieron el 11-S y, más tarde, el 11-M y, por otro, todas las que perecerían en la llamada, de manera absolutamente inadecuada, «guerra contra el terror» de George W. Bush. ¿Podía haber hecho algo, no? Al menos, podía haberse estado quieto. Al mirar atrás, nos queda la posibilidad definitiva de que aun si la propia Administración no hubiera hecho absolutamente nada, habría cabido la posibilidad de que se hubieran frustrado los ataques del 11-S. Eso es lo que demostró el destino del avión que cayó sobre Pennsylvania aquel 11 de septiembre. Los pasajeros de aquel vuelo no tardaron mucho en comprender lo que había que hacer para defender a su país; no necesitaron ninguna «Guerra de las Galaxias» ni ninguna arenga presidencial. Todo cuanto precisaron para demostrar un verdadero heroísmo —para defender de verdad a Estados Unidos— fue la más leve de las conciencias de la verdadera naturaleza de la amenaza.

¿Qué habría sucedido si en la mañana del 11-S los estadounidenses hubieran estado un poco más alertas en las agencias de alquiler de coches, en los mostradores de facturación de los aeropuertos y en las cabinas de pasajeros? Una de las principales razones para que Estados Unidos estuviera tan desprevenido fue que la Administración de George W. Bush había hecho «algo» con anterioridad a los ataques. Había estado trabajando con entusiasmo para reprimir la concienciación pública de la, realmente existente, amenaza terrorista. ¿Y si George W. Bush hubiera considerado las advertencias de la Comisión sobre la Seguridad Nacional ya en enero de 2001? ¿Y si en su discurso de investidura hubiera llamado la atención sobre el hecho de que, a menos que Estados Unidos cambiara su idea de «seguridad nacional», los estadounidenses morirían de verdad «en suelo estadounidense y, posiblemente, en gran número? Es fácil imaginarse al presidente Al Gore invocando el informe Hart-Rudman en sus conferencias de prensa mientras el gobernador George W. Bush y los republicanos se ríen entre dientes. Pero preguntarse «¿y si?» en este caso es cómo preguntarse por qué, si el petróleo de Oriente Próximo parece estar en el origen de tantos problemas, George W. Bush no pide nunca jamás a los estadounidenses que consuman menos gasolina.

La visión de las dos torres del World Trade Center echando humo como unas unidades de disco duro recalentadas y derrumbándose a continuación siempre será espeluznante. De hecho, la política estadounidense había facilitado los ataques. Los terroristas que los planearon y ejecutaron, por ejemplo, no eran agentes de ningún «Estado sociópata»; la mayoría eran ciudadanos de la gran amiga de Estados Unidos y de la familia Bush, Arabia Saudí; tan amiga que, incluso cuando conspiraban para asesinar a miles de personas en Estados Unidos, los agentes saudís de Al Qaeda recibieron un tratamiento especial. Tal y como demostró el 11-S, el Servicio de Naturalización e Inmigración estadounidense es tan deplorablemente patético en su regulación de las visitas de los extranjeros a Estados Unidos como la CIA y el FBI lo son en la lucha antiterrorista. Pero esa no fue la razón primordial de que los terroristas que mataron a más de 3.000 personas aquel día gozaran de toda la libertad para alquilar coches, comprar billetes de avión y secuestrar aviones sin que el gobierno federal les molestara. Fueron libres de deambular a placer por Estados Unidos porque los saudís —incluidos los terroristas saudís— recibían la misma clase de tratamiento privilegiado en el país de George W. Bush y Dick Cheney, que los republicanos texanos y los ejecutivos de la Halliburton estaban acostumbrados a recibir cuando viajaban a Arabia Saudí.

Después de los ataques del 11-S, George W. Bush no acudió de inmediato a Nueva York para visitar la Zona Cero; aunque Ronald Reagan o Bill Clinton tal vez hubieran hecho acto de presencia el mismo día. Pero la ausencia de Bush en la Zona Cero el 12 de septiembre se notó sobremanera; el 13 estaba empezando a convertirse en una noticia de gran calado. ¿Qué podía haber más importante para un presidente que visitar la Zona Cero? Pero el 13, todavía seguía sin realizar el breve trayecto desde Washington a Nueva York. En cambio, permaneció en Washington para, entre otras cosas, recibir en la Casa Blanca al príncipe Bandar bin Sultan, el embajador Saudí en Estados Unidos; en efecto, despachó con el príncipe Bandar, miembro de la familia real Saudí, antes de reunirse con el alcalde Rudolph Giuliani y otros funcionarios municipales neoyorquinos. Los escombros del World Trade Center humeaban, y las víctimas y sus familias siguieron sin la consoladora visita de un presidente hasta el 14 de septiembre.

La conservación de los valores de inmerecida reciprocidad que impregna toda su vida fue la causa de que, incluso después de los ataques del 11-S, la preocupación de George W. Bush por sus amigos y socios saudís, además de los miembros de la familia bin Laden, ocupara una posición preeminente en su agenda oculta; y aquí la palabra correcta es exactamente «oculta». Después de los ataques, la Administración Bush tomó en secreto medidas especiales para asegurar que los ciudadanos de Arabia Saudí, incluidos los parientes de Osama bin Laden, no fueran importunados por los ataques que sus compatriotas acababan de lanzar contra Washington y Nueva York. Mientras cientos de miles de ciudadanos estadounidenses permanecían aislados,a los miembros de la familia bin Laden, junto con otros saudís bien relacionados, se les concedía un privilegio que se negaba a los ciudadanos de Estados Unidos: se creó un puente aéreo secreto, exclusivo para saudís, aprobado por la Casa Blanca.

Estos aviones secretos volaron de Florida a Kentucky y a Washington. En Boston, donde los saudís habían secuestrado los aviones que se estrellaron contra el World Trade Center y el Pentágono, ahora embarcaban en vuelos especialmente autorizados otros saudís —hombres sin identificar a los que no se les inspeccionó la documentación que portaban ni se les registró el equipaje, pero también niños ricos saudís que estaban siendo sacados a toda prisa de sus colegios privados de secundaria del área de Boston.

¿Quién embarcó en aquellos vuelos especiales para saudís? ¿Por qué tuvieron necesidad de abandonar Estados Unidos con tanta rapidez? ¿Podemos tener la seguridad de que personas implicadas en los ataques del 11-S no salieron de Estados Unidos en esos aviones? Jamás se ha dispuesto de una lista de pasajeros, aunque resulta inconcebible que en ese avión no viajaran personas cuyo testimonio pudiera haber proporcionado información sobre cómo y por qué ocurrieron los ataques del 11-S. Permitir la evacuación de saudís fue la versión presidencial de alterar las pruebas, aunque, por supuesto, ese era el tipo de información que George W. Bush quiso reprimir desde el principio.

George W. Bush y su camarilla intentaron mantener en secreto la misma existencia de los vuelos; luego, cuando ya no había posibilidad de negarlo, como siempre, un portavoz del presidente se quitó el muerto de encima. El FBI había autorizado la lista, afirmó la Casa Blanca, a lo que el agente especial John Iannarelli, el portavoz del FBI en materia antiterrorista, respondió: «Puedo afirmar sin miedo a equivocarme que el FBI no ha desempeñado ningún papel en la facilitación, de una u otra manera, de esos vuelos». Dale Watson, el ex responsable de la lucha antiterrorista del FBI, confirmó de manera explícita que a los saudís a los que se les permitió salir de Estados Unidos en avión «no fueron objeto de ninguna entrevista o interrogatorio serio.»

El encubrimiento seguía a la incompetencia: ese ha sido siempre el patrón de George W. Bush, su celo verdaderamente apasionado por proteger al rico y defender al privilegiado que lleva tanto al error de cálculo como a las mentiras.

La empatía mostrada por el presidente hacia la familia de Osama bin Laden fue la revelación de las prioridades viscerales de George W. Bush, aquellas que impulsarían su presidencia entera. El puente aéreo secreto, afirmaron finalmente las fuentes de la Casa Blanca, había sido aprobado por razones humanitarias. Ciertos «altos funcionarios» de la Casa Blanca, dijeron, estaban preocupados por que los miembros de la familia de bin Laden pudieran ser objeto de malos tratos. Uno de los aspectos más notables de la conducta admirable del pueblo estadounidense durante y después del 11 de septiembre fueron los contadísimos ataques contra árabes y personas de aspecto árabe a raíz de los ataques de ese día. La preocupación de que algo desagradable pudiera sucederle a los parientes de bin Laden sería comprensible, por supuesto, pero ¿sus familiares y amigos se merecían realmente un nivel de solicitud presidencial que se les negaba a las familias de las víctimas estadounidenses? No se envió ningún avión para que cruzara de cabo a rabo el país y transportara a Nueva York a los parientes de los muertos y desaparecidos del World Trade Center. Aquel día murieron cientos de policías y bomberos; sus viudas y huérfanos no recibieron ningún trato especial, ni siquiera un viaje gratis en autobús hasta la Zona Cero.

Gracias a la solicitud de George W. Bush, los acontecimientos del 11-S adquirieron simetría. El acontecimiento más traumático experimentado por Estados Unidos desde el asesinato de Kennedy había empezado con el abuso de su posición de privilegio por parte de los saudís para cometer un asesinato en masa; y acabó con los saudís abusando de su posición privilegiada para evitar ser siquiera interrogados sobre los crímenes que se habían cometido. Se supone que el 11-S fue el día que «cambió todo», pero en el caso de George W. Bush, no cambió nada. Y nada cambiaría jamás. En todo lo hecho por Bush se incardina con fuerza un compromiso feroz con los privilegios inmerecidos. Después del 11-S, lo único que le faltó a George W. Bush fue premiar a sus privilegiados amigos saudís con un vale descuento como pasajeros habituales.

El tratamiento preferencial otorgado a los saudís —incluidos aquellos sospechosos de apoyar actividades terroristas— se prolongó en el tiempo. Tras el 11-S, se ordenó de manera sumaria a los ciudadanos de muchos países árabes que vivían en Estados Unidos que se presentaran para ser interrogados por el FBI. Los saudís fueron explícitamente excluidos de esa exigencia. En el ínterin, muchos iraquíes —la mayoría, de manera no poco paradójica, feroces oponentes a Sadam Husein—, junto con otros árabes que vivían en Estados Unidos fueron objetos de redadas. Algunos fueron retenidos en secreto y se les privó de su derecho a que se fijara una fianza, al *habeas corpus* [la puesta a disposición judicial de inmediato] o a la asistencia letrada. Además de una violación de sus derechos legales y humanos, era un gasto de recursos humanos y económicos publicos para desviar la atención. También fue una manifestación inicial de la lógica chiflada que condujo a la decisión de George W. Bush de invadir Irak: los ataques del 11-S habían sido organizados por saudís; habían sido llevado a cabo por saudís. ¿Solución? ¡Exonerar a los saudís de los interrogatorios!

En la mañana del 11 de septiembre de 2001 se demostró de golpe que todos los sistemas de armamento de Estados Unidos no eran más que una multibillonaria Línea Maginot de alta tecnología. Ni los espías celestes ni los proyectiles con cabeza múltiple independientemente dirigida (MIRV) de los submarinos nucleares ni las bombas nucleares en sus silos habían proporcionado protección alguna al país. Los únicos que hicieron algo para defenderla aquel día fueron unos civiles desarmados, los pasajeros que viajaban a bordo del vuelo 93 de United Airlines que, a costa de sus propias vidas, evitaron que los secuestradores estrellaran el avión contra su cuarto objetivo. En el ínterin, el Comandante en Jefe del país, junto con su vicepresidente, la asesora de Seguridad Nacional y el secretario de Defensa contemplaban el discurrir de la historia por televisión.

¿Y luego? Tal y como hicieron con la inicial advertencia de Hart-Rudman, Bush y sus capos empezaron a estudiar todos los ángulos para calcular su posición. Trataron el 11-S como un acontecimiento que se podía explotar políticamente y orientar hacia sus propósitos ideológicos. Entre septiembre de 2001 y marzo de 2003, cuando invadió Irak, George W. Bush hizo lo que su gobierno había hecho antes con la *Hoja de ruta para la seguridad nacional: imperativo para el cambio*; rompió la hoja de ruta e ignoró lo imperioso del cambio. El recorrido que va del 11-S a las bombas sobre Bagdad sería lo predecible: ocurra lo que ocurra, mantener el cumplimiento de la agenda oculta. Usurpar cada tema, cada preocupación legítima sobre la seguridad y la prosperidad del pueblo estadounidense para nuestros propósitos. ¿Y cuáles son esos propósitos? El privilegio y la guerra, la guerra y el privilegio, tal y como demostraría de forma invariable la respuesta de George W. Bush a cada asunto. De igual modo que la subsiguiente maniobra de distracción a costa de dictadores lejanos demostraría, lo único que el 11-S cambió realmente para él fue que su agenda se hizo un poco más grande. A la rebaja de impuestos y a la «Guerra de las Galaxias» se añadía ahora definitivamente la invasión de Irak.

8

Los pecados de los hijos

Todos sabían que había gente que odiaba y que quería hacer daño a Estados Unidos. Pero, hasta el 11-S, ¿quién se había dado cuenta de lo mucho que Estados Unidos era querido?

«TODOS SOMOS NORTEAMERICANOS.» Eso fue lo que el periódico francés *Le Monde* declaró a la mañana siguiente de los atentados. El brote de compasión, amor y apoyo a Estados Unidos y a su gente tuvo carácter mundial. En ningún sitio fue mayor la renovación espontánea de apoyo que en el cuartel general de la Organización del Tratado del Atlántico Norte en Bruselas, el mismo cuartel general de la OTAN cuya financiación Donald Rumsfeld no tardaría en amenazar con suprimir a menos que los belgas dejaran de parlotear acerca de castigar a los criminales de guerra.

La OTAN había existido durante cincuenta años para garantizar que Estados Unidos protegería a Europa si era atacada; y sin necesidad de pedírselo, los países miembros de la OTAN, todos y cada uno de ellos, se comprometieron a considerar el ataque a Estados Unidos como un ataque a ellos mismos. Era la primera vez en la historia que era invocada tal disposición del tratado. Esto era «seguridad colectiva» de verdad: el más débil uniéndose para la defensa del más fuerte, y no sólo al revés.

Tras el 11-S, el mundo estaba impaciente por responder a un nuevo tipo de liderato estadounidense. Pero para convertirse en aquel nuevo tipo de líder, George W. Bush tendría que haber reevaluado su visión del mundo. Por el contrario, siguió con su obsesión por el «cambio de régimen» —síntomas más que causas—, aun cuando los ataques del 11-S habían demostrado algo de enorme importancia. Los sadanes huseines del mundo ya no eran la mayor de las amenazas. Los vacíos de poder —como el creado en Afganistán cuando se abandonó el país después de la caída del régimen apoyado por los soviéticos— eran aun más peligrosos. Después de todo, a los dictadores se les puede pedir cuentas si hacen un mal uso de sus tierras y sus armas. Entre otras cosas, eso explica la razón de que Sadam Husein no hubiera intervenido para nada en los ataques del 11-S.

Cualesquiera que hubieran sido las circunstancias, habría sido necesario proceder a una revisión fundamental de las prioridades estratégicas de Estados Unidos. Apenas había un solo punto de la agenda estratégica o ideológica de George W. Bush que no hubiera sido puesto en entredicho por el éxito de los ataques del 11-S. Pese a quedar demostrada la absoluta intrascendencia de la «Guerra de las Galaxias», desde entonces el presidente siguió insistiendo en continuar, y aumentar, el gasto en los inútiles misiles antimisiles. En el período subsiguiente al 11-S, la «Guerra de las Galaxias» debería haber sido desmantelada por completo. En lugar de eso, George W. Bush y Rumsfeld siguieron adelante con absoluta irresponsabilidad y desplegaron los misiles, los cuales no sólo jamás han dado en el blanco, sino que a veces se disparan a tontas y a locas. Citando estas deficiencias como un motivo para gastar aun más en un sistema inútil, siguieron destinando más dinero a la «Guerra de las Galaxias» que a toda la campaña de reconstrucción de Nueva York y Washington y las indemnizaciones de todas las víctimas de los ataques.

Más que cualquier otra cosa, el 11-S ilustró los peligros del rechazo absoluto de George W. Bush a hacer algo serio en relación a la disminución de la dependencia del petróleo importado. Tras los ataques, la adicción no hizo mas que empeorar. El problema no es, como sostienen sus críticos, que George W. Bush negara tener una política energética; el problema es que tiene una: la que aspira al consumo innecesario de toda la energía posible sin considerar las consecuencias mientras describe falsamente a los abogados del uso racional de la energía como unos haraganes en la «guerra contra el terrorismo».

Los malignos efectos del despilfarro energético de Estados Unidos, en especial de la energía derivada de la producción petrolífera, son tanto de orden económico y medioambiental como social, político y militar. Pero, como pasa con la mayoría de las sumas, las consecuencias son aun más profundas. La excesiva dependencia del petróleo afecta a los estadounidenses en sus cuerpos y, en algunos aspectos, se podría decir que en sus almas. Se ha abierto camino a través de las neuronas y las vísceras de la vida estadounidense.

Un Estados Unidos que dependiera menos de los coches, por ejemplo, podría ser un país en el que la obesidad crónica fuera un problema de menor importancia; un país con menor dependencia de las letras de pago de los automóviles, tal vez no se hubiera convertido en una nación donde el endeudamiento privado acecha a su prosperidad cual avalancha inminente. Una nación de gente que camina más, utiliza menos aire acondicionado y se relaciona un poco más con sus vecinos en espacios públicos comunes, también cabe la posibilidad de que fuera un país donde los políticos de la paranoia tuvieran un protagonismo menor. También pudiera ser que si los estadounidenses pasaran menos tiempo de sus vidas sentados en cubículos aislados —algunos estacionarios, otros móviles—, tal vez su divorcio con la realidad del mundo fuera menor y no se mostrasen tan apáticos ante el uso incorrecto del poder por parte de sus gobernantes.

Pero como declaró George W. Bush tras el 11-S, el modo de vida estadounidense no es «negociable». Lo que el carromato de los pioneros fue una vez para Estados Unidos, lo es el SUV (Sport Urban Vehicle) o cuatro por cuatro urbano para la idea «petroleoadicta» del país de George W. Bush. Encerrado en un devorador de gasolina de cristales tintados, clima controlado y sonido ambiente, el conductor del cuatro por cuatro se parece un poco a George W. Bush a bordo del Air Force One [el avión presidencial]: listo para imaginarse a si mismo como un *master* del universo. En cuanto a esas noticias que hablan de que parte del dinero que pagamos por la gasolina en el surtidor va a la gente que mata estadounidenses, tampoco hay problema con eso: cojamos el control remoto y apretemos el botón que pone *mute*. A propósito, la fantástica tracción a las cuatro ruedas significa que no tienes que palear la nieve que cubre el sendero de acceso a casa.

Antes del 11-S, el SUV ya era el síntoma de la adicción a la energía que padece Estados Unidos. Tras la invasión de Irak, demostró ser —al igual que los sistemas de armamento del país— demasiado barato de comprar y de mantener. Ahora que la extensión de las guerras y el incremento de los déficit de George W. Bush estaban proporcionando el modelo para los estadounidenses y su planteamiento vital, lo que se necesitaba era algo aun más grande y que consumiera incluso más dinero y energía.

Así en Irak como en nuestras carreteras: el gasto del departamento de Defensa acudió al rescate. El vehículo aun más grande y voluminoso que los estadounidenses necesitaban en casa resultó ser el Hummer. Adaptado por General Motors, se trataba de una versión civilizada del mismo monstruo sobre ruedas que era ese vehículo militar llamado Humvee que no para de volcar, de caerse en las alcantarillas y también de matar estadounidenses en Irak al precipitarse a los ríos desde los puentes. Durante las festividades de Acción de Gracias y Navidades de 2003, la Associated Press publicó dos noticias con los siguientes titulares: MUEREN 6 SOLDADOS NORTEAMERICANOS DURANTE EL FIN DE SEMANA. GENERAL MOTORS DA A CONOCER EL CONCEPTO DEL HUMMER MEDIANO. Según el primer reportaje, el Humvee se estaba convirtiendo en una trampa mortal para los soldados que combatían en Irak. Su carrocería blanda lo hacía vulnerable al ataque con cohetes y fusiles. Cuando se calaba en mitad del tráfico, los iraquíes podían saltar a bordo y degollar a los soldados. En Irak, los estadounidenses también estaban muriendo de la misma manera que decenas de miles al volver al casa: chocando entre sí con unos vehículos ciclópeos.

La mitad de los muertos de guerra aquel fin de semana de Acción de Gracias estuvieron relacionados con el tráfico. Según la crónica de AP, «Dos soldados de la 1ª División Acorazada murieron cuando un carro de combate M-1 Abrams chocó contra su Humvee al oeste de Bagdad el sábado por la noche. Y un soldado murió ahogado —continúa el artículo—, al caer su vehículo al canal mientras perseguía a un vehículo sospechoso en las cercanías de Bagdad.» Los nombres de los muertos no se dieron. Los teletipos habían dejado de suministrar ese tipo de información más o menos al mismo tiempo que la gente de Bush y Cheney encargada de la manipulación informativa empezaron a prohibir a la prensa, ya en Estados Unidos, que tomara fotografías de los féretros envueltos en la bandera, cuando los soldados muertos eran descargados de los aviones militares.

El artículo sobre el «Concepto del Hummer mediano» informaba de un perfeccionamiento relacionado con aquellas muertes de fin de semana en Irak (aunque no se informaba de la relación, y una lectura superficial difícilmente habría caído en ella). «Con una mezcla de musculatura y chispa» informaba la crónica, «el Hummer se ha convertido en la nueva montura de prestigio en Estados Unidos que atrae a los famosos y atletas a quienes no les preocupa ni su elevado precio ni su consumo, que ronda los veinticinco litros.»

Eso había sido verdad durante algún tiempo. El perfeccionamiento en el que estaba pensando GM consistía en diversificar el modelo civil de su vehículo militar, desarrollado en un principio a expensas del contribuyente para ocupar países como Irak. Esto conducía a la posibilidad de un inminente falso beneficio, estilo George W. Bush, para la clase media estadounidense. El problema para el tipo de contribuyentes que George W. Bush necesitaría en las elecciones de 2004 no sería sólo el del consumo del Hummer; también el del prohibitivo precio, que empezaba en los 100.000 dólares.

En comparación, el «concepto de vehículo mediano» prometía un «músculo y chispa» más asequible. Aunque «construido sobre una plataforma de camión mediano de GM modificada», no se había sacrificado la vistosidad en aras de cierto concepto liberal de la frugalidad. El prototipo, según AP, «tenía un motor de sobrealimentación de cinco cilindros y 350 caballos», y presentaba «una lona plegable accionada mecánicamente y una ventanilla trasera abatible para ofrecer una conducción al aire libre.» Para reforzar la ilusión de que conducir este, todavía, enorme vehículo con el techo corredizo mecánico abierto era, en realidad, una forma de ejercicio, «los diseñadores de ropa deportiva del gigante Nike Inc. colaboraban en diversos aspectos del vehículo, entre ellos los neumáticos y los asientos.»

La invasión de Irak es el mejor ejemplo de cómo defiende Bush a Estados Unidos en el exterior. El Hummer mediano ilustraba a la perfección la manera en que se suponía tenía que actuar en casa la cadena de consumo de George W. Bush. Paso uno: invadir países extranjeros con malas carreteras exige que el departamento de Defensa desarrolle vehículos como el Hummer para que los utilicen nuestros soldados. Paso dos: un gigante empresarial como General Motor («Lo que es bueno para GM, es bueno para Estados Unidos») convierte aquel equipamiento militar en artículos de consumo para los civiles. Paso tres: los contribuyentes consiguen pagar de nuevo estos ciclópeos, contaminantes y peligrosos monstruos, sólo que esta vez para tenerlos en sus garajes.

Ahí subsiste la inquietud subliminal (difundida por los gabinetes estratégicos liberales y las nuevas redes) de que conducir hasta el Seven-Eleven de la esquina montado en un gigantesco camión reconvertido es perjudicial para la salud de la gente que los compra, y también para el país. Paso cuarto: el saludable intercambio de marcas con fabricantes de ropa deportiva como Nike se ocupaba de eso. Supongamos que este peligroso y elitista juguete llegue a fabricarse realmente; incluso el modelo mediano ¿no rompería el Hummer el presupuesto de la mayoría de los estadounidenses de clase media?

Ahí es donde el «conservadurismo compasivo» de George W. Bush entra en la gran pantalla: el presidente concederá una exención fiscal para comprar el Hummer. De hecho, él ya ha hecho su labor al conceder al Hummer la exención de impuestos que recaen sobre otros coches más asequibles y que consumen menos gasolina y de manera más eficiente. Al igual que las recompensas financieras («vales») para las familias que saquen a sus hijos de los colegios públicos; al igual que la política de ferviente oposición hacia los impuestos de sucesión para los hijos de padres ricos y famosos; y al igual que la normativa prohibiendo a los diferentes organismos federales de la asistencia sanitaria que regateen el precio de las medicinas a los gigantes farmacéuticos, el hacer que el Estado las deje en paz forma parte del plan de estímulo económico de George W. Bush para ayudar a las clases medias y trabajadoras de Estados Unidos. De hecho, cuanto más caro sea el vehículo y más gasolina consuma, mayor será la rebaja fiscal a conseguir. Pero, un momento, las cosas todavía pueden mejorar. El resultado es que, desde el 11-S, George W. Bush ha incrementado la exención fiscal de los compradores de vehículos tan despilfarradores.

¿Cómo se coló la exención fiscal del Hummer? Esta exención fiscal para devoradores de la carretera se vendió al Congreso como parte del compasivo compromiso de George W. Bush para animar la supervivencia de las amenazadas granjas familiares del país. El efecto buscado era que la exención fiscal para los camiones pequeños, como los del tipo utilizado para arrastrar los aperos agrícolas, estimularía la libre empresa en las comunidades rurales. Las cosas no resultaron de esa manera, y la razón, según un libro blanco para una contribución impositiva más sensata titulado *El Hummer de la exención fiscal* es que «las leyes fiscales definen los vehículos industriales en función del peso, y no de la función.»

Si te compras un SUV que pese más de 2.700 kg, tienes derecho a la exención fiscal de George W. Bush, aun cuando lo utilices con fines exclusivamente recreativos. No sólo son los Hummer. «En la actualidad», señala el libro blanco, «entre SUV, monovolúmenes y camiones, incluyendo el Lincoln Navigator, el Cadillac Escalade y el nuevo Hummer H2, hay 38 modelos de lujo para pasajeros que pesan más de 2.700 kg y que, por tanto, tienen derecho a la exención fiscal.»

«Las ventas de los Hummer —apuntan los autores del libro blanco, Aileen Roder y Lucas Moinester—, se han disparado desde el incremento de las deducciones del año pasado.» Tales vehículos derrochan energía y degradan la infraestructura viaria nacional. «También se ha suscitado el debate —observan con timidez—

de que en estos tiempos de incertidumbre en Oriente Próximo, no tiene sentido estimular la compra de vehículos de tan alto consumo, aumentando nuestra dependencia de los países productores de petróleo.»

George W. Bush —el Comandante en Jefe que concede exenciones a los Hummers en tiempos de guerra— es, él mismo, una manifestación de lo que ocurre cuando el petróleo se apodera de una cultura de la misma manera en que el alcohol empapa el cerebro. Es una calle de dos sentidos: el consumo de petróleo y la producción de petróleo, y las deformidades que producen en ambos extremos. Osama bin Laden también es un producto de ese mundo de la extracción global del petróleo. Así que resulta que en la primera década del tercer milenio, algunos de los acontecimientos más dramáticos de la historia mundial actual se pueden interpretar, aunque sólo sea en clave de cómic, como un ajuste de cuentas entre dos niñatos descontrolados y superprivilegiados de la Edad de la Adicción a la Energía.

El petróleo aporta riqueza mientras apenas parece que enseñe a sus beneficiarios el valor del trabajo o la importancia de la tolerancia. Parece, sin embargo, desatar la necesidad de realizar gestos grandilocuentes. Cuando la riqueza y el poder llegan como regalos de Dios, también fomentan entre algunas personas la idea delirante de que sus prejuicios, sus odios —sus crímenes— gozan de la sanción divina. Quizás a causa de que no hay razón legítima que explique por qué esos pocos privilegiados deben ser los beneficiarios de semejante buena fortuna, así mismo la riqueza parece excitar la necesitar de demostrar cosas a la gente, de alardear.

Se puede ver en los saudís como Osama bin Laden; se ve en estadounidenses como George W. Bush. Por supuesto, cuando uno siente que tiene derecho a todo, inclusión hecha de un mundo hecho a imagen y semejanza de tus necesidades doctrinales o ideológicas, y no se echa a faltar nada en la imagen perfecta, es probable que la respuesta sea más de indignación que de estoica aceptación. En casos extremos, surge la necesidad de deformar la realidad. Así que Osama bin Laden decide que la manera de encargarse de la corrupción del islam en Arabia Saudí es hacer volar rascacielos en Nueva York; por su parte, George W. Bush decide que la manera de resolver el fallo de la seguridad en el aeropuerto de Boston es invadir Irak.

Una manera de entender el comportamiento de Bush en la Casa Blanca es contemplarlo como si fuera una serie de televisión. La serie podría llamarse *Los Archivos de W.* En todos los episodios, resulta que alguna situación aparentemente estable y explicable —los requisitos del colegio electoral; los procedimientos de comprobación de los inspectores de armas internacionales— acaba teniendo un carácter nebuloso que permite que se transforme de tal manera que la realidad se ajuste para adaptarse a las necesidades de George W. Bush.

En esta serie, al principio del episodio del 11-S, los acontecimientos demuestran que la visión intolerante, derrochadora y propicia a crear divisiones del mundo de George W. Bush es errónea y peligrosa. El reto para los guionistas —los Wolfowitz y los Cheney, con Condoleezza Rice corrigiendo la ortografía— consiste en transformar, hacia el final del episodio, la refutación de las fantasías ideológicas y estratégicas del presidente en una reivindicación de lo que nos ha estado contando todo el rato.

En esencia esto es lo que ocurrió en las pantallas de televisión estadounidenses entre septiembre de 2001 y marzo de 2003, cuando Bush invadió Irak. Pero esta extraña transformación de los hechos nunca sería un éxito completo. Y fue así porque el 11-S planteó a George W. Bush un desafío de la realidad bastante más difícil —y muy diferente— que el presentado por los resultados de la votación de Florida. En ambos casos sólo era la democracia de Estados Unidos lo que tenía que transmutar a su conveniencia, pero la tarea de transformar la realidad de que Sadam Husein no había tenido nada que ver con los ataques del 11-S en justificación para atacarlo era una tarea de más envergadura y dureza. Otra realidad inconveniente era que invadir Irak no combatiría al terrorismo, sino que lo estimularía, de manera que eso también tenía que arreglarse. Por último, estaba la realidad de que Estados Unidos iba a invadir Irak no a causa de lo que hubiera hecho Sadam Husein, sino como consecuencia de quién era George W. Bush. Se iban a necesitar unos espectaculares giros en el argumento: enfrentamientos con Naciones Unidas, por ejemplo, o el repentino descubrimiento del eje del mal.

No obstante, había un problema adicional que la colocación del logotipo de Nike en los neumáticos de los Hummer no resolvería. Las técnicas de manipulación de la realidad de la Casa Blanca, el Partido Republicano y los burócratas neoconservadores que tan buenos efectos producían entre los estadounidenses, apenas sí surtían efecto fuera de Estados Unidos. De hecho, solían fracasar por completo. El problema era que los extranjeros manifestaban una insistencia perversa en apegarse a la realidad, aun cuando los estadounidenses importantes como Rumsfeld, Cheney y Rice —incluso el propio George W. Bush— se tomara la molestia de volar hasta allí y contarles lo que pensaban. Enfrentados a esta terca insistencia de situar a la realidad por delante de Estados Unidos, al final a George W. Bush no le quedaría más remedio que tirar para adelante e invadir Irak el solito, tal y como, en cualquier caso, había querido hacer desde el principio.

Sin embargo, llegar incluso a ese final feliz unilateralista no sería fácil. Durante un año y medio, George W. Bush fue incapaz de invadir Irak a causa de un suceso muy desconcertante acaecido tras el 11-S. Él y sus capos no sólo perdieron el control de los acontecimientos, sino también su capacidad para hacer que los acontecimientos globales parecieran justificar sus necesidades ideológicas y militares. Aun más que eso; cuando la oleada de amor, apoyo y cooperación envolvieron a los estadounidenses tras el 11-S, George W. Bush y su pandilla se vieron obligados a modificar su comportamiento. Durante un breve período, se vieron obligados a actuar de una manera razonable y responsable: para consultar con sus aliados, para adoptar un enfoque bipartidista en el Congreso, para abrazar el multilateralismo.

Fue duro. Con todos aquellos redactores intelectuales parisinos de *Le Monde* declarando «Todos somos norteamericanos», ¿quién era el guapo que iba a despreciar nunca más a Europa? Las ex repúblicas soviéticas ya no servían para nada. Tras el 11-S, Bush no sólo siguió adelante y abjuró del Tratado de Limitación de Misiles Antibalísticos (ABM), sino que él y Rumsfeld proyectaron el poderío militar de Estados Unidos en lo más profundo del punto débil de la ex Unión Soviética. Al igual que a los franceses y a los alemanes, los neocomisarios de Kazajistán, Uzbekistán y las demás antiguas repúblicas soviéticas del Asia Central abrieron los brazos de par en par, y sus bases aéreas, a los estadounidenses. ¿Y cuál fue la reacción de Putin? Un gran abrazo del oso ruso para George W. Bush: ¡Bienvenidos a la guerra contra el terrorismo! ¿Queréis echarnos una mano también en Chechenia?

¿Nadie le iba a dar a George W. Bush la oportunidad de enfurecerse? Sin duda no lo harían los chinos. Entre otras cosas, el presidente se había pasado los primeros seis meses en la Casa Blanca jugando a videojuegos de guerra con China. En ese momento, toda aquella palabrería sobre tratar a China como un «rival estratégico potencial» se olvidó cuando los gritos de «Queremos a Norteamérica» resonaron desde la Ciudad Prohibida hasta los salones de Moctezuma en todos los idiomas, desde el tagalo al vascuence. Incluso Fidel Castro se ofreció a abrir el espacio aéreo a los vuelos militares estadounidenses, la mejor manera de ayudar a George W. Bush a que diera una batida por el planeta en busca de los terroristas (y demostrar que no estaba dando refugio a ninguno). El propio Castro no tardó —gracias a la utilización por parte de Estados Unidos de su base en la bahía de Guantánamo para mantener prisioneros en jaulas de metal sin juicio ni asistencia letrada— en convertirse en aliado de facto de George W. Bush en la «guerra contra el terrorismo».

Sencillamente, no había manera de utilizar el 11-S como tema de controversia, y —a juzgar por sus muecas y gemidos— tener que hacer frente a ese hecho estaba desconcertando a George W. Bush. Hasta el período previo a la guerra de Irak, no pudo dar rienda suelta a toda su natural mezquindad espiritual. Sólo cuando, por fin, pudo acusar a los infieles aliados del Consejo de Seguridad de apoyar al terrorismo, y comparar a millones de manifestantes contra la guerra con los grupos perseguidos, pareció, una vez más, volver a su yo normal.

La idea de que la idiosincrasia psicológica de las personas puede explicar el impacto de estas en la historia está tan extendida ahora como en el siglo XIX lo estaba la creencia en la frenología. Cuando Bush hizo su comentario de «vivo o muerto», la especulación sobre la naturaleza de su psiquismo estaba en pleno apogeo. Desde entonces no ha hecho más que ir en aumento.

Cuando alguien parece actuar permanentemente por motivaciones distintas a aquellas por las que dice actuar, la gente empieza a hacer preguntas. Cuando aquellas acciones incluyen cosas tales como invadir Afganistán y, más tarde, hacer lo propio con Irak, y la persona involucrada es tanto hijo de un presidente de Estados Unidos como él mismo titular de dicho cargo, uno empieza a sufrir una variación del síndrome de la especulación del asesinato de Kennedy. Algo tan tremendo como matar a Kennedy no podía haber ocurrido sólo porque un pequeño inadaptado llamado Lee Harvey Oswald le disparara con un rifle, se dice la gente. De forma natural, la gente necesita creer que los grandes acontecimientos con consecuencias de largo alcance tienen grandes e intrincadas explicaciones, de manera que los teóricos de la conspiración empiezan a tejer sus cuentos. O, como mínimo, lo hacen los psicohistoriadores aficionados.

Asumamos que George W. Bush tenga, en realidad, lo que en lenguaje corriente llamamos «asuntos pendientes» con su padre. También los tuvieron Hamlet, Edipo y muchos otros hijos de padres famosos y poderosos. ¿Explica eso realmente por qué Alejandro Magno conquistó el mundo? De alguna manera, parecería que el comportamiento de George W. Bush no tiene nada que ver con las relaciones con su distinguido padre. Tanto las notables semejanzas como las acusadas divergencias de sus vidas resultan demasiado sorprendentes como para ignorarlas. Desde el bachillerato hasta la Casa Blanca, el currículo de George W. Bush es casi una fotocopia del de su padre. Pero donde Bush padre se esforzaba en conseguir el consenso, a George W. Bush le encanta dividir. El primer presidente Bush actuaba conforme a las normas; su hijo desprecia el reglamento. En 1991, Bush padre se detuvo en Kuwait; su hijo ha recorrido todo el trayecto.

Luego, están las explicaciones no freudianas para el comportamiento de George W. Bush. Echemos un vistazo a la siguiente lista de rasgos, proporcionado por un profesional médico de Iowa:

Presunción y pomposidad exageradas
Comportamiento grandilocuente
Actitud sentenciosa y rígida
Impaciencia
Infantilismo
Irresponsabilidad
Razonamiento irracional
Proyección
Reacciones desmesuradas

La mayoría de las personas que no son seguidores partidistas de George W. Bush estarían de acuerdo en que todos estos rasgos se dan en él con más énfasis que en la mayor parte de la gente; sin duda, con más del que hasta ahora ha sido considerado conveniente para ostentar el cargo de presidente de Estados Unidos.

Como es archisabido, George W. Bush tuvo problemas con la bebida hasta que, a los cuarenta años, dejó de beber por completo. Los portavoces y manipuladores de la opinión pública no utilizan las palabras «alcohólico» ni «alcoholismo» cuando se refieren a esta circunstancia clave de su vida, pero de acuerdo con la profesora Catherine van Wormer, coautora del libro *Addiction Treatment: A Strengths Perspective*, George W. Bush presenta el perfil del «borracho seco». «Borracho seco», explica, «es un término utilizado por los miembros y patrocinadores de Alcohólicos Anónimos y orientadores de drogadictos para referirse al alcohólico recuperado que ya no bebe, que está seco, pero cuyo pensamiento está obnubilado. Se dice de semejante individuo que está seco, pero no verdaderamente sobrio; un individuo así tiende a los extremos.»

Tales explicaciones equivaldrían a decir que Ronald Reagan autorizó el desastroso e ilegal intercambio de «armas por rehenes» con los iraníes porque tal vez se viera aquejado de un incipiente Alzheimer. Es posible que pudieran explicar las motivaciones de ciertos comportamientos de Reagan. Incluso pudiera ser que explicaran por qué George W. Bush —ahora «borracho de poder»— empieza las guerras como algunos borrachos inician las peleas en los bares. Sin embargo, no explican porqué millones de otros estadounidenses piensan que invadir países musulmanes es una idea tan ingeniosa; ni porqué millones de estadounidenses no sólo apoyan la vengativa y estéril visión del mundo de George W. Bush, sino que dicen que ellos harían lo mismo si tuvieran ocasión.

Sea cual sea su condición personal, George W. Bush explota el potente síndrome estadounidense de comportamiento chauvinista autocompasivo que implica, a un nivel nacional, los rasgos del «borracho seco» que se acaban de relacionar. En muchas partes del mundo, «impaciencia» es, en la práctica, un sinónimo de «Estados Unidos». Y, desde hace mucho tiempo, «proyección» (conspiración comunista internacional; eje del mal) y «razonamiento irracional» (teoría del dominó, inexistentes compras de uranio de Irak en África), son rasgos de la política exterior de Estados Unidos.

Las «reacciones desmesuradas» y el «infantilismo» son, como cualquier cinéfilo francés nos diría, tan estadounidenses como Jerry Lewis. Los contrincantes y detractores de George W. Bush lo han infravalorado siempre porque han asociado sus características más desagradables a las del hijo díscolo de padre famoso. Pero como la popularidad de su planteamiento «con nosotros o en contra» demuestra, esas mismas cualidades negativas son también inherentes a una visión generalizada de Estados Unidos como la de la heredera del destino, la de una nación con derecho a hacer lo que le venga en gana, donde se le antoje y sin que importe lo que digan los demás, porque, vaya, así es como son las cosas.

En ese aspecto, George W. Bush es muy estadounidense, pero en su sentido elitista del tener derecho a algo lo es bastante poco, hasta tal punto que, de hecho, presenta un asombroso parecido con Osama bin Laden. Ambos tienen otros rasgos en común; el más destacable, su tendencia a expresar su contrariedad ante las complejidades del mundo por medio de espectaculares actos de violencia. George W. Bush y Osama bin Laden también comparten la capacidad para utilizar a los demás para que gruñan por ellos, mientras se aseguran de que el resultado final refleje con precisión su propia necesidad de escenarios apocalípticos. Se dice que el Dick Cheney de Osama bin Laden es el egipcio Ayman al-Zawajiri, a quien ha dotado del marco tanto organizativo como ideológico para su campaña de destrucción.

Tan grande es el interés de George W. Bush en remediar las injusticias de Estados Unidos como la pasión que siente, hasta el momento, por convertir a Irak en un paraíso democrático. De manera similar, la guerra de libre empresa de Osama bin Laden contra el Satán estadounidense no se ha visto acompañada de intento alguno de mejorar las cosas en su propia tierra natal. Luego, está el paralelismo de la imagen adquirida: la luenga barba y las vestimentas ascéticas de Osama bin Laden están tan lejos de sus orígenes de aire acondicionado de la élite saudí como la imagen de «vaquero loco» de Bush lo está de su residencia colegial del bachillerato.

Lo que une a los dos, sobre todo, es el común desprecio por la diversidad del mundo y su gente. El 11 de septiembre de 2001, es verdad, los estadounidenses descubrieron de primera mano el daño que los hombres aborrecibles pueden inferir al mundo, pero la negrura del alma de Osama bin Laden no fue la única revelación. Una y otra vez, George W. Bush no deja de demostrarnos que el odio y la violencia, amen del privilegio, ocupan un lugar de honor en su púlpito bravucón.

El 11-S fue el momento de definición de Osama bin Laden, pero Afganistán no fue el de George W. Bush. ¿Cómo iba a serlo si los Rangers de Texas salieron de allí con las manos vacías? Durante algunos meses, las fuerzas estadounidenses buscaron a Osama bin Laden en Afganistán. Luego, abandonaron la caza aunque, por supuesto, nunca lo admitieron. La atención de George W. Bush hacía tiempo que caminaba sin rumbo.

¿Qué ocurre cuando el rastro del cazador de recompensas se enfría y la audiencia empieza a decaer? Pues que empiezas un nuevo episodio y que te alejas cabalgando a la búsqueda de un nuevo villano.

9

Olvidar a Osama

Nada ilustra mejor la condición delirante del planteamiento de la defensa estadounidense de los neoconservadores radicales que el rechazo, plasmado por Wolfowitz en la «Guía para la planificación de la defensa», al probado éxito diplomático-militar del modelo de guerra «Tormenta del Desierto» que liberó Kuwait.

En la conmoción del periodo subsiguiente al 11-S, llegó a un extremo aun más radical. Incluso cuando los escombros del World Trade Center seguían hediendo a humo y muerte, Wolfowitz hizo cuanto pudo para evitar que Estados Unidos atacara Afganistán, oponiéndose, una y otra vez, a la adopción de represalias militares contra Osama bin Laden. Si la opinión de Wolfowitz hubiera prevalecido, el cerebro del 11-S habría conservado su seguro refugio de Afganistán, los talibanes habrían seguido en el poder y Afganistán continuaría siendo una zona de tránsito para los autores de ataques asesinos a estadounidenses.

Escenario: Camp David, retiro de fin de semana en las montañas de Maryland, a donde les encanta ir a los presidentes estadounidenses cuando llega el momento de realizar *liftings* históricos de envergadura. Asistentes: George W. Bush y sus asesores de mayor confianza, además del secretario de Estado, Colin Powell. Momento: 15 y 16 de septiembre de 2001. Propósito: histórico y estratégico, a fin de decidir la naturaleza de la respuesta de Estados Unidos a los ataques sufridos cuatro días antes. Este cónclave —todos los asistentes a Camp David lo saben— está destinado a figurar en los libros de historia. Pensemos en el presidente James Madison después de que los ingleses quemaran la Casa Blanca. Imaginemos al presidente Franklin Roosevelt en las fatídicas horas que siguieron al ataque a Pearl Harbor. Este cónclave también será recordado mientras ondeen las banderas estadounidenses.

En el interior: un cuarto con una chimenea de piedra inmensa cuyas llamas proyectan intensas sombras. Llenemos el cuarto de rostros famosos y de una tensión que se pueda cortar con un cuchillo. Ahora enfocamos las caras: primero un plano general del grupo, luego, un plano corto de cada cara, una a una. Ahora, damos un primerísimo plano. Encuadramos sólo los ojos y las cejas cuando este asesor presidencial de confianza dice, en ese tono de voz que conduce a la habitación (como en los docudramas), y a todo lo que hay en ella, al abismo de la historia: «Señor presidente». Se hace un silencio sepulcral. El presidente asiente gravemente con la cabeza hacia el asesor. Todos los ojos se clavan en el eminente asesor presidencial: «Hagamos lo que hagamos, presidente Roosevelt, no declaremos la guerra al Japón». Continúa: «Cabe la posibilidad de que no pudiéramos ganarla. Además, Japón está muy lejos.»

O, si se prefiere, vistamos a Paul Wolfowitz con levita y calzón corto. Algunos de los presentes lo miran a través de unas gafas del estilo de las de Ben Franklin cuando dice, tras el incendio de Washington en la guerra de 1812: «Hagamos lo que hagamos, presidente Madison, no seamos groseros con los ingleses».

No es habitual que un ideólogo utilice los argumentos de un contemporizador para oponerse a la legítima defensa de Estados Unidos, pero esa es la táctica que utilizó Wolfowitz para intentar conseguir que George W. Bush no invadiera Afganistán. «El fin de semana pasado en Camp David, tras los ataques del 11-S, el ayudante del secretario de Defensa, Paul Wolfowitz, arguyó en tres ocasiones diferentes que Estados Unidos debería centrase de inmediato en Irak, en lugar de en Afganistán, por la mayor dificultad de éste», escribieron más tarde Franklin Foer y Spencer Ackerman en *The New Republic.*

«Atacar a Afganistán sería incierto», alegó Wolfowitz, de acuerdo con los informes sobre la reunión que utiliza Bob Woodward en su libro *Bush en guerra*. En cuanto tuvo la oportunidad de hablar en privado con George W. Bush, Wolfowitz «se explayó en sus argumentos sobre la mayor facilidad que entrañaba la guerra contra Irak en relación a la de Afganistán.» Fue un intento por su parte, con el apoyo de Rumsfeld, de saltarse a la junta de Jefes de Estado Mayor, cuyos integrantes consideraban, desde su óptica de militares profesionales, que el ataque a Irak era tan inapropiado como estéril.

Cuando George W. Bush le preguntó por las razones de que «no hayas abundando más en esto durante la reunión», Wolfowitz le contestó que «no es mi obligación contradecir al presidente de la junta de Jefes, a menos que lo quiera el secretario de Defensa», dejándonos entrever a un maestro de la manipulación burocrática en plena actuación. Mientras decía que no era cosa suyo hacerlo, era eso justamente lo que estaba haciendo, contradiciendo al presidente de la junta de Jefes a sus espaldas, y ante el Comandante en Jefe de aquel.

Rumsfeld también quería atacar Irak de inmediato, y no Afganistán, aun cuando el propio Wolfowitz, delante de todos los demás, afirmara que sólo había «de un 10 a un 50 por ciento de posibilidades de que Sadam estuviera involucrado en los ataques terroristas del 11-S.» Ningún asistente a la reunión, incluido George W. Bush, disintió de tal aseveración. Cuando se opuso a la propuesta de Wolfowitz de atacar Irak, Colin Powell utilizó como principal argumento la falta de pruebas para volver a centrar las represalias militares en Afganistán. «Si consigues algo que vincule el 11 de septiembre con Irak, fenomenal; saquémoslo y discutamos el asunto en el momento oportuno —alegó Powell—. Pero, ahora, démosle a Afganistán.»

Este espectáculo resulta extraño y revelador por diversas e importantes razones. Primero: sólo cuatro días después de que los terroristas de una organización con base en Afganistán hayan matado a 3.000 personas en suelo estadounidense, el secretario de Estado tiene que discutir hasta la extenuación para derrotar una propuesta del departamento de Defensa de no tomar represalias contra aquel país en absoluto, pero, en cambio, sí de embarcarse en una aventura militar sin ninguna relación. Segundo: como los comentarios tanto de Wolfowitz como de Powell aclaran sin ningún género de duda, George W. Bush y su círculo íntimo comprenden desde el principio que no hay prueba alguna que les proporcione ningún motivo justificado para creer que Sadam Husein estuvo involucrado en los ataques. Jamás se encontraría semejante prueba, tal y como el propio George W. Bush admitiría públicamente en, al menos, dos ocasiones. Esto evidencia aun más la falsedad de sus afirmaciones futuras de que atacar Irak era, en cierta manera, una respuesta a los ataques del 11 de septiembre. Careciendo de pruebas desde el principio, al final todos mienten sin más.

Si algo se evidenció también de manera absoluta, y con bastante sencillez, en las reuniones de Camp David fue la profunda y patética falta de sentido común que caracterizaría todo el fiasco de Irak. Al mismo tiempo que se erraba al calcular los peligros de la invasión de Afganistán, Wolfowitz —cuyas opiniones terminarían convirtiéndose en la política militar de Estados Unidos— también se equivocaba por completo con Irak. «Sería factible», argumentó a favor de atacar Irak y de dejar que Osama y los talibanes quedaran impunes.

Wolfowitz no estaba actuando solo; lo hacía con la aprobación de Rumsfeld y como su testaferro para dividir a los opositores a la idea. «¿Es este el momento de atacar Irak?», preguntó Rumsfeld al reabrirse la reunión, retomando el tema con la aparente esperanza de que Wolfowitz hubiera sido capaz de venderle la idea a George W. Bush durante el descanso.

Aunque la prueba del verdadero conservador es que la realidad siempre, y de forma invariable, tiene prioridad sobre la teoría, no hay nada que pueda evitar que un ideólogo neoconservador ultrarradical fuera de control y sin salida actúe de manera compulsiva desde sus fantasías doctrinarias; ni siquiera cuando eso signifique dejar que los asesinos de sus compatriotas queden impunes. Pese al profundo compromiso en la defensa de Estados Unidos de personas serias que intentaban tomar medidas reales para perseguir y castigar a los terroristas, así como para evitar futuros ataques, la claque neoconservadora, empezando por Wolfowitz y siguiendo incluso por Cheney y Rumsfeld, hicieron suyo el grito de «¡Invadamos Irak!»

En este punto, hay que reconocer el mérito de George W. Bush. Al contrario que el ayudante de su secretario de Defensa, en esta ocasión demostró ser capaz, siquiera fuera momentáneamente, de entender la idea de que la utilización del poderío militar de Estados Unidos, como la denominación «departamento de Defensa» implica, debería tener alguna relación con la defensa del país, y rechazó el consejo de Wolfowitz. En su condición de Comandante en Jefe, dirigió las represalias del ejército de Estados Unidos contra aquellos que realmente habían atacado a Estados Unidos, y no contra alguien que pasaba por allí.

El lapsus no duró mucho. «A Sadam, lo vamos a eliminar», empezó a decirles a los visitantes George W. Bush poco después de que la cacería de Osama en Afganistán no lograra proporcionar una gratificación inmediata.

Estados Unidos invadiría Afganistán; luego, invadiría Irak y, ¿por qué detenerse ahí? Con Bush en la Casa Blanca, lo inimaginable se convertía en inconcebible, y lo inconcebible era lo que él hacía. Los soldados estadounidenses nunca habían invadido un país del Asia Central, aunque ahora lo harían. Hasta ese momento, que Estados Unidos se hiciera con el control de un país árabe había resultado inimaginable. Si Bagdad era posible, ¿por qué no la luna? El camino a las estrellas pasaría por Bagdad, Teherán, Damasco, incluso Pyongyang, y por cualquier otro sitio que quisiera si George W. Bush se salía con la suya. Tal y como demostró Afganistán, ¿quién lo iba a parar?

Ningún lugar de la tierra había parecido más alejado del emplazamiento del Word Trade Center el 11 de septiembre de 2001 —y más a salvo de las represalias de Estados Unidos— que las bases y campos de entrenamiento de Al Qaeda en el Afganistán controlado por los talibanes. Pero antes de que acabara septiembre, los equipos de avanzada estadounidenses ya estaban en suelo afgano. Entonces, el sábado 7 de octubre, sólo tres semanas y media después de los ataques del 11-S, Estados Unidos lanzaba una ofensiva terrestre y aérea devastadoramente triunfal, que, por primera vez en la historia, llevaría a las fuerzas estadounidenses a lo más profundo de un territorio en el que habían combatido —y habían salido derrotados— los ejércitos de Alejandro Magno y, más recientemente, las fuerzas de ocupación soviéticas. Al cabo de unos días, los talibanes perdían pueblos y ciudades en todas las regiones; al cabo de unas semanas, habían abandonado su último baluarte urbano, la ciudad de Jalalabad, en el sur del país. El 11 de noviembre, y casi de manera inconcebible, Estados Unidos ya había vengado los ataques del 11-S.

Como salidos de la nada, los misiles de crucero Tomahawk, los bombarderos B-52 Stratofortress y los cazas F-16 habían atacado a los talibanes y a Al Qaeda literalmente donde vivían. La diplomacia honorable, y no la magia de la guerra tecnológica, explicaba por qué Estados Unidos había sido capaz de tomar represalias de manera tan eficaz y rápida, y también por qué se había encontrado con tan poca resistencia. Francia, Canadá, Alemania, Rusia, Bahrein, Jordania, Turquía, Pakistán y muchos otros países que más tarde se opondrían a la invasión de Irak, se encontraban entre aquellos que proporcionaron un apoyo diplomático, logístico y militar crucial.

Los presidentes Clinton, Bush, Reagan, Carter, Ford, Nixon, Johnson, Kennedy, Eisenhower, Truman y Roosevelt, todos, habrían tratado el éxito de Afganistán como otro peldaño hacia la construcción de un orden mundial racional, pero sus objetivos no eran los de George W. Bush y sus asesores.

Tras la victoria en 1992 de la primera Guerra del Golfo, el presidente Bush padre había rechazado el plan estratégico radical que le habían enviado Wolfowitz y Cheney. Esta vez las cosas serían diferentes. Después del éxito en Afganistán, Wolfowitz —con el respaldo de Rumsfeld y Cheney— propuso una vez más despreciar el planteamiento multilateral, de probada eficacia, y sustituirlo por un unilateralismo estadounidense etnocéntrico y militarista. Era el último argumento de los neoconservadores que llevaba a error. Instaban a que Estados Unidos tratara a todo el mundo de la misma manera que a los talibanes, empezando por Sadam Husein.

Su intención no era combatir al terrorismo ni defender a Estados Unidos; era dar una lección al mundo. Y la lección sería Irak. En lugar de rechazar la propuesta, George W. Bush la convertiría en el acontecimiento central de su presidencia. «Eliminar» a Sadam llegaría a ser para su cruzada de rehacer el mundo a su propia imagen, lo que destruir el World Trade Center había sido para la *yihad* de Osama bin Laden. Habría una simetría aun más profunda: las miles de personas muertas el 11-S eran inocentes, como lo era, en esta ocasión particular, Sadam Husein.

Cuando llegue el momento, los abogados de Sadam Husein no dudarán en intentar citar a George W. Bush como testigo de la defensa. En dos ocasiones distintas —una, antes, y otra, después de la guerra— Bush ha admitido que Sadam Husein no estaba involucrado en los ataques terroristas del 11-S. La primera vez fue el 31 de enero de 2003. Un periodista de la televisión británica, Adam Boulton, en el curso de una conferencia de prensa en la Casa Blanca, hizo la pregunta que, hasta ese momento, ningún periodista estadounidense había tenido, como resultaba evidente, el coraje de plantear a George W. Bush: «¿Cree que hay una conexión entre Sadam Husein, una conexión directa, y los hombres que realizaron los ataques del 11-S?»

«No puedo afirmarlo», contestó George W. Bush.

Cuando el 18 de septiembre de 2003 le hicieron una pregunta parecida, esta vez por miembros estadounidenses del colectivo de prensa de la Casa Blanca, George W. Bush respondió: «No tenemos ninguna prueba de que Sadam Husein estuviera involucrado en los ataques del 11-S». Para entonces, las fuerzas estadounidenses en Irak llevaban buscando seis meses la prueba de que Sadam tenía tratos con Al Qaeda, y no encontraron nada; como tampoco habían encontrado ninguna prueba de que tuviera armas de destrucción masiva.

Tras la expulsión de Sadam de Kuwait en 1991, la mayor parte del mundo había pasado a ocuparse de otros asuntos. Isaac Rabin y Yasser Arafat compartían el Premio Nóbel de la Paz; igual que F. W. de Klerk y Nelson Mandela. Mientras se extendía e intensificaba la globalización del comercio, la tecnología y la cultura, el mundo parecía dirigirse hacia una nueva era en la que los países ya no actuaban como bandas callejeras, y los funcionarios de los países poderosos ya no actuaban en la creencia de que sus valores culturales debían prevalecer por encima de los del resto. El Irak de Sadam Husein continuaba siendo un problema manejable, un enojoso pero satisfactorio ejemplo de contención.

Los burócratas parecían ir de retirada en todas partes, aunque en Washington seguían encontrando refugio. Sus cubiles eran organizaciones exentas de tributación con nombres como la American Enterprise Institute y el Project for a New American Century. Ahora que el «bloque Sino-Soviético» ya no existía, se necesitaban nuevas amenazas que justificaran las nuevas propuestas para aumentar el gasto militar. Los talentos creativos de Paul Wolfowitz las suministrarían.

En Washington eran pocos los que, dentro o fuera del cargo, tenían el talento de Wolfowitz para la fantasía estratégica. En 1992, por ejemplo, había estudiado el desgarbado pero notable éxito de la India democrática, y se le hizo evidente la amenaza de la «aspiración hegemónica de la India». Para entonces, Asia Oriental ya estaba siendo barrida por una revolución de la sociedad de consumo democrática; desde Tailandia hasta Corea del Sur estaban cayendo los dictadores. No tardaría en llegar el día en que la vida en Indonesia y China también se vería asombrosamente transformada por el crecimiento de los mercados libres, la libertad (no siempre política) personal y el acceso a la tecnología y a la verdad. Esto no impidió que Wolfowitz invocara justo la clase de «amenaza» que a Cheney, Rumsfeld y George W. Bush les encantaba afrontar. En este caso, la de un Asia «con valores fundamentales, gobierno y políticas decididamente discrepantes de los nuestros.»

Una cosa es invocar un mundo amenazante; ¿pero qué se puede hacer cuando el mundo no obedece? Una preocupación constante de Wolfowitz y sus compañeros de ilusionismo ideológico era la de una nueva Rusia agresiva, en el caso de que allí fracasara la democracia. Pero la democracia no fracasó en Rusia. ¿Es que no quedaba ningún lugar que encajara en la visión apocalíptica del mal que Cheney, Wolfowitz y los otros necesitaban para justificar sus sombrías visiones y el déficit presupuestario? En realidad, y dado que el planeta es muy variado, había varios, pero el antro de sadismo que mejor satisfacía sus necesidades seguía siendo el Irak de Sadam Husein, incluso después de su resonante derrota.

La obsesión por Sadam de los neoconservadores aumentaba año tras año. ¿Era este un caso de neurosis o de psicosis de grupo? El neurótico conserva algún indicio de que sus fantasías nacen dentro de él. Los psicóticos acaban tan absolutamente alejados de la realidad, que llegan a suponer que, con tal de que consigan que les escuche la persona adecuada, el mundo entero acabará por comprender.

La respuesta de los neoconservadores a los acontecimientos del 11 de septiembre de 2001 demostraría cuán aislada de la realidad estaba esta pandilla, pero ya en 1998, Wolfowitz, Rumsfeld, Richard Perle y un sinfín de otros agitadores de ideas afines hicieron algo que, en sí y por sí mismo, era indicativo de una inestabilidad cognitiva generalizada en sus filas. Estos republicanos ultrarradicales se reunieron y escribieron una carta al presidente Bill Clinton, en la que le suplicaban que adoptara su alucinación estratégica como propia, pese a que fuera bastante improbable que un presidente demócrata fuera a asumir un planteamiento político que uno republicano ya había rechazado.

A continuación, reproduzco los párrafos clave de la carta de 1998. En ellos, se traza con exactitud la misma política que muchos de los firmantes de la carta, una vez que George W. Bush les hubiera otorgado poderes, adoptarían en 2001. O lo que es lo mismo, en ellos se demuestra que los ataques terroristas del 11-S se utilizarían más tarde como pretexto para ejecutar un plan —algunos irían más lejos y hablarían de complot— que ya estaba urdido años antes. Como la carta de 1998 demuestra, la propuesta invasión de Irak era, desde el principio, como la «Guerra de las Galaxias»: una exigencia doctrinal innegociable, no una respuesta racional a las necesidades de seguridad del pueblo estadounidense.

«Estimado señor presidente —comienza la carta—: Le escribimos movidos por el convencimiento de que la actual política de Estados Unidos hacia Irak no está obteniendo frutos, y porque tal vez no tardemos en enfrentarnos en Oriente Próximo a una amenaza más seria que cualquiera de las conocidas desde el final de la guerra fría. En su inminente discurso del estado de la Unión tiene usted la oportunidad de trazar un plan claro y decidido para enfrentarse a dicha amenaza. Le instamos, por tanto, a que aproveche esta oportunidad y enuncie una nueva estrategia que aseguraría los intereses de Estados Unidos y nuestros amigos y aliados de todo el mundo. Esa estrategia, por encima de todo, debería ir dirigida al derrocamiento del régimen del Sadam Husein.» ¿Por qué asumir un cambio tan exagerado de política de una manera tan teatral? «Señor presidente —continúa la carta— la seguridad del mundo en la primera parte del siglo XXI vendrá determinada en buena medida por la manera en que manejemos esta amenaza.» Fin de la explicación, aunque tal y como Wolfowitz, Rumsfeld, Perle y los otros alegarían en el futuro, Estados Unidos debía actuar unilateralmente, no sólo porque Sadam fuera el mal, sino a causa de que nuestros aliados no valían nada. En sus exactas palabras: «Dada la magnitud de la amenaza, la política actual, que depende para su éxito de la firmeza de nuestros socios de coalición y de la cooperación de Sadam Husein, es peligrosamente inapropiada».

A partir de ahí, se zambullen de cabeza en el silogismo del «con nosotros o en contra» que, más tarde, se convertiría en el eje de la conducta de George W. Bush en política exterior. «La única estrategia aceptable —anunciaban— es la que elimine la posibilidad de que Irak pueda ser capaz de utilizar, o amenazar con utilizar, armas de destrucción masiva. A corto plazo, esto significa la disposición a emprender acciones militares cuando sea evidente el fracaso de la diplomacia; a largo plazo, echar a Sadam y a su régimen del poder. Tal es el objetivo al que ahora ha de aspirar la política exterior.»

En cierto aspecto, la imagen de estos neoconservadores ultras instando a Clinton a que abrace su paranoide tergiversación de los acontecimientos de Oriente Próximo parece, lisa y llanamente, una chaladura; algo así como un montón de manifestantes que le enjaretaran una petición contra la guerra a George W. Bush en la confianza de que la fuera a firmar. Pero también es un poco escalofriante. Es el equivalente, en «actuación política», a ser abordado por un vecino que suele mirarte con hostilidad. Sólo que hoy no te mira mal; sólo te coge por el cuello de la camisa y —con las pupilas dilatadas y la cara enrojecida— te dice a gritos que, a menos que hagas lo que él quiere, y lo hagas de inmediato, va a producirse una enorme catástrofe de naturaleza no precisada. (De hecho, la catástrofe acechaba en el camino, aunque, tal y como demostró el 11-S, Sadam Husein no fue la causa.)

En este caso, al igual que en posteriores argumentos oídos en el Congreso y en Naciones Unidas para justificar el lanzamiento de la guerra contra Irak, los verbos clave son «convencidos» y «debe» utilizados para conectar puras aseveraciones como «peligrosamente inapropiada» y «única estrategia aceptable». Estos tipos están convencidos; por lo tanto, Estados Unidos debe «enunciar una nueva estrategia». Y se ha de hacer de inmediato, de la manera más espectacular, la cual es justo la forma en que George W. Bush y sus capos actuarían en realidad cinco años más tarde, cuando obligaron a Estados Unidos a conquistar y ocupar íntegramente un país extranjero.

El presidente Clinton hizo caso omiso a la carta «A por Sadam» por la misma razón que el padre de George W. Bush había rechazado con anterioridad la «Política de orientación de la defensa»: por ser una chorrada histérica. Pero, no obstante, la carta «A por Sadam» es tremendamente reveladora. Para empezar, está la imprudencia. Como ocurriría más tarde, en ese momento se le estaba diciendo a un presidente de Estados Unidos que no tenía más opción que embarcarse en una serie de acciones harto perjudiciales y peligrosas por la única razón de que una panda de burócratas washingtonianos, procedentes de los barrios residenciales de Maryland y Virginia —y cuya principal actividad intelectual consiste en producir como rosquillas artículos belicistas de contraportada de periódico—, así lo decían.

Estaba también el desprecio gratuito por la realidad. Entonces, al igual que en los debates posteriores sobre la invasión de Irak, no se proporcionaba ninguna prueba evidente que apoyara ninguna de las opiniones vertidas en la carta, inclusión hecha de la afirmación clave de que «la actual política de Estados Unidos hacia Irak no está dando sus frutos.» El equipo de bolos del barrio podría haber conseguido un prospecto estratégico mejor informado utilizando la biblioteca del instituto local. Pero, de alguna manera, Wolfowitz y sus colegas se veían con derecho a dictar la política exterior del país. Una vez instalados en la Casa Blanca, eso es exactamente lo que George W. Bush —el supuesto *outsider* y campeón del sentido común ordinario— daría a estos bicharracos washingtonianos: carta blanca para actuar.

La carta «A por Sadam» nos muestra lo que era la fantasía neoconservadora en 1998. Desde entonces, esa misma fantasía ha sido representada en las pantallas de nuestros televisores, sólo que con sangre estadounidense e iraquí de verdad. ¿Pero cuál era la realidad? Desde febrero de 1992, cuando fue derrotado en Kuwait, hasta que fue capturado en las cercanías de Tikrit en diciembre de 2003, Sadam Husein no paró de jugar ni un momento a su propio juego del ratón y el gato (y menuda pinta que tenía el ratón cuando finalmente fue sacado de su agujero). En 1998, expulsó a los inspectores de Naciones Unidas; el siguiente reto que afrontó la comunidad internacional fue obligarlo a dejarlos volver. Sin embargo, jamás hubo prueba alguna de que Sadam Husein representara un peligro para sus vecinos ni para Estados Unidos después de 1992. Por supuesto, no había ningún motivo para la autocomplacencia. La esencia del éxito de la contención radica en la vigilancia permanente, además de la capacidad para ser paciente. Lo que se necesita para triunfar en semejantes situaciones es, por encima de todo, la capacidad de comprender que las frustraciones de la paz a largo plazo son preferibles, por lo general, a las gratificaciones momentáneas de empezar una guerra.

Las acusaciones contenidas en la carta «A por Sadam» no se razonaron en su momento, pero sería necesaria la invasión de 2003 para demostrar lo radicalmente equivocados que estaban los autores de la carta cuando afirmaban que Irak representaba un peligro apocalíptico. Cuando los soldados estadounidenses registraron Irak en busca de armas de destrucción masiva, lo que de verdad descubrieron fue lo fructífera que había sido la política de contención. Todas las horribles armas que los neoconservadores había predicho que Sadam podría utilizar contra las fuerzas de Estados Unidos no se iban a encontrar por ninguna parte, porque, gracias al embargo comercial de Naciones Unidas y a las otras sanciones por las que George W. Bush y sus asesores sentían tanto desprecio, Sadam no había podido desarrollar semejante arsenal.

El problema real —antes y después de la invasión— no era lo que Sadam era capaz de hacer, sino lo que el gobierno de Estados Unidos era capaz de comprender. Se habían gastado miles de millones de dólares en «información» que no valía ni un céntimo. Pero, en lugar de regocijarse del feliz descubrimiento de que el peligro había sido escandalosamente exagerado, los funcionarios del gobierno de George W. Bush siguieron afirmando que Sadam representaba un gran peligro.

La obtención de información fiable sin tener que invadir Irak habría implicado hacer cosas que jamás serían prioritarias para George W. Bush. Por ejemplo, llegar a la situación de que el gobierno fuera capaz de evaluar realmente si Sadam Husein representaba una amenaza y, luego, valorar la importancia de esa amenaza, habría exigido, sólo para empezar, encontrar una manera de convertir a la CIA y a sus agencias hermanas en organizaciones de información efectivas.

En el caso improbable de que eso se consiguiera alguna vez, el siguiente desafío habría sido formar un cuerpo de analistas competentes sobre Irak, con las aptitudes necesarias para evaluar la información reunida, empezando con la aptitud esencial de dominar el árabe. Sin embargo, ninguno de esos cambios en la manera en que Estados Unidos consigue y evalúa la «información» habría significado nada, a menos que el uso de la información hubiera sido despolitizado y, en el caso de George W. Bush, desideologizado.

Los estadounidenses están muriendo en una guerra de duración indefinida porque George W. Bush invadió Irak a partir, no de una mala o mediocre información, sino de ninguna en absoluto. La información no importaba, porque George W. Bush, Cheney, Rumsfeld y los demás no tenían ningún interés en enterarse de la situación real. Todo lo que necesitaban eran emplazamientos de misiles fantasmas en el desierto iraquí e intentos imaginarios de comprar uranio en África. Lo que querían que produjera la «comunidad de inteligencia» era cada vez más pretextos exóticos para seguir adelante y hacer lo que ya estaban absolutamente decididos a hacer y habían estado decididos a hacer durante muchos años, con independencia de las consecuencias para el pueblo estadounidense.

¿Qué habría pasado si George W. Bush, tras enterarse de que Irak no representaba de hecho ninguna gran amenaza, hubiera renunciado a su invasión? Pues que, sin ningún género de dudas, Sadam habría seguido con su juego mientras permaneciera en el poder. Tratar con él habría seguido exigiendo una combinación de paciencia, presión e íntima colaboración con nuestros aliados y con los inspectores de Naciones Unidas. Mantener con éxito la contención del Irak de Sadam, en suma, habría exigido todas aquellas cualidades de las que George W. Bush y los asesores a los que sigue no sólo carecen, sino que desprecian.

Aceptemos algo aun más hipotético: que los temores de los autores de la carta «A por Sadam» tuvieran alguna base real. Vayamos más lejos y supongamos que el dictador iraquí, derrotado y rodeado, hubiera estado intentando conseguir de verdad armas de destrucción masiva, tal y como acusaban los autores de la carta. Tal acontecimiento habría sido una seria preocupación para Estados Unidos. ¿Pero eso habría representado de verdad «una amenaza en Oriente Próximo más seria que cualquiera que hayamos conocido desde el final de la guerra fría»? ¿De verdad «la seguridad del mundo en la primera parte del siglo XXI» habría estado «condicionada en buena medida por cómo manejemos esta amenaza»?

Lo más revelador de todo son las amenazas que los autores de la carta «A por Sadam» jamás mencionaron. Cuando escribieron la carta, los sueños de paz en Oriente Próximo, creados por los acuerdos de Oslo entre Israel y Palestina y el apretón de manos entre Isaac Rabin y Yasser Arafat sobre el césped de la Casa Blanca, se estaban convirtiendo en pesadillas. El primer ministro Rabin había sido asesinado por un terrorista israelí, igual que tiempo atrás lo fuera el presidente Anwar Sadat por un terrorista egipcio en represalia por su valiente intento de hacer la paz. El extremismo radical en todos los campos era la gran amenaza emergente. Como los propios autores de la carta demostraron, la amenaza no se limitaba a Oriente Próximo.

Mientras tanto, la adicción al petróleo importado que padecía Estados Unidos seguía creciendo. Arabia Saudí ya estaba dando muestras de la clase de inestabilidad que confería un atractivo cada vez mayor a los argumentos de terroristas como Osama bin Laden. Por otro lado, en Irán, la revolución islámica estaba empezando a mostrar indicios de evolución democrática. Turquía, con más de un 99 por ciento de población musulmana, seguía siendo una democracia estable. Egipto —el país más importante de la región— continuaba como sólido aliado de Estados Unidos, y así seguiría hasta que George W. Bush indignó al presidente Hosni Mubarak con su desdeñoso comportamiento.

Sin embargo, en su carta de 1998 urgiendo el cambio de régimen en Bagdad, los futuros asesores de George W. Bush no daban más cuenta de este complicado tapiz que la que el propio presidente da en la actualidad. No expresaron ninguna preocupación por que la continuada ocupación israelí de Cisjordania y Gaza provocase una nueva Intifada, ni por que Pakistán adquiriese armas nucleares. El peligro de otra guerra en Oriente Próximo ni siquiera se mencionaba. De hecho, la única a la que se hacía referencia de manera específica era a la «guerra fría.» Casi una década después de la caída del Muro de Berlín, el final de la guerra fría había dejado a Wolfowitz, Rumsfeld y sus amigos desorientados y a la deriva. Desesperados por encontrar un nuevo enemigo, escogieron a un viejo y manido villano de una agencia de contratación de actores: ¡a Sadam Husein!

El fundamentalismo islámico ha tenido una fuerza tremenda en Oriente Próximo desde el estallido de la revuelta contra el sha de Irán en 1978, pero lo más asombroso de la carta de 1998 —de hecho, del canon completo de propuestas políticas radicales neoconservadoras— es la absoluta omisión que hacen de la amenaza real del terrorismo islámico, incluso después de que George W. Bush llegara finalmente a la Casa Blanca. El rechazo absoluto a enfrentarse a la amenaza viva y palpitante que de verdad acechaba a Oriente Próximo y que, en realidad, amenazaba a Estados Unidos, alcanzó su apoteosis surrealista en el comportamiento de Wolfowitz en Camp David después del 11-S. Incluso dentro de aquel círculo cerrado, resulta difícil imaginarse a Wolfowitz como algo que no sea una aberración de la manera en que la gente más o menos normal reacciona ante acontecimientos que amenazan la vida, tales como los ataques de Osama bin Laden a Estados Unidos y España.

Como han demostrado los acontecimientos de manera trágica, los neoconservadores están tan obsesionados con el cumplimiento de sus objetivos ideológicos privados que, sencillamente, son incapaces de prever el peligro real. La falta de pruebas y la ausencia de lógica, además de la estridencia, de la carta «A por Sadam» demostraron ser proféticas. La guerra de Irak de George W. Bush sería un acto ideológico, asumido (entre otras razones) en el intento de demostrar que las aseveraciones doctrinales de los autores de la carta eran ciertas. En el discurso anual del estado de la Unión de 2002, George W. Bush hizo suyo el ultimátum de 1998 de los ideólogos.

Haga lo que le decimos, le habían informado los firmantes de la carta «A por Sadam» a Bill Clinton, y «estamos dispuestos a ofrecerle todo nuestro apoyo en este difícil pero necesario empeño.» ¿Y si no lo hacía? Los radicales republicanos ya se estaban preparando para sumir en la crisis al gobierno de la nación más poderosa del mundo; y estaban preparados para utilizar los magreos de Bill Clinton en el baño del despacho oval para conseguirlo. Si, en efecto, en ese momento Sadam Husein estaba conspirando de verdad para desatar «una amenaza en Oriente Próximo más grave que cualquiera de las que hayamos conocido desde el final de la guerra fría», procesar al presidente de Estados Unidos porque había animado a Monica Lewinsky a estimularle el pene durante la jornada laboral era una extraña manera de proteger la seguridad nacional.

Es necesario llamar la atención acerca de un último detalle profético de la carta «A por Sadam». Y no es otro que el de la fecha: el 26 de enero de 1998. Estaba previsto que Bill Clinton pronunciara el discurso del estado de la Unión al día siguiente, el 27 de enero, así que en esto vemos el presagio de otro rasgo de la presidencia de George W. Bush. Se trata del ultimátum político que busca salir en titulares, lanzado con la apariencia de una elección moral incuestionable entre el bien y el mal que se ha de realizar de inmediato. En realidad sólo es un truco barato. George W. Bush utilizaría la misma táctica para menospreciar a Naciones Unidas y dividir a la OTAN, aunque la verdad es que los «intelectuales de la defensa» respetables no plantean disyuntivas a los presidentes de Estados Unidos con plazos de veinticuatro horas. Y los ciudadanos seriamente preocupados por la seguridad de su patria, tampoco.

A George W. Bush y a aquellos a los que ha dado poder jamás les ha preocupado demasiado lo de combatir al terrorismo y sus causas. La invasión de Afganistán recibió en un principio el nombre de Operación Justicia Infinita, y se presentó al pueblo estadounidense como una operación para el cumplimiento de la ley. Osama bin Laden era el forajido más buscado de Estados Unidos. George W. Bush envió a nuestras fuerzas hasta allí para capturarlo «vivo o muerto», pero la realidad acabó volviéndose en «contra de nosotros» todavía una vez más.

Fuera lo que fuese, la invasión de Afganistán había sido una demostración triunfal de la logística militar de Estados Unidos, y extendió el modelo OTAN de seguridad colectiva hasta uno de los lugares más remotos de la tierra. Había producido el dichoso, aunque secundario, efecto (como la invasión de Irak más tarde) de derrocar a un régimen repulsivo. Además, de acuerdo con todas las convenciones legales y morales imperantes, la invasión de Afganistán —al igual que la liberación de Kuwait once años antes— representaba un avance significativo de la ley y el orden mundial.

La extraordinaria hazaña tecnológica estadounidense se vio acompañada del fracaso de la «inteligencia» en los dos sentidos de la palabra. Primero, ni la CIA ni los controladores aéreos habían previsto el 11-S; en ese momento, todos aquellos soldados estadounidenses en Afganistán resultaban ser como los guardas de seguridad del aeropuerto Logan de Boston en la mañana del fatídico día: mientras cacheaban abuelas, Osama bin Laden se largaba. Como miles de personas descubrirían en los aterradores momentos finales de sus vidas durante los dos años siguientes, invadir Afganistán ni disuadiría ni derrotaría al terrorismo. Es lo que los españoles descubrirían en Madrid; los australianos e indonesios en Bali; los ingleses y turcos, en Estambul; y españoles, italianos y rumanos, y muchos otros, en Irak, después de que se hubieran alistado en la «coalición de la voluntariedad» de George W. Bush para desarrollar labores de seguridad.

Sencillamente, Afganistán no resultó ser lo que debería haber sido; algo que, por supuesto, se podría decir de toda la presidencia de George W. Bush. No obstante, el fracaso en la detención de bin Laden —como en el caso del falseamiento de la residencia de Cheney en Wyoming con anterioridad— le daba la muy necesitada oportunidad de pensar de nuevo. En su lugar, optó por no hacerlo en absoluto. Preguntado acerca del fracaso en encontrar y capturar a Osama bin Laden, Bush realizó su famoso comentario de «vivo o muerto», poniendo de manifiesto otro de sus patrones de comportamiento: cuando llega el momento de quitarse el muerto de encima, se aparca la gran cruzada del último mes con una sonrisilla de suficiencia y alguna que otra observación maliciosa.

Si Estados Unidos hubiera mantenido su intervención en Afganistán con un empeño serio y fructífero de erigir allí una sociedad civil viable, el impacto en el mundo musulmán habría sido tremendo. En su lugar, Bush se fue a fastidiar a Irak. Y tampoco reanudó los esfuerzos por lograr la paz entre israelíes y palestinos; antes al contrario, mes tras mes, guardó las distancias con esa cada vez mayor amenaza contra la paz, mientras todo el marco para la misma se desmoronaba. La negativa de George W. Bush a involucrarse en el proceso de paz palestino-israelí era a ese conflicto lo que su renuncia al Tratado ABM era a la proliferación nuclear. Como la mayor parte de la gente imparcial y con experiencia en Oriente Próximo piensa, el «no hacer» ha sido un irresponsable delito de omisión que ensombrecerá la vida de palestinos, israelíes y estadounidenses durante años, cuando no durante generaciones.

Afganistán está llegando en la actualidad, y una vez más, a un vacío de poder. Sabemos que está exportando de nuevo opio; el tiempo dirá qué otros venenos terminarán distribuyéndose por el mundo gracias a la «desconexión» afgana de George W. Bush. Es evidente que convertir una base real del terrorismo en una sociedad pacífica y en funcionamiento habría exigido un gasto tremendo; aunque quizá no tan tremendo como el realizado en Irak.

La ofensiva de Afganistán, que pareció tan decisiva en su momento, no ha tardado en convertirse en un ejemplo militar de lo que ocurre cuando una táctica de distracción deja de servir a los propósitos inmediatos de George W. Bush. Una fuerza multinacional, dirigida por aquellos mismos aliados de la OTAN ridiculizados más tarde por negarse a apoyarlo en la guerra de Irak, ocupaban Kabul, convirtiendo la capital en una foto protocolaria para periodistas de visita y en el último de los peores destinos para un montón de políticos y burócratas. Los estadounidenses establecieron una gran base en el sur del país y se dispusieron a desarrollar la actividad normal de unas fuerzas armadas en un país conquistado: las labores de vigilancia. Había algunos otros puestos de avanzada de la administración civil y de la fuerza militar, pero todo Afganistán era como la piel de un leopardo gigante en la que, en lugar de manchas, aparecieran algunas pecas salpicadas aquí y allá.

La partida enviada para atrapar a Osama bin Laden regresó con un chaval estadounidense del norte de California con pinta de estar en Babia llamado John Walker Lindh. Por consiguiente, la «guerra contra el terrorismo» de George W. Bush producía la primera de sus redefiniciones de la liberad en Estados Unidos. ¿Era un crimen que un ciudadano estadounidense llevara una barba desaliñada y anduviera con algunos radicales talibanes si —después de que el tal ciudadano llegara a Afganistán— Estados Unidos decidía atacar a los talibanes? A los ojos de George W. Bush y su Fiscal General, John Ashcroft, sí. Ningún juez ni jurado estadounidenses tuvieron jamás la oportunidad de pronunciarse. Los padres de Lindh, como es costumbre entre los estadounidenses prósperos, contrataron abogados para que negociaran la confesión del chico con el fiscal. El asunto se convirtió en un espectáculo informativo.

«Una confesión verdaderamente poco norteamericana del llamado talibán norteamericano, John Walker Lindh», es la forma en que la presentadora Kimberly McBroom tituló la noticia. «Tras un sorprendente acuerdo con los fiscales, el abogado de John Walker Lindh anunció esta mañana en Alexandria el cambio en la contestación a la demanda. La noticia cogió por sorpresa incluso al juez. Lindh se declara culpable de dos delitos. El acuerdo con el fiscal le libra de ser condenado a cadena perpetua.»

De Kimberly la noticia pasó a Teri, apostada delante del juzgado: «Tras llegar al juzgado, John Walker Lindh, de veintiún años, sorprendió al tribunal al cambiar su declaración de culpabilidad y reconocer dos delitos», dijo a la cámara. «Primero, el de cooperación intencionada y clandestina con los talibanes y, segundo, el de transportar explosivos en el curso de la comisión de un delito grave. A cambio, se retiran todas las demás acusaciones.»

¿«Transportar explosivos en el curso de la comisión de un delito grave»? Esto significaba, sin duda, que Lindh admitía que, en algún momento después de la invasión de Estados Unidos, había movido una caja de munición. Nunca se explicó la razón de que el intento de los talibanes de defenderse de los ataques de Estados Unidos en Afganistán (si, en efecto, era eso lo que había ocurrido mientras Lindh «transportaba los explosivos») debiera ser constitutivo de delito grave según las leyes estadounidenses.

Cuando las operaciones militares de Estados Unidos no logran sus objetivos, tienden a convertirse en cruzadas generalizadas por la libertad. Esto fue lo que ocurrió en Afganistán, donde la Operación Justicia Infinita fue rebautizada como Operación Libertad Duradera. Mientras tanto, pasaban los meses y los años sin que se encontrara rastro de Osama en el vacío refugio de Afganistán, y sin que desde la Casa Blanca apenas se volviera a pronunciar su nombre. ¿Caería algún día en la red Osama bin Laden, como acabó sucediendo con Sadam Husein? Cada regimiento, cada dispositivo infrarrojo de visión nocturna y cada mil millones de dólares gastados en la guerra contra Irak no tienen más finalidad que la de distraer la atención de la verdadera guerra contra el terrorismo, incluyendo la persecución y captura efectiva de los líderes terroristas. La inteligencia estadounidense seguía siendo tan deficiente que, en aquellas ocasiones en que las fuerzas de Estados Unidos aún salían a la caza de Osama, todo lo que, por desgracia, parecían conseguir era matar a montones de niños afganos.

En cualquier caso, llevar a Osama bin Laden ante la justicia dejó de ser una prioridad para George W. Bush a los pocos meses de la llegada de las fuerzas estadounidenses a Afganistán, a finales de 2001.

10

La madre de todas las polémicas

Décadas antes de la invasión de Irak, Barry Goldwater disfrutaba contando a sus acólitos republicanos la historia del hombre al que se le preguntó la razón de que viviera sentado en un cacto. «Porque en su día me pareció una idea excelente», respondió el sujeto. Con George W. Bush y la invasión de Irak pasó lo mismo. Desde su peculiar mirador, ¿qué le faltaba a la idea de «eliminar» a Sadam para ser maravillosa?

Desde un punto de vista temperamental, la aventura era tremendamente atractiva. Se la denomine «cambio de régimen» o se la llame «guerra contra el terrorismo», como fue rebautizada después del 11-S; sea cual fuere la denominación empleada, la manía de George W. Bush de convertir las complejidades de la política mundial en una simple cuestión de polémica política se mimetiza a la perfección con su imperiosa necesidad de «eliminar» a Sadam. No se trataba de que le gustase perseguir a los tipos malos o de que invadir Irak proporcionara la oportunidad perfecta para transformar una situación de enorme complejidad en un tiroteo. Estaban también las satisfacciones secundarias. Cómo nunca ha dejado de demostrar, George W. Bush disfruta abusando de los verdaderos amigos de Estados Unidos. Invadir Irak le proporcionó una nueva y grata oportunidad de fastidiar de verdad a todos aquellos «aliados».

Enfadar a alemanes, franceses, canadienses y demás era sólo parte de un ajuste de cuentas mayor. Desde septiembre de 2001 en adelante, George W. Bush se había encontrado debatiéndose en una viscosa melaza de buena voluntad internacional y cooperación multilateral. Invadir Irak le proporcionaba una agradecida vía de escape a las restricciones a la seguridad internacional del planteamiento multilateral que habían representado Kuwait y Afganistán. También le otorgaba la oportunidad para una reanudación, e intensificación, de su política exterior del «dedo corazón».

En medio del surgimiento del sentimiento proestadounidense tras los ataques del 11-S, el mundo se había medio olvidado de que George W. Bush ya había utilizado temas como el calentamiento global y el genocidio para dividir a la comunidad internacional. Invadir Irak le proporcionó la cuña que necesitaba para dividir al mundo aun más, al tiempo que asestaba nuevos golpes a las organizaciones internacionales encargadas del mantenimiento de la paz. Cualesquiera que fueran las consecuencias para Oriente Próximo, invadir Irak transformaría a la ONU y a la OTAN de unas asambleas de consenso de libre asociación en unos fosos de confrontación de malos sentimientos donde, como George W. Bush deseaba, la única cuestión sería si se estaba en un lado o en otro.

Invadir Irak era para la política global lo que la pena de muerte y el aborto eran para la política interior estadounidense: un tema de controversia perfecto. La idea clave que hay que entender aquí es que en la política de la polémica, los enemigos que te creas son tan importantes como los amigos y, a veces, incluso más. Hazte amigo de todos, y todos querrán tu apoyo; créate los enemigos adecuados, y serás tú quién consiga los votos. Y si logras que la gente correcta se enfurezca contigo, el dinero también entrará a raudales.

La política de la polémica proporciona la consistencia interior, además de la lógica, que impulsa todo lo que hace George W. Bush. También explica la razón de que, para muchos, sus acciones parezcan paradójicas, amén de gratuitamente hirientes. Estas personas no entienden que crear divisiones no sea un «error», un lamentable efecto colateral, por ejemplo, de la decisión de Bush de invadir Irak. Conseguir que la gente se ofenda y se enfade es la esencia de todos los planes de victoria de George W. Bush. Mientras las divisiones crecían dentro de Estados Unidos en los meses precedentes a la invasión de Irak, a su paisana y senadora tejana Kay Bailey Hutchison se le pidió que definiera a un liberal. Un liberal, contestó, es alguien que tiene en cuenta lo que quieren los europeos mientras decide lo que es bueno para Estados Unidos. Como había demostrado una y otra vez con su comportamiento, George W. Bush no decidió invadir Irak a pesar de que la invasión dividiría al mundo. Su entusiasmo por la guerra provenía, sobre todo, porque invadir Irak introduciría una dolorosa división entre él y todos aquellos engreídos «amigos» extranjeros.

Según diversas fuentes, la decisión de invadir Irak se tomó más de un año antes de que se hiciera realidad. El hecho de que, habiendo decidido derrocar a Sadam, George W. Bush esperase un año para hacerlo, proporciona la prueba más convincente de que el supuesto tesoro escondido de armas de destrucción masiva del primero, incluso a los ojos del segundo, jamás representó la clase de amenaza que, más tarde, pretendía justificar el ataque. Tras tomarse la gran decisión, su ejecución, como siempre sucede en la Casa Blanca de George W. Bush, se pospuso hasta la deseada conjunción de oportunidad y conveniencia.

La necesidad política interna de invadir Irak pudo surgir antes de lo que anticiparon los manipuladores políticos de George W. Bush. A los seis meses de la incursión en Afganistán, la atención de los medios de comunicación y del público en Estados Unidos había vuelto a moverse a donde estaba seis meses después de que George W. Bush se convirtiera en presidente; esto es, incómodamente cerca de una interpretación precisa de la corrupción e incompetencia tanto de él como de su gobierno.

«LAS CULPAS DE BUSH Y CHENEY», rezaba un típico titular de la revista *Time* en julio de 2002. Las encuestas mostraban un bajón; las elecciones al Congreso y al Senado de 2002 de mitad del mandato estaban en marcha; los analistas —al igual que antes del 11-S— solicitaban una vez más el suspenso para George W. Bush. Los demócratas, tras haber recuperado el Senado gracias a la habilidad de Bush para ofender a la gente, estaban planeando conservarlo en las elecciones de noviembre; también soñaban con conseguir la Cámara de Representantes. El verano de 2002 fue una de aquellos momentos de inactividad que suelen resultar un presagio de otra extravagancia de George W. Bush para distraer la atención del personal.

En esta era de ciclos cambiantes de imágenes de vídeo repetitivas y permanente reciclaje de la verdad, parece que vivamos en un presente eterno. Cuando llegaron las elecciones, en noviembre de 2002, y gracias a la habilidad de George W. Bush, «Sadam» e «Irak» ya habían sustituido a «Osama» y «Afganistán» como palabras de moda del eterno presente. Estaban permanentemente en el televisor, en la pantalla del ordenador, en la radio del coche. Pero aunque no tardó en dar esa sensación, no había sido así con anterioridad. Hasta los momentos previos a las elecciones al Congreso y al Senado de 2002, «Sadam» no había ocupado un lugar destacado en la conciencia de Estados Unidos desde 1998, después de que expulsara a los inspectores de Naciones Unidas; por su parte, Irak no había acaparado la atención mundial desde 1991.

Ahora nadie se acuerda, pero desde septiembre de 2001 al de 2002, «Osama» y «Afganistán» fueron las palabras de moda ineludibles. Luego, de repente, a finales de agosto y principios de septiembre de 2002, cuando los estadounidenses volvían al trabajo tras el descanso estival, «Osama» y «Afganistán» se desvanecieron. Fue como cuando, en *1984* de George Orwelll, el Ministerio de la Verdad cambia de enemigos. «Sadam» e «Irak» pasaron a convertirse sin previo aviso en las nuevas palabras del ciclo cambiante de George W. Bush. No fue sólo en Estados Unidos. En todo el mundo, en los aeropuertos y en las oficinas, ante los televisores y en las cafeterías, las personas se volvían las unas hacia las otras y se preguntaban: «¿De qué va todo esto de Sadam e Irak? Creía que la cosa iba con Osama y Afganistán». Tradicionalmente, en Estados Unidos, el final del verano es el momento del año en que se presentan los nuevos modelos de coches, da comienzo el campeonato mundial de béisbol, los niños empiezan el colegio y las campañas electorales meten la directa. También es el momento en el que se lanzan las nuevas líneas de productos y las principales campañas publicitarias. Al empezar septiembre de 2002, el gobierno de

George W. Bush metió la superdirecta de la campaña de su nuevo producto: «el derrocamiento del régimen de Sadam Husein». La campaña tendría un considerable éxito en Estados Unidos, pero el resto del mundo nunca se tragaría el cuento de que Sadam era el nuevo, mayor y más malvado enemigo de la libertad.

Ahora está claro que la campaña a gran escala montada para desviar la atención de los estadounidenses desde el fracaso de la captura de Osama en Afganistán al triunfo inminente sobre el terrorismo en Irak, fue preparada con mucha antelación. Ya en enero de 2002, mientras el trauma del 11-S seguía dominando los sentimientos de la gente, George W. Bush había empezado a preparar la manera de degradar a Osama de su puesto de enemigo número uno de los Estados Unidos. Cuando, aquel mes, pronunció el discurso anual del estado de la Unión, dio la sensación de que, con cinco años de retraso, el servicio de correos hubiera cumplido su cometido, y el hombre de la Casa Blanca, tras leerla por fin, hubiera adoptado en su integridad las propuestas de la carta «A por Sadam». Incluso amplió la agenda de cambios de régimen para incluir a Corea del Norte e Irán.

Aquella noche del 29 de enero de 2002, la mayoría de los telespectadores esperaban que George W. Bush hablara sobre la guerra contra el terror en Afganistán. ¿Cuánto se tardaría en capturar a Osama? ¿Anunciaría nuevas medidas para proteger al país de otro 11-S? En su lugar, George W. Bush se limitó a realizar una serie de afirmaciones que, al principio, parecieron simplemente extrañas.

«Corea del Norte es un régimen que se arma con misiles y armas de destrucción masiva mientras mata de hambre a sus ciudadanos», anunció. Esto, aunque básicamente cierto, apenas suponía un descubrimiento. «Irán persigue con esfuerzo esas armas y exporta el terror, mientras una oligarquía no electa reprime las esperanzas de libertad del pueblo iraní», añadió, adentrándose en tierra de nadie. Luego, se zambulló sin más preámbulos en la propaganda neoconservadora: «Irak sigue haciendo ostentación de su hostilidad hacia Estados Unidos y apoyando el terror. El régimen iraquí ha conspirado durante una década para desarrollar el ántrax, los gases neurotóxicos y las armas nucleares».

Fue un hábil toque de distracción vincular a Sadam con el ántrax, aun cuando sabía a la perfección que Sadam no tenía nada que ver con los ataques con ántrax en Estados Unidos, de igual manera que no lo había tenido con los ataques del 11-S. ¿Pero por qué se estaba metiendo a Irán, Irak y Corea del Norte en el mismo paquete? Irán e Irak eran enemigos implacables. Kim Jong II, de Corea del Norte, probablemente era el gobernante soltero de vida más recluida del planeta.

George W. Bush había decidido dividir el mundo, con los ayatolás de Irán, Kim Jong II y Sadam Husein en un lado, y él mismo, en el otro.

«Los Estados como estos, y sus aliados terroristas —proclamó—, constituyen un eje del mal, que se arman para amenazar la paz mundial. Con su búsqueda de armas de destrucción masiva, estos regímenes representan un serio y creciente peligro.» A partir de aquí, dio un diestro salto mortal desde la acusación sin pruebas a la paranoia hipotética: «Podrían proporcionar esas armas a los terroristas, dándoles así los medios para satisfacer sus odios. Con ellas podrían atacar a nuestros aliados o intentar chantajear a Estados Unidos. En cualquiera de estos casos, el precio de la indiferencia sería catastrófico».

¿Y cuál era la alternativa a la indiferencia catastrófica? Para empezar, la «Guerra de las Galaxias», o como lo diría George W. Bush: «Desarrollaremos y desplegaremos defensas de misiles efectivas para proteger a Estados Unidos y a nuestro aliados de ataques inesperados. (Aplausos)». Los ataques unilaterales de Estados Unidos, sin mediar provocación, contra países de su exclusiva selección eran, a su juicio, otra manera de defenderse. O como los autores de su discurso escribieron: «No aguardaré a que se produzcan los acontecimientos mientras las amenazas se acumulan; no me mantendré al margen mientras los peligros se acercan cada vez más. Estados Unidos no permitirá que los regímenes más peligrosos del mundo nos amenacen con las armas más destructivas del mundo. (Aplausos)».

Las palabras muestran bien a las claras lo decidido que estaba, sólo cuatro meses después de los ataques del 11-S, a apartar la «guerra contra el terror» de la lucha contra el terror y conducirla hacia sus fines particulares. La nota de los aplausos, sacadas de la transcripción oficial del discurso, muestra la debilidad de carácter de los políticos que le secundaron.

Lo que en un principio parecía simplemente una excéntrica digresión de las verdaderas preocupaciones de la gente en enero de 2002 (la verdadera guerra contra el terror), ahora se puede ver como el primer esbozo público de un plan para un ataque premeditado contra Irak; según parece, como paso previo a sendos «cambios de régimen» en Corea del Norte e Irán. Ni una sola vez en su discurso del «eje del mal» de enero de 2002 —pronunciado menos de cuatro meses después del 11-S— mencionó el nombre de Osama bin Laden. Tampoco mencionó en ningún momento, en aquella ocasión, que él y su gobierno seguían intentado bloquear la creación del departamento de Seguridad Interior.

Seis meses más tarde, en un discurso de graduación en West Point, George W. Bush fue un paso más allá en su propósito premeditado, disfrazándolo, una vez más, de charla sobre el terrorismo: «Nuestra seguridad exigirá que todos los estadounidenses tengamos resolución y amplitud de miras, que estemos preparados para la acción preventiva cuando sea necesario defender nuestra libertad y nuestras vidas», le dijo a los cadetes. La «acción preventiva» es la palabra clave de los neoconservadores para referirse al ataque sin provocación. Fue como, si en un discurso en un congreso de Boys Scouts, George W. Bush hubiera dejado caer que, a partir de ese momento, se condecoraría con honores a aquel que cometiera un atraco.

¿Él, Cheney y los demás se imaginaban que, al final, podrían incluir una invasión de Irak entre los eventos internacionales, de la misma manera que deslizaban palabras clave neoconservadoras en discursos sobre terrorismo?

En el verano de 2002, la posibilidad de que el gobierno de George W. Bush fuera a utilizar realmente la guerra contra el terrorismo como pretexto para un ataque unilateral y sin provocación contra Corea del Norte, Irán o Irak estaba empezando a alarmar a la clase de gente que está al día de estas cosas. Quizá porque entendieran el lenguaje en clave o las disputas doctrinales internas mejor que los extraños, algunos republicanos estuvieron entre los primeros en tomarse en serio el peligro. Entre los mismos se contaban republicanos que habían ocupado cargos muy altos en la Administración del primer Bush, en particular el ex secretario de Estado, James Baker, y el antiguo asesor de Seguridad Nacional de Bush padre, Brent Scowcroft. Alarmado por el creciente peligro, Scowcroft compareció públicamente después del discurso de West Point sobre la «acción preventiva», y argumentó que, en lugar de tramar ataques militares unilaterales, Estados Unidos debería trabajar con sus aliados para conseguir que los inspectores de Naciones Unidas volvieran a Irak.

En respuesta, Cheney dejó ver el altísimo nivel de las intenciones del gobierno. Un «regreso de los inspectores no proporcionaría ninguna garantía de cumplimiento de las resoluciones de Naciones Unidas», replicó Cheney. El objetivo de la Administración, ya estaba claro, no era averiguar qué estaba haciendo Sadam en realidad, sino evitar la reanudación de unas inspecciones de Naciones Unidas que, conducidas con rigor, habrían demostrado que Sadam Husein e Irak no representaban la amenaza que, Bush, Cheney y los otros afirmaban justificaba la invasión. En realidad, Sadam permitiría que volviesen los inspectores de Naciones Unidas en un intento de eludir el ataque de Estados Unidos, pero aquella fue la última visita de los inspectores a la tierra de los supuestos excedentes de suero mortal. Una vez que las fuerzas de Estados Unidos se hicieron con el control de Bagdad, y de acuerdo con las órdenes de Bush, a los inspectores de Naciones Unidas se les excluiría de manera permanente de Irak.

Que un republicano con las credenciales de Scowcroft tuviera que expresar su opinión con tanta contundencia y de forma tan madrugadora en contra de la invasión de Irak fue un acontecimiento importante en los círculos de discusión de la élite política estadounidense. También aportó la prueba concluyente —si es que hacía falta alguna— de lo anticonservador —y lo absolutamente radical— que es en realidad el gobierno de George W. Bush. La indiferencia hacia las opiniones del ex secretario de Estado Baker fue una señal especialmente reveladora del desdén de George W. Bush por la sabiduría fruto de la práctica y la experiencia, aun cuando se tratara de tomar las decisiones más importantes sobre la guerra y la paz. Baker gozaba de un enorme prestigio en todo Oriente Próximo y en el mundo como resultado de su magistral manejo de las relaciones diplomáticas durante la primera Guerra del Golfo. También fue el generalísimo republicano en Florida después de las elecciones de 2000. Baker había sido el cerebro de la maniobra política, incluyendo el recurso al Tribunal Supremo, que salvó los votos republicanos de Florida para los republicanos y situó a George W. Bush en la Casa Blanca. Como cualquier estadista estadounidense vivo, James Baker sabía cuándo mantener sus opiniones y cuándo transigir, pero por lo que hacía a sus ideas en política exterior, a George W. Bush le importaron un pito. Lo que pensara el presidente George H. W. Bush de la estrambótica renuncia a los principios tradicionales de Estados Unidos planeada por su hijo, está más allá del terreno de la especulación.

Transformar a Sadam e Irak de preocupaciones periféricas en temas de controversia centrales del año electoral de 2002 había producido su primer resultado notable: el altercado entre los republicanos. En el mundo de la política de la polémica, eso es ¡un buen síntoma! Si un asunto puede dividir a la propia gente de esa manera, imaginemos que no va a conseguir con todos esos demócratas y extranjeros. Aquel octubre, con las elecciones de mitad de mandato a pocas semanas vista, la nación contemplaba como los republicanos se mantenían fuertes y orgullosos en el Congreso por la libertad, la guerra y George W. Bush, mientras los demócratas se arrancaban las entrañas entre sí dándole vueltas a si oponerse a la guerra de George W. Bush o apoyarla sin entusiasmo. En el mundo de la polémica, todo se reduce a esto amigos: hay algunos estadounidenses, llamados republicanos, que saben lo que hay que hacer cuando Estados Unidos se halla amenazado por el mal. Y luego están algunos otros —que se llaman a sí mismos demócratas— que, cuando se enfrentan al mal, parece que no se aclaran.

El 11 de septiembre de 2002, George W. Bush voló a Nueva York para conmemorar el primer aniversario de los ataques de Al

Qaeda. Al día siguiente, pronunció el discurso político clave de las elecciones de mitad del mandato. Siempre que está en campaña, el telón de fondo se escoge con mucho cuidado. Esta vez no fue un portaaviones; ni siquiera se escogió la Zona Cero como escenario para el discurso partidista más importante de George W. Bush durante la campaña electoral de 2002. La elección recayó sobre el estrado de la Asamblea General de Naciones Unidas.

Como siempre en tales ocasiones, el auditorio aparente —la gente que estaba allí en realidad, delante de George W. Bush— no eran más que los extras de la película. El auditorio al que se pretendía llegar no era la asamblea de embajadores y líderes mundiales que habían acudido a las Naciones Unidas para oírlo hablar. Ese día, el auditorio de George W. Bush era el país que estaba más allá de las cámaras. Aquel día, mirando a los salones de los estadounidenses a través del teleapuntador, desplegó la serie de reclamos que, más que ninguna otra cosa, ganarían para los republicanos las siguientes elecciones al Senado y al Congreso: «En estos momentos, el mundo afronta una prueba, y Naciones Unidas un momento difícil y definitorio. ¿Servirá Naciones Unidas para el fin para el que fue creado o no tendrá ninguna relevancia?»

Incluso en las políticas más manipuladoras, lo que dice un político no siempre es necesariamente lo opuesto por completo a la verdad. En este caso, no obstante, lo era. «La conducta del régimen iraquí es una amenaza a la autoridad de Naciones Unidas y una amenaza para la paz», proclamó Bush, cuando, en realidad, era su conducta la que era «una amenaza a la autoridad de Naciones Unidas y una amenaza a la paz.» En este ocasión, tampoco hizo la menor mención de Osama bin Laden.

Llegada la noche electoral de ese noviembre, hubo mucho que celebrar en la Casa Blanca. Muchos estadounidenses votaron republicano en las elecciones al Congreso de 2002 porque creían sinceramente lo que George W. Bush les contaba; y ¿acaso no tienes que apoyar al presidente cuando acecha la guerra? Otros muchos votaron republicano porque les gustó ver cómo su presidente atizaba a todos aquellos extranjeros de pantalones elegantes de Nueva York allí arriba, en Naciones Unidas. Gracias a su hábil creación y explotación de Sadam como tema de controversia, esa vez George W. Bush ganó realmente unas elecciones, aunque por un estrecho margen.

A resultas del éxito de Bush en convertir la campaña de un referéndum de sus fracasos («Osama» y «Afganistán») en una prueba de apoyo a la nueva guerra contra el terrorismo («Sadam» e «Irak»), los republicanos no perdieron la Cámara de Representantes y también ganaron los suficientes escaños en el Senado como para recuperar el control en él.

Al igual que todas sus victorias, esta última daba aún otra oportunidad a George W. Bush para que meditara y volviera a meditar. En esta ocasión, una vez más, se mantuvo la costumbre. ¡Se tiraría de cabeza sobre Bagdad! Era tan grande su obsesión bipolar por ganar las elecciones del Senado y el Congreso y por derrocar a Sadam, que la realidad es que nunca pareció percatarse de lo auténticamente ofensivo que resultaba su comportamiento para la gente civilizada de todo el mundo. Aun más que sus «vivo o muerto», «con nosotros o en contra» y «adelante con ellas», fue su insulto de la «relevancia» en Naciones Unidas lo que convenció a la gente de que cuando se trataba de arrogancia gratuita, insulto deliberado e ignorancia dolosa, no conocía rival.

¿Ningún miembro del gobierno estadounidense se daba cuenta de que George W. Bush estaba volviendo al mundo en contra de Estados Unidos? Algunos sí. De entre ellos, un funcionario de nivel medio del departamento de Estado llamado John Brady Kiesling. En el momento de su dimisión, en febrero de 2003, prestaba sus servicios como jefe de la sección política de la embajada de Atenas en Grecia. En una carta dirigida al secretario de Estado, Powell, Kiesling explicaba la razón de que, tras veinte años como funcionario de los servicios exteriores, dimitiera en ese momento. «Creía que estaba defendiendo los intereses del pueblo estadounidense y del mundo», escribió. «Ya no lo creo.»

Aun si el lamento de Kiesling sobre la absoluta corrupción a la que había llegado la política exterior de su país no hubiera sido expresado con tanta elocuencia, merecería ser citado *in extenso*: «Las políticas que ahora se nos pide que promovamos no sólo son incompatibles con los valores estadounidenses, sino también con los intereses de Estados Unidos —escribía—. Nuestra ferviente búsqueda de la guerra contra Irak nos está conduciendo a despilfarrar la legitimidad internacional, que ha sido el arma, tanto ofensiva como defensiva, más poderosa de Estados Unidos desde los días de Woodrow Wilson. Hemos empezado a desmantelar la mayor y más efectiva red de relaciones internacionales que jamás haya conocido el mundo».

«Nuestro actual camino traerá inestabilidad y peligro, no seguridad», predijo, tras lo cual puso la actual corrupción de la política en perspectiva: «El sacrifico de los intereses globales en aras de la política interna y del puro interés burocrático no es un problema nuevo ni, sin duda, exclusivo de Estados Unidos. No obstante, desde los tiempos de la guerra de Vietnam no habíamos asistido a semejante distorsión sistemática de la información ni a tamaña manipulación sistemática de la opinión pública del país. La tragedia del 11 de septiembre nos hizo más fuertes, congregando a nuestro alrededor a una enorme coalición internacional para cooperar, desde el primer momento y de manera sistemática, contra la amenaza del terrorismo. Pero en lugar de valorar aquellos éxitos y edificar sobre ellos, este gobierno escogió hacer del terrorismo una herramienta de política interior, reclutando a una Al Qaeda diseminada y en buena parte derrotada como su aliado burocrático».

En este análisis del diplomático estadounidense, sus compatriotas también eran las víctimas. «Extendimos un terror y una confusión desproporcionada en las mentes de la gente, vinculando de manera arbitraria los problemas inconexos del terrorismo e Irak. El resultado, y quizás el motivo, es justificar una enorme e indebida asignación de la menguada riqueza pública a lo militar y debilitar las garantías que protegen a los ciudadanos de Estados Unidos contra la mano de hierro del Estado. El 11 de septiembre no hizo tanto daño al tejido social de Estados Unidos como el que parece estamos decididos a hacernos a nosotros mismos», concluía.

Resulta esclarecedor advertir los diferentes recibimientos que tuvieron en Washington la carta de dimisión de Kiesling y la de

«A por Sadam» de Wolfowitz. La una se convirtió en un programa para la agresión estadounidense; la otra sufrió el destino de la mayoría de los memorandos de los funcionarios de nivel medio. Powell nunca se molestó en contestar; y si lo hubiera hecho, ¿qué podía haber dicho? Ya sabía lo que Kiesling sabía, y más.

«Lo que están haciendo, es introducir el caos en los asuntos internacionales», observó Nelson Mandela, resumiendo la carta de Kiesling en una frase. Por ende, George W. Bush, y no Naciones Unidas, pronto se enfrentaría a una prueba, autoinfligida, de su propia relevancia. Sería el momento de definirse.

HOJAS DE RUTA HACIA NINGUNA PARTE

11

Un paseo hasta Babilonia

Irak es un país que sabe tratar a sus invasores. Griegos, romanos, mongoles, otomanos —no digamos nada de los ingleses—, todos llegaron allí y, uno tras otro, acabaron derrotados. Ahora, estos inocuos estadounidenses, incapaces de conseguir que funcionara la electricidad, que fluyera el agua, de imponer el orden y ni de inspirar miedo, estaban acampados, en espera de su oportunidad, entre el Tigres y el Éufrates.

Durante 5.000 años los dos grandes ríos han estado diluyendo a los invasores en el barro, el mismo barro del que están hechos los ladrillos de los palacios y templos iraquíes. Ahora, George W. Bush se une a Alejandro Magno y Gengis Kan en la lista de invasores de Irak, en su caso como ejemplo de la historia que se repite como farsa.

«POWEL ADVIRTIÓ EL AÑO PASADO A BUSH LO CRUENTA QUE SERÍA LA GUERRA», rezaba uno de los titulares «mira que te lo dijo», pero George W. Bush no había escuchado al único miembro de su gabinete que era un militar experimentado. Se había estado dejando aconsejar por tipos que habían desarrollado su experiencia militar ingeniándoselas para librarse del servicio militar. En consecuencia, en ese momento los museos iraquíes estaban siendo saqueados. Al sur del país, una niña de doce años había atacado a los soldados estadounidenses con un fusil de asalto. Mientras Sadam y sus hijos sacaban millones del banco central, las bombas estadounidenses caían donde ellos no estaban.

Los reportajes de los medios de comunicación estadounidenses sobre el caos eran un reflejo del alejamiento de la realidad al que habían llegado las percepciones estadounidenses. Al final, las capacidades cognitivas de la mayor parte de la prensa habían quedado enterradas por la ilusión del «paseo». «CAE EL BAGDAD DE HUSEIN», se regocijaba *The Washington Post*. «LAS FUERZAS ESTADOUNIDENSES AVANZAN TRIUNFALES POR LAS CALLES DE LA CAPITAL, ACLAMADAS POR UNA MULTITUD ALBOROZADA POR EL FIN DE LA REPRESIÓN», añadía el titular. Mientras el «paseo» se convertía en un traspié, los medios de comunicación estadounidenses proporcionaban una exhaustiva cobertura, veinticuatro horas al día, siete días a la semana, del vacilante estado de la condición psicopolítica de Estados Unidos. La CCTV china proporcionaría una cobertura más ecuánime y exhaustiva de la crisis de Irak que la mayoría de las cadenas estadounidenses.

Por supuesto, si lo que uno quería era estudiar a un Irak no pasado por los filtros de las ideas preconcebidas estadounidenses, lo que había que ver era Al-Yasira, la primera cadena árabe independiente exclusivamente informativa. Durante la primera Guerra del Golfo, la CNN de Ted Turner había permitido que los estadounidenses eludieran la versión de los acontecimientos elaborada por el Pentágono. Ahora, una década más tarde, Al-Yasira estaba mostrando de qué manera la libertad —en este caso, la libertad de información— estaba revolucionando de verdad la vida en el mundo árabe, aunque no de la manera a la que aspiraba Bush.

Por primera vez, los árabes podían asistir al desarrollo de la historia como en realidad les estaba sucediendo. El punto de vista que consiguieron del último invasor extranjero de Irak, George W. Bush, era tan despiadado como la cobertura proporcionada por Al-Yasira del fracaso del último tirano árabe, Sadam Husein, en repelerlo. Cuando las tropas estadounidenses entraron en Bagdad, Al-Yasira ganó una doble medalla al honor: uno de los últimos actos del régimen fue ordenar la expulsión de la cadena; uno de los primeros de las fuerzas de ocupación fue matar a varios de sus corresponsales. Aun antes de que empezara la ocupación estadounidense, Estados Unidos había perdido la guerra informativa; no a manos de los terroristas, sino de la primera cadena de televisión verdaderamente independiente del mundo árabe. Si la democracia al estilo occidental echa raíces alguna vez en Oriente Próximo, será porque el libre flujo de información en árabe, y no una invasión estadounidense, habrá allanado el camino.

Imaginarse la televisión como un espejo es útil. Sea cual fuere el canal que escojamos, sobre todo nos estamos viendo a nosotros mismos; ¿pero es auténtico el telón de fondo? ¿O Irak es sólo un accesorio televisivo? Durante la invasión de Irak, uno podía asistir a dos visiones contrapuestas de la realidad viendo, una al lado de la otra, a Al-Yasira y a la Fox. ¿Quién decía la verdad, y quién mentía, incluso a sí mismo? Una prueba de la precisión profesional en la información —además de un análisis ético y competente de la noticia—, es que el periodista describa la realidad de tal manera que si el telespectador fuera transportado al lugar en cuestión, pudiera reconocerlo como el mismo sitio que se le ha enseñado en televisión. De acuerdo con esta norma, la cobertura de la guerra de Irak fue un fracaso vergonzoso. Los estadounidenses fueron groseramente engañados por las imágenes que les ofrecían las pantallas de sus televisores. Y como consecuencia de ello, algunos morirían.

«Es extraño», le dijo a un periodista de Asocciated Press el capitán Burris Wollsieffer, del Tercer Regimiento de Caballería Acorazada, cuando sus expectativas nacidas al rebufo de los informativos de la Fox colisionaron con la realidad difundida por Al-Yasira de Ramada, una ciudad donde, esperando tanto él como sus compañeros ser recibidos como liberadores, fueron abatidos ocho miembros de su unidad.

El capitán Wollsieffer y sus hombres habían sido entrenados para triunfar en una guerra tecnológica contra la elitista Guardia Republicana de Sadam Husein. En su lugar, se encontraron persiguiendo a una niña que les había disparado hasta el interior de su casa, donde encontraron un rifle envuelto en un pequeño vestido rojo. Aquello no era lo que se suponía que sería.

«Irak es un régimen frágil y opresivo que podría romperse con facilidad», argumentó Wolfowitz en Camp David. Eso fue lo que, a su juicio, hacía que eliminar a Sadam fuera «tan factible». Su idea se había extendido por toda la Administración, el ejército y los medios de comunicación para convertirse en la creencia popular que subyacía en la fe de que conquistar Irak sería pan comido. El artículo de AP explicaba lo que ocurrió a continuación: «Tres hombres fueron sacados de sus casas para ser interrogados, pero los soldados permitieron que la chica permaneciera en casa cuando averiguaron su edad. También se apoderaron de 1.500 dólares en metálico y del equivalente a otros mil en dinares iraquíes.» El artículo añadía: «Ningún soldado vio quién había disparado el arma, aunque no encontraron más sospechosos en la zona que la niña».

Esta no era la golosa victoria invocada por los neoconservadores en sus documentos-guía. «Es una guerra de guerrillas», como dijo el capitán Wollsieffer; pero en esos mismos acontecimientos que se estaban llevando vidas estadounidenses también era posible percibir una clase diferente de tragedia en la que los iraquíes, y no los estadounidenses, eran las víctimas: una niña, enfurecida por lo que le había oído decir a sus mayores sobre los invasores, sale a hurtadillas con el rifle y pega unos cuantos tiros perdidos. En consecuencia, tres hombres de la familia son detenidos, conducidos quizá a la prisión de Abu Ghraib, y los ahorros familiares son saqueados. Más tarde, cuando los iraquíes mataban estadounidenses todos los días, a estos les empezó a resultar muy difícil comprender por qué aquellos eran tan ingratos. Y eran incapaces de conectar estas muertes y su propia perplejidad con la mayor amenaza a la libertad de prensa de Estados Unidos, que no es la supresión de la información, sino su trivialización.

Por la misma época en que morían los estadounidenses en Ramadi, un periodista de la BBC se encontró con una escena que no llegó jamás a la prensa estadounidense. Explicaba la creciente resistencia de Irak mejor que todos los flases informativos con llamativos gráficos de los avances de noticias. En la carretera del norte de Basra, el periodista había encontrado a otra niña iraquí. En pleno ataque de nervios, lloraba a un lado de la carretera sobre el cuerpo aplastado de su hermano pequeño. El niño había sido arrollado por el Humvee conducido por unos estadounidenses, que ni se habían detenido. En Irak, la metáfora se estaba haciendo realidad. Una política exterior de «atropellar y darse a la fuga» estaba ocasionando víctimas reales de accidentes de tráfico a medida que los vehículos estadounidenses se dirigían hacia Bagdad.

Para tomar una figura retórica reconvertida del vocabulario de George W. Bush, era cuestión de cosechar lo sembrado. Utilizar a Irak como tema de controversia lo había ayudado a que le fueran bien las cosas en las elecciones al Congreso y al Senado de 2002. Había revitalizado su presidencia y se había dado la oportunidad de ser algo distinto a un presidente accidental. Este éxito a corto plazo, sin embargo, había creado un problema a largo término. Como consecuencia de la crisis internacional del año electoral que George W. Bush había provocado, a los estadounidenses no les quedaba más remedio que seguir adelante y conquistar Irak.

Los soldados estadounidenses empezaron a encontrar resistencia aun antes de cruzar la frontera de Irak. En Kuwait, la tierra que los estadounidenses habían liberado en 1991 de la opresión iraquí, se tuvo que prohibir la entrada en la mitad septentrional de su propio país a los propios kuwaitíes, a fin de proteger a los militares estadounidenses allí acampados de ser asesinados desde coches en marcha.

Los portavoces del ejército llamaban a estos asesinos de estadounidenses agentes de Sadam u Osama; para entonces, las dos caras del mal se habían fundido en una sola. Pero al igual que las tropas no regulares que matarían a tantos soldados en Irak, estos agresores eran ciudadanos locales que estaban furiosos y armados. Los árabes (en especial los iraquíes) comparten ciertos valores con los estadounidenses (en especial con los texanos), entre los que cabría incluir una alta consideración por la propia dignidad e independencia y, sobre todo, la inclinación a preservar celosamente su derecho a portar armas.

Se suponía que con la caída de la estatua de Sadam en el centro de Bagdad se acababa el paseo; el hecho acabó por ilustrar lo equivocadas que estaban desde el principio las expectativas estadounidenses. Una pequeña muchedumbre intentó derribar la estatua, pero no pudo inclinarla más de lo que, antes de la invasión, habían sido capaces de inclinar al mismo Sadam el Congreso Nacional

Iraquí, apoyado por Estados Unidos, y su líder y empresario expatriado, Ahmed Chalabi —un protegido de Rumsfeld. Así que los carros de combate estadounidenses se encargaron de la tarea.

Incluso entonces, este ejemplo literal de «caída de Sadam» no condujo a ninguna celebración de masas. La multitud, lejos de aumentar, se dispersó. Aquí, más que en ningún otro sitio, los estadounidenses habían esperado que el júbilo se apoderase de los iraquíes como consecuencia del regalo de libertad que se les ofrecía. En lugar de amistad, lo que se encontraron fue reserva en trance de convertirse en hostilidad. Los soldados estadounidenses no se podían creer que, gracias a Estados Unidos, el terror concreto hubiera sido sustituido por un temor generalizado.

Antes de la invasión, los iraquíes sólo tenían una cosa que temer: la cólera de Sadam. En ese momento, el miedo acechaba por doquier bajo múltiples apariencias: violencia indiscriminada, errores en la selección de objetivos por los estadounidenses, enfermedades (por la falta de agua potable). Sadam se había ido y, con él, su electricidad y su suministro de agua, así como sus raciones de comida y todos aquellos «trabajos» que había dado a la gente para mantener el clientelismo. Tras su liberación por las fuerzas estadounidenses, millones de iraquíes se encontraron sin empleos, hambrientos y asustados.

Los iraquíes ya tenían el derecho a criticar a sus nuevos gobernantes. Y lo ejercieron libre y ruidosamente, con frecuencia gritando las preguntas al paso de los soldados estadounidenses. Si éstos respetaban tanto su antigua cultura y no estaban allí sólo para robarles el petróleo, los iraquíes querían saber cómo era que los únicos lugares que custodiaban los estadounidenses estaban relacionados con las exportaciones de crudo de Irak. ¿No había habido nadie en la Casa Blanca ni en el Pentágono que se diera cuenta de que en cuanto cayera Bagdad tal vez fuera prudente proteger también colegios, hospitales y bibliotecas, además de museos?

La respuesta era: no, nadie había pensado en tales cosas, al menos nadie con influencia. El departamento de Estado había dirigido un estudio de cinco millones de dólares sobre las dificultades potenciales reales que podría entrañar el establecimiento de la ley y el orden en Irak. Tal estudio había sido ignorado, al igual que cualquier otro o cualquier conclusión que, de tomarse con seriedad, hubiera provocado que George W. Bush, Cheney y Rumsfeld reconsideraran la decisión no sólo de atacar Irak, sino de invadirlo a bajo precio.

En el caos subsiguiente, ¿cuál fue la mayor pérdida para Irak y para la humanidad: las inapreciables antigüedades desaparecidas en el saqueo o la muerte del representante especial de Naciones Unidas para Irak, Sergio Vieira de Mello? Durante los primeros días de la ocupación, fueron expoliados muchos tesoros arqueológicos que, con sus 5.000 años de antigüedad, se remontaban a los albores de la civilización humana.

La explosión de una bomba en el cuartel general de la ONU en Bagdad mató al brasileño Vieira de Mello y a más de una docena de expertos de Naciones Unidas de casi tantos otros países. Viera de Mello había hecho un trabajo colosal en Timor Oriental y muchos otros lugares con anterioridad a que George W. Bush dijera que Naciones Unidas se enfrentaba a la prueba de su relevancia. ¿Pero qué había de la propia trascendencia de George W. Bush? Las obligaciones de Estados Unidos en Irak estaban claramente sometidas a la ley internacional. Era, por tanto, responsabilidad de Estados Unidos, en su calidad de fuerza ocupante, tanto preservar la herencia cultural como proteger las vidas de la gente, fueran iraquíes o extranjeros, que hubieran caído bajo la administración militar estadounidense. «El Consejo de Seguridad de Naciones Unidas no ha estado a la altura de sus responsabilidades; bueno, nosotros sí que cumpliremos con las nuestras», proclamó Bush la víspera de la invasión; pero sobre todo después de la explosión del cuartel general de la ONU, el alejamiento de los estadounidenses de cualquier sentido de la responsabilidad resultó asombroso. Fue como si acontecimientos de semejante entidad no fueran problema de Estados Unidos. Después de todo, ¿no había estado Naciones Unidas en «contra de nosotros»?

Un desprecio total por la realidad guió, también, la búsqueda de armas de destrucción masiva. «Sabemos dónde están», proclamó Rumsfeld. Pero, parafraseando a Gertrude Stein, cuando los inspectores de Rusmsfeld llegaron al sitio, se encontraron con que el sitio no estaba en el sitio. En los meses posteriores a la invasión, los inspectores hicieron algún descubrimiento. Por ejemplo, encontraron algunos vagones de tren enterrados en la arena, y pensaron que podría tratarse de las fábricas móviles de armas químicas de cuya existencia habían hablado ciertos informes de inteligencia nunca confirmados, pero no encontraron nada en su interior. Daba igual. Como Cheney y Rumsfeld declararon hasta la saciedad, los almacenes vacíos no querían decir nada; George W. Bush creía que las armas existían, así que tenían que aparecer.

«Pero mi querido Rumsfeld —que diría Sherlock Holmes—, ¿es que no lo entiende? Esa es precisamente la solución al misterio: que no hay armas de destrucción masiva.» La invasión reveló que las sanciones de Naciones Unidas —por las que George W. Bush y sus capos sentían tanto desprecio— habían funcionado, y, además, de forma admirable. Bajo la presión de las sanciones de Naciones Unidas, Sadam había retirado de servicio las armas de destrucción masiva. Pero, en lugar de celebrar tan feliz descubrimiento, los estadounidenses hicieron cuanto estuvo en sus manos para desacreditar las evidencias de que Sadam Husein no tenía armas de destrucción masiva; incluso cuando el propio David Kay, de la CIA, informó del hecho al presidente.

Aunque se hubieran encontrado las ansiadas cavernas subterráneas llenas de horribles esporas, las fuerzas de ocupación no se habrían ido todavía a casa. Y eso sería así porque, gracias al equivalente ideológico del «alargamiento de la misión» [el proceso por el que los métodos y objetivos de las misiones cambian gradualmente a lo largo del tiempo] Estados Unidos ya no estaba en Irak sólo para hacer respetar el «cambio de régimen» o salvar al mundo de las armas de destrucción masiva; ahora estaba en Irak para construir allí la democracia y, acto seguido, extenderla por todo el mundo árabe y musulmán.

Se trataba de seguir con la teoría del dominó a la inversa que los funcionarios del gobierno habían empezado a proponer meses antes del ataque. La caída de Sadam, predijeron, conduciría a que, régimen tras régimen, en el mundo árabe se instaurara la libertad.

Y, una vez que los árabes fueran libres, ¡ya no volverían a estar en desacuerdo con nosotros nunca más! Era la repetición de un patrón histórico muy viejo. Las fuerzas de la «civilización» intervienen para combatir al mal (esclavitud, profanación de los Santos Lugares, piratería, Sadam); el deber, entonces, les obliga a quedarse indefinidamente por culpa de las deficiencias culturales de los nativos. Los franceses lo llamaban antaño «misión civilizadora»; los ingleses, la carga del hombre blanco. Por su parte, George W. Bush lo denominó Operación Libertad Iraquí.

La democracia sería buena para los árabes, pero para Estados Unidos sería fantástica: en cuanto democratizara Oriente Próximo, todos aquellos árabes y musulmanes dejarían de causarle problemas. Esta hipótesis tan imaginativa y original suscitaba más preguntas aun sobre la naturaleza del influjo de la democracia en árabes y musulmanes.

Por ejemplo, ¿por qué los árabes y musulmanes que vivieran en democracia estarían, en cierto sentido, menos inclinados a molestarse por el control extranjero de sus recursos naturales, sus fantásticas reservas petrolíferas incluidas, que aquellos que siguieran bajo la férula de gobernantes hereditarios o tiranos militares? ¿Por qué los árabes libres habrían de sentir menos deseos de oponerse a la ocupación extranjera que los árabes reprimidos? La verdad es que la gente de Oriente Próximo no se opone a lo que hace Estados Unidos porque tengan malos gobernantes; sus acciones le dan asco porque las políticas del gobierno de Estados Unidos son hipócritas, deshonestas e injustas.

«¿Hay que cumplir y hacer cumplir las resoluciones del Consejo o éstas se pueden ignorar sin ninguna consecuencia?», preguntó George W. Bush la vez que se atrevió a desafiar a Naciones Unidas a que demostrara su relevancia. Fue, quizá, la única persona en la cámara en no darse cuenta de que esa era justo la misma pregunta que árabes y musulmanes (junto con muchos otros) le venían haciendo a Naciones Unidas desde hacía cuarenta y cinco años.

«Irak ha contestado a una década de exigencias de la ONU con una década de desafíos», prosiguió. En su discurso no mencionó que había otro país en Oriente Próximo que llevaba desafiando los preceptos de Naciones Unidas durante más tiempo. Sólo Sadam Husein e Irak eran los destinatarios de la ira de George W. Bush. Que Israel y Ariel Sharon llevan décadas desafiando las resoluciones de la ONU que exigen la retirada de los territorios conquistados durante la Guerra de los Seis Días de 1967 no fue mencionado en ningún momento.

En realidad, a los ojos de árabes y musulmanes, la invasión estadounidense de Irak era el ejemplo más descarado hasta la fecha del doble rasero que Estados Unidos ha aplicado siempre a las resoluciones de Naciones Unidas, además de a Oriente Próximo. Y a los árabes y musulmanes, —como a la mayoría de la gente, incluidos los estadounidenses— no les gustan los dobles raseros, por lo que toda esa cháchara acerca de que ese último ataque militar extranjero contra un país árabe era una cruzada por la democracia, hacía que los comentarios de Bush resultaran doblemente ofensivos. También era de una lógica absurda: ¿qué razón imaginable podía haber para suponer que unos gobiernos árabes elegidos democráticamente aceptarían injusticias a las que se opondrían incluso las dictaduras?

La expulsión de Sadam Husein había conseguido la expulsión de Sadam Husein; eso era todo. No era un logro baladí. Realizado de la manera correcta —esto es, de acuerdo con la ley internacional y con el apoyo de la coalición adecuada de aliados— podría haber sido, incluso, un logro admirable. Pero hecho a la manera de George W. Bush, creaba muchísimos más problemas que los que resolvía. El meollo de la cuestión estribaba en el deliberado malentendido de lo que puede conseguir el poder de Estados Unidos (y, de hecho, cualquier poder).

Por supuesto, Estados Unidos posee la fuerza para invadir países como Afganistán e Irak y para hacer huir a sus gobernantes y fuerzas armadas, pero Irak demostraría —como lo había demostrado Afganistán—, que crear un vacío de poder es una invitación al caos. Hay una cierta diferencia entre un cambio de régimen y la destrucción de un régimen; también hay diferencia entre liberar a un país y precipitarlo a la guerra. En cuestión de semanas, la Operación Libertad Iraquí se convirtió en una operación de contrainsurgencia.

Uno de los primeros intentos de pacificación militar fue bautizado como Operación Escorpión; mejor hubiera sido llamarlo «Operación Huevos de Escorpión», porque, con cada ataque, se generaban nuevos combatientes contra la ocupación estadounidense.

La infundada arrogancia de los neoconservadores se basaba en el desprecio hacia la cultura árabe. Cuando decidieron empezar su guerra de Irak, se olvidaron que lo que percibían como debilidad de los árabes es, precisamente, lo que había acabado con los anteriores invasores. Los árabes son un pueblo cuya resistencia crece con la derrota. Este es el gran tema de Oriente Próximo —evidente para todo el mundo excepto para la panda de Bush— que todas las personas y poderes que deseen actúar allí con racionalidad deben comprender. Se les podrá derrotar y humillar y robar su petróleo, su agua y sus países, pero lo que no se podrá conseguir es someterlos; no importa cuántos se maten ni cuántas victorias se obtengan. Esta es la lección de Argelia, Suez, Palestina y, ahora, después de la invasión de Estados Unidos, está convirtiéndose en la de Irak.

Mientras los estadounidenses circulaban por Irak a decenas de miles en sus grandes carros de combate, transportes orugas acorazados (TOA) y Humvee, George W. Bush se movía en camioneta por su rancho, más de 600 hectáreas de Texas que, como Irán y Afganistán, parecen corresponderle como si ello estuviera en la naturaleza de las cosas. Bob Woodward describe un episodio anterior a la invasión que, en el canal de televisión Biblia Cristiana, tal vez podría titularse *George W. Bush da un paseo por la jungla*, sólo que es como si el territorio de su mente, que parece la verdadera jungla, se reflejara en esos entornos.

El episodio sucedió en agosto de 2002. Todavía no se había invadido Irak, pero George W. Bush ya había decidido ignorar la circunstancia de que seguía sin haber ninguna prueba que relacionara a Sadam Husein con el 11-S, y seguir adelante de todas maneras. En esas, invitó a Woodward a que se uniera a él y a Condoleezza Rice a dar un paseo por el rancho. Después de un rato de ir dando tumbos con la furgoneta, los dos hombres se apearon y empezaron a caminar hacía una gigantesca formación rocosa natural.

Woodward describe el gran afloramiento rocoso que se alzaba imponente ante ellos como de «aproximadamente, unos 40 metros de ancho... casi blanco, con forma de media luna y con un pronunciado saliente.» Condoleezza Rice no salió de la camioneta porque no llevaba el calzado adecuado. Así que, con sólo un periodista tras sus pasos, George W. Bush se adentró en el paisaje yermo hacia la extraña roca. Aunque lo realmente extraño e inquietante es el autístico paisaje de la visión del mundo de George W. Bush. No es un autismo psicótico; es cultural y político, ideológico e intelectual. La mente de Bush, que se hace nítida a medida que habla, está tan aislada de la realidad del mundo como este desolado paraje de su rancho.

«Odio a Kim Jong Il», le había dicho a gritos a Woodward poco antes. «Este tipo me produce una reacción visceral.» Durante el paseo, añade Woodward, «habló una docena de veces sobres sus "instintos" o sus reacciones "instintivas", incluyendo su afirmación, "No soy un jugador de manual. Soy un jugador visceral."» El tema de las emociones entró en la conversación de manera indirecta: «Te lo digo en serio, ¿sabes?, si quieres oír resentimiento, sólo escucha la palabra unilateralismo», había dicho George W. Bush. «Te lo digo en serio, eso es resentimiento.» «No dejaré escapar la oportunidad de lograr grandes objetivos», prometió a Woodward.

Fuera o no la intención de Woodward, su versión de George W. Bush es un retrato de lo que, en circunstancias normales, un profano llamaría sin demasiada precipitación, locura. Yeats podría habernos obsequiado con un dístico sobre este terrorífico hombre con el poder de conquistar países mientras camina hacia una roca. Woodward se limita a resumir en una frase su impresión de lo que denomina «enfoque o filosofía global de los asuntos exteriores y de la política bélica» de George W. Bush, y con eso basta. «A todas luces, su visión incluye una ambiciosa reordenación del mundo por medio de una acción preventiva y, si fuera necesaria, unilateral, para reducir el sufrimiento y traer la paz», escribe como si se tratara de la actitud más normal del mundo para un hombre que ocupa la presidencia de Estados Unidos.

El vicepresidente Cheney ya había explicado lo que George W. Bush y el resto de ellos imaginaban que se lograría invadiendo Irak en un discurso pronunciado en un organización de la que Cheney no podría ser elegido miembro, la de Veteranos Estadounidenses de Guerras en el Extranjero.

«El cambio de régimen en Irak reportaría numerosos beneficios a la región —predijo Cheney—. Cuando se eliminen las amenazas más graves, los pueblos amantes de la libertad de la región tendrán la oportunidad de promover los valores capaces de traer una paz duradera. En cuanto a la reacción de los árabes de la "calle"» —continuó—, el profesor experto en Oriente Próximo, Fouad Ajami, predice que, tras la liberación, las calles de Basra y Bagdad "estallarán, sin duda, de alegría, de la misma manera que las multitudes de Kabul dieron la bienvenida a los estadounidenses."» Los beneficios, predijo Cheney, se irradiarían desde Irak. «Los extremistas de la región— aseguró al auditorio— habrían de reconsiderar su estrategia de *yihad*. Los moderados de toda la región se animarían, y nuestra capacidad para avanzar en el proceso de paz palestino-israelí se vería fortalecido, tal y como sucedió tras la liberación de Kuwait en 1991.»

Esta era la visión del gobierno antes de la invasión de Irak. Y ahora viene lo que George W. Bush dijo después. Después de que no se hubieran encontrado las armas de destrucción masiva, después de que resultara que el petróleo iraquí no iba a pagar la ocupación de ochenta y siete mil millones de dólares anuales, después de que su invasión hubiera desatado el caos e involucrado a Estados Unidos en una guerra en la que cada día morían estadounidenses: «La historia recordará que tomamos una decisión absolutamente correcta».

Afganistán había sido un giro en el calidoscopio de George W. Bush. En ese momento, y tal y como él quería, Irak estaba distorsionada: y, una vez más, en Irak, al igual que había ocurrido en Afganistán, la persecución del mal producía la vívida imagen de otro joven estadounidense cuya desgracia consistía en encontrarse en el lugar erróneo y en el momento equivocado cuando George W. Bush llevaba a cabo su «guerra contra el terrorismo.»

En la etapa inicial de la invasión, las imágenes televisivas del supuesto rescate de Jessica Lynch parecieron, al igual que la misma

Operación Libertad Iraquí, justificar que George W. Bush se hubiera hecho cargo del mundo. Los valerosos soldados estadounidenses habían utilizado la supremacía tecnológica para rescatar a una buena chica de las garras de la gente mala.

En realidad, los servicios de inteligencia volvieron a fallar: el pelotón de rescate cargó contra un hospital pensando que era el puesto de un comando terrorista. En lugar de fanáticos islamistas, se encontraron con una escena que demostraba que los iraquíes que habían capturado a Jessica Lynch se habían comportado con lo que, de haber sido estadounidenses, se denominaría caballerosidad. Jessica había resultado herida al estrellarse su Humvee durante una emboscada, y no en combate. En realidad, ni siquiera había sido una emboscada. Lynch y los otros se habían perdido, lo que les llevó a coger una salida de la carretera hacia Bagdad equivocada. Cerca de la ciudad de Nsiriya, estalló un tiroteo.

Los iraquíes que capturaron a Jessica, que había quedado inconsciente en el accidente del Humvee, le habían salvado la vida y se habían asegurado de que recibiera asistencia médica. En cuanto al subsiguiente «rescate» de Jessica, los soldados estadounidenses ni siquiera habrían conocido su paradero, si un abogado iraquí no les hubiera revelado valientemente dónde estaba. Y, antes de nada, no habría sido necesaria ninguna misión de «rescate», si los soldados no hubieran abierto fuego contra la ambulancia iraquí en el momento en que el personal del hospital intentaba que Jessica se reuniera con las fuerzas estadounidenses.

Como consecuencia de este caótico giro de los acontecimientos, tan típico de la guerra, la joven, rubia, preciosa y absolutamente encantadora Jessica Lynch no sólo se convirtió en una heroína, sino en la primera celebridad de la guerra de Irak. Sus quince minutos de fama halagaron la heroica visión que Estados Unidos tiene de sí. También contuvieron revelaciones que la audiencia hubiera preferido que no se colaran en sus salones.

Una de tales revelaciones tenía que ver con el diferente tratamiento concedido a Jessica Lynch y a otro miembro femenino de la misma unidad llamada Shoshana Johnson. Como la propia Jessica Lynch diría más tarde, más que una heroína, ella era una superviviente. Desde el punto de vista militar, la heroína del episodio era Shoshana. Después de que Jessica perdiera el conocimiento, y los demás miembros del grupo fueran abatidos, Shoshana había combatido, resistiéndose al apresamiento, hasta que la hirieron gravemente. Pero fue Jessica, y no Shoshana, la que recibió la lucrativa oferta editorial y la que fue entrevistada en hora de máxima audiencia. Shoshana, la otra superviviente femenina del incidente, que fue objeto de mucha menos atención, era negra. George W. Bush y la gente que, en general, lo vota no apoyan la discriminación positiva. Pero la verdad es que, hasta que la gente no empezó a armar jaleo, Shoshana no apareció en ninguna foto con Jessica Lynch.

La cosa es todavía peor que eso. Mientras que, una vez de vuelta en Estados Unidos, Jessica recibía una paga de invalidez equivalente al 80 por ciento de su salario y empezaba una terapia de rehabilitación física, Shoshana, que había resultado con heridas de mayor gravedad, sólo recibía el 30 por ciento. De acuerdo con la explicación del portavoz del Pentágono, lo de pagar menos a los soldados más gravemente heridos, como Shoshana, respondía a las «reformas» contables neoconservadoras que Cheney y Rumsfeld habían introducido en el Pentágono. Después de todo, pagar a alguien que ya no va a poder luchar por ti menos dinero que a otra persona con heridas menos graves y que, por tanto, probablemente volverá al servicio activo algún día, es pura lógica.

Luego, estaban todos los demás miembros de la 507 compañía de mantenimiento de Jessica, que jamás de los jamases conseguirían siquiera una fotografía protocolaria después de que George W. Bush hubiera recibido en la Casa Blanca a la heroína-celebridad más flamante y bonita de Estados Unidos. Entre aquellos estarían los estadounidenses de la unidad de Jessica Lynch que habían muerto, y cuyas tumbas George W. Bush no visitaría jamás.

La historia de Jessica Lynch es como la guerra misma de Irak: cuanto más sabes, peor resulta. Al cabo de seis meses, tres de los soldados que la habían rescatado estaban muertos; sólo uno por heridas recibidas en combate, las cuales le habían sido inferidas en Afganistán, y no en Irak. Otro murió en un accidente de tráfico después de volver a Estados Unidos; y al tercero lo habían matado, ya en su casa, de un tiro durante una barbacoa. Los verdaderos héroes del episodio fueron los iraquíes; ellos eran los que habían salvado realmente a la soldado Lynch. Su heroísmo también fue degradado, y su humanidad, traicionada por un titular y el anuncio de un gran libro.

«LOS DEMONIOS VIOLAN A JESSICA», rezaba el titular del neoyorquino *Daily News*. El periódico sensacionalista sólo estaba repitiendo la historia con la que estaba «traficando» Knopf, que pasa por ser una de las editoriales más distinguidas del país. La venerable editorial, tras pagar un millón de dólares por el derecho a poner el nombre de Jessica Lynch en la portada de un libro, contrató a un «negro» para que fabricara una autobiografía que vendiera. La violación vende, aunque Jessica no recuerda haber sido violada. Sí que recuerda a la enfermera iraquí que le había cantado nanas.

Era como lo de las armas de destrucción masiva: la falta de pruebas era la prueba. El autor citaba ciertos «informes médicos» que, según él, demostraban que Jessica había sido violada analmente. Ningún profesional los comprobaría jamás, de la misma manera que tampoco se habían hecho copias del supuesto informe jamás. Aunque los médicos iraquíes rebatieron con minuciosidad las acusaciones, el caso es que, conscientes o no del hecho, en ese momento, ellos —los que de verdad habían salvado a Jessica Lynch—, y al igual que Sadan Husein, a los ojos de millones de estadounidenses apenas eran humanos, sino unos «demonios» que habían abusado sexualmente de una hermosa jovencita estadounidense que sólo acudió su país con la orden de ayudarlos.

La propia Jessica negó casi todas las afirmaciones de malos tratos. Se acordaba del accidente e insistió en señalar que —en contra de las primeras afirmaciones a bombo y platillo del Pentágono— no había disparado ni un solo tiro contra el avance de los iraquíes. Recordaba con detalle y gratitud la amabilidad del personal iraquí del hospital y también rechazó los informes de que había padecido «amnesia», aunque había estado inconsciente tres horas, las transcurridas desde el momento del accidente del Humvee y aquel en que se despertó en el hospital iraquí. Y fue entonces —en el momento en que los iraquíes estaban salvando la vida a la soldado estadounidense inconsciente— cuando, supuestamente, y según el libro publicado por Knopf con el nombre de Jessica en la portada, había sido violado y golpeada.

Los médicos del hospital iraquí —que habían quedado tan seducidos por los encantos de Jessica como quedarían los estadounidenses más tarde— encontraron sorprendentes tales acusaciones. Contaron que los captores de Jessica la habían llevado inconsciente y totalmente vestida. Los médicos señalaron que violar a una mujer inconsciente era algo virtualmente increíble, pero que, luego, se llevara a la supuesta víctima de violación a un hospital, donde, con toda seguridad al personal médico calificado no se le escaparían los indicios de semejante delito, desafiaba a la imaginación. Además, Jessica no mostraba signos de maltrato físico. «¿Por qué se habría de molestar alguien en pegarme mientras estaba inconsciente?», se preguntaba Jessica, en referencia a las afirmaciones del libro de que, además de sufrir abusos sexuales, había sido golpeada.

Como ocurre siempre, por debajo de estas controversias públicas se desplegaron los caprichos del destino individual. John Walker Lindh sacó veinte años a raíz de la Operación Libertad Duradera; Jessica Lynch, sacaría su millón de dólares gracias a la Operación Libertad Iraquí. Aquél fue acusado de traidor; ésta se convirtió, aunque no por su culpa, en heroína-celebridad, pero lo que eran en realidad, o habían sido alguna vez, estos dos jóvenes estadounidenses, eran unos huérfanos del escándalo.

En cuanto al villano de la historia, Sadam Husein, mucho después de que Jessica Lynch y George W. Bush sean olvidados —quizás, incluso, después de que Alejandro Magno sea olvidado—, su nombre pervivirá entra las legendarias ruinas de Babilonia. Babilonia es famosa por el relato bíblico de los Jardines Colgantes; también por ser donde Alejandro Magno, tras haber conquistado el mundo desde el Adriático hasta el Indo, murió de fiebre en el 325 a. C. a los 34 años de edad.

Sadam Husein consideraba Babilonia, al igual que todo lo demás, como un escenario para exhibir su propia gloria. Su grandiosa idea original había consistido en transformar Babilonia en un parque temático para mayor gloria de su persona. Se volverían a construir los legendarios jardines y se rebautizarían en su honor. Espléndidos paradores coronarían las colinas que dominan Babilonia. Desde esas residencias, Sadam y sus hijos y sus respectivas familias —incluidas las de los yernos que, más tarde, autorizaría matar a sus hijos— serían transportados hasta las maravillas arqueológicas de Babilonia mediante funiculares ultramodernos, de esos que se ven en los mayores parques temáticos y en las estaciones de esquí más elegantes de Estados Unidos.

Por suerte, las sanciones de Naciones Unidas fueron al rescate de la arqueología. SadamLand jamás se construiría. Según parecía, los teleféricos de importación, que incluían las góndolas colgantes, las torres para los cables y la maquinaria para moverlas, podían haber ayudado a Sadam, de una u otra forma, a producir armas de destrucción masiva. Sea como fuere, el caso es que no se autorizó. Los enemigos extranjeros, sin embargo, no podrían evitar que Sadam transformara Babilonia con millones de ladrillos y que, por orden suya, se reconstruyeran manzanas enteras de la antigua ciudad.

Si uno se da un paseo entre esas ruinas recién fabricadas, verá enseguida por qué el nombre de Sadam Husein no se olvidará jamás. La mayor parte de los ladrillos no son más que ladrillos corrientes y molientes, pero cada cuatro o cinco, hay un Ladrillo Sadam especial sobre el que, en recargada grafía árabe oficial, hay una inscripción con leyendas como esta: «Construido por la gracia del Poderoso y Misericordioso Sadam Husein, Amado por su Pueblo», etcétera, etcétera. La muchedumbre puede derribar las estatuas y, si no puede, ya lo harán los carros de combate y las bombas por ella. Pero nadie podrá jamás quitar el nombre de Sadam de Babilonia.

Se podrían derribar todos los edificios de Babilonia para eliminar todas las inscripciones, pero, entonces, ¿qué tendríamos? Nos quedaría un inmenso montón de ladrillos, en un país donde los ladrillos duran miles de años, con el nombre de Sadam inscrito en ellos.

12

Hojas de ruta hacia ninguna parte

En una u otra medida, las guerras no son más que ejercicios de alucinaciones colectivas. ¿Por qué, si no, la gente absolutamente normal se reuniría en grandes grupos y se expondría al fuego de los cañones? Las multitudes que disparan armas, lanzan bombas y disparan proyectiles de artillería (esto es, los ejércitos) son muy peligrosas, pero ni de lejos tanto como una élite política descontrolada dominada por un delirio común.

La I Guerra Mundial fue una catástrofe provocada por una toma de decisiones elitista. Una de sus características más asombrosas es que la locura de iniciarla fue, al menos en parte, visible para quienes la desataron. Desde el Káiser alemán Guillermo II hasta el ministro de Asuntos Exteriores británico, Sir Edward Grey, todos, absolutamente todos se percataron de la locura de sus actos. Pero arrastrados por el delirio de que desatar una guerra general en Europa era una medida inevitable, los gobernantes europeos optaron por la autodestrucción.

Una de las formas de ver la guerra de Vietnam es considerarla una catástrofe de la impertinencia autodestructiva. Para Lyndon Baines Johnson, crear la Gran Sociedad en Estados Unidos no era bastante; tenía que exportarla al Asia tropical. Su creencia en la teoría del dominó transformó su impulsividad (al menos a los ojos de sus partidarios) de un plan precipitado en una necesidad estratégica. Una consecuencia de la locura de Johnson fue la violenta reacción ideológica que, en Estados Unidos, condujo al surgimiento de los neoconservadores, inclusión hecha de algunas figuras de control claves en el gobierno de George W. Bush.

El vicepresidente Dick Cheney es, en apariencia, el más sofisticado de todas estas figuras. Sin embargo, si rascamos la superficie, resulta que no es más que otro mandarín chiflado de Washington con una *idée fixe*. Aun antes de asumir el cargo de vicepresidente en 2001, Cheney demostró estar tan irracionalmente obsesionado con Sadam Husein como, en la época de Lyndon Johnson, ciertos asesores presidenciales supuestamente astutos lo habían estado con hacer caer las fichas del dominó.

Sadam Husein fue derrotado en la Guerra del Golfo de 1991, aunque cualquiera que oyese hablar a Cheney en los años siguientes nunca lo habría adivinado. «Todo lo que se ha intentado hasta ahora no ha funcionado», se quejaba Cheney después de que Kuwait hubiera sido liberado y se derrotara a Sadam. De hecho, escucharlo a veces provocaba en el oyente la sensación de que hubiera sido Irak la que había derrotado a Estados Unidos, y no al revés. ¿Qué había que hacer? «Por una cuestión de eliminación —las sanciones no lo pararán, las bombas no lo pararán, etcétera— se llega al último recurso: entonces, tendremos que eliminarlo», se le oía decir en los cónclaves neoconservadores, aun antes de que la doctrina del «cambio de régimen» fuera codificada de manera formal en la carta «A por Sadam» de enero de 1998.

¿Pero qué significaba entonces «pararlo»? A Sadam se le había parado en Kuwait; y se le había impedido (aunque Cheney se negara a creerlo) desarrollar armas de destrucción masiva. Se le había impedido que representara una amenaza para sus vecinos. Después de que Estados Unidos le hiciera frente de verdad, en lugar de mimarlo como se había hecho con anterioridad, Sadam no había vuelto a atacar a nadie.

No se podría encontrar un ejemplo más brillante de buena contención al estilo de la guerra fría, que la fructífera contención de Sadam Husein. Pero para los neoconservadores, Cheney incluido, el éxito de esta política bipartidista, seguida tanto por George H. W. Bush como por Bill Clinton, venía a ser lo mismo que rendirse a plazos.

El mundo cambió de manera tremenda durante la década que separa la derrota en 1991 de Sadam Husein de la investidura en 2001 de George W. Bush. La Unión Soviética desapareció de nuestros mapas; los ordenadores personales llegaron a nuestros escritorios. Desde las fábricas de microchips de Malasia hasta las tiendas de ropa online de Wisconsin, la globalización cambió la forma en que vivía y hacía negocios la gente. Pero, cuando llegó el momento de que los neoconservadores hicieran historia, sus pequeños cerebros miopes seguían teniendo un solo punto de atención en lo que a la «seguridad nacional» se trataba.

El Carnicero de Bagdad seguía fascinándolos más que cualquiera de las muchas y mucho más importantes oportunidades y peligros del mundo. Con los años, la idea de «eliminar» a Sadam Husein se había convertido para Dick Cheney, en particular, en lo que la cuestión de Schleswig-Holstein había representado para ciertos estadistas olvidados del siglo XIX: el coco que, alimentado por su obsesión, crece hasta dominar todas las demás preocupaciones.

«Todo lo intentado hasta ahora no ha funcionado.» *Ergo*, «tenemos que eliminarlo.» Este falso silogismo refleja el funcionamiento de una mente que ha cortado amarras con la realidad, además de con sus responsabilidades constitucionales.

En marzo de 2002, seis meses después de los ataques del 11-S, y justo un año antes de la invasión de Irak, Cheney visitó nueve países árabes y musulmanes.

Donde quiera que Cheney planteaba sus planes de guerra contra Irak, la reacción era la misma (aunque expresada de manera más diplomática): señor vicepresidente, ¿está usted loco? Si la cordura se define como la capacidad para distinguir entre el deseo y la posibilidad y para ajustar, luego, las expectativas y comportamiento de uno en consonancia, la respuesta era un doble sí.

La visita de Cheney a Oriente Próximo coincidió con un momento especialmente peligroso en la región. El segundo levantamiento palestino contra la ocupación israelí había estallado hacía más de un año, y los intentos de aplastar la nueva Intifada habían conducido a un aumento del terrorismo. Israel era la superpotencia de la zona, pero el primer ministro Ariel Sharon estaba aquejado de lo que podría denominarse la impotencia de la «Guerra de las Galaxias». Las fuerzas armadas israelíes podían derrotar a cualquier ejército árabe, pero ni siquiera su armamento nuclear podía impedir que los jóvenes palestinos se convirtieran en bombas humanas. Sharon, al igual que había hecho veinte años antes en sus brutales e inútiles intentos de aplastar la resistencia palestina en el Líbano, optó por insensibilizar aun más a los palestinos.

Sharon no podía proporcionar seguridad a los israelíes en sus vidas cotidianas, pero podía masacrar a los palestinos en Cisjordania, inclusión hecha del presidente palestino, Yasser Arafat. Eso era lo que estaba haciendo cuando Cheney apareció en el horizonte.

El 12 de marzo, el día que Cheney llegó a Oriente Próximo, más de 20.000 soldados israelíes arrasaron la franja de Gaza y volvieron a ocupar la ciudad cisjordana de Ramala. Este fue el golpe más serio contra el proceso de paz palestino-israelí desde que en 1993 se firmaran los Acuerdos de Oslo. Bajo el mandato de cualquier otro presidente de Estados Unidos que no fuera George W. Bush, se habría aplicado una presión mayúscula para evitar la reocupación de Cisjordania por Sharon. En cambio, Estados Unidos no hizo nada. El vicepresidente Cheney continuó su gira turística «A por Sadam» como si no hubiera ocurrido nada.

Al final, Cheney aterrizó en Israel el 18 de marzo para una visita de cortesía programada con antelación. Con que sólo se hubiera reunido con Arafat —como habían venido haciendo los presidente y vicepresidente de Estados Unidos durante casi diez años—, es probable que Cheney pudiera haber evitado mucho derramamiento de sangre. Por el contrario, sólo se reunió con Sharon. La negativa de Cheney a reunirse con Arafat fue un insulto calculado; después de todo, en el transcurso del viaje se había entrevistado con decenas de otros líderes árabes. El efecto principal de este insulto consistió en incitar a una mayor violencia por parte de los palestinos, al tiempo que reducía todavía más la capacidad de los palestinos moderados para refrenarla.

Es posible que Cheney no le dijera a Sharon que podía seguir atacando a los palestinos impunemente, pero el primer ministro israelí se comportó como si así hubiera ocurrido. El 29 de marzo, los carros de combate israelíes asaltaron la residencia de Yasser Arafat. Obligado a refugiarse en los sótanos, en todo caso Arafat parecía disfrutar de la vuelta a su antigua vida como líder palestino que podía ser derrotado por Ariel Sharon, pero nunca liquidado.

La historia se repetía de otra manera. Demonizar a Arafat no detuvo los ataques palestinos contra los israelíes; la oleada de atentados con bomba suicidas se agravó; el terror volvió a descender sobre los Territorios Ocupados y, dentro del mismo Israel, la gente estaba más aterrorizada que nunca. Cheney no dejó que nada de esto lo distrajera de lo único que le preocupaba: lanzar una guerra contra Irak.

La prosa cotidiana del siguiente artículo de prensa expresa la naturaleza del desastre diplomático originado por la primera gran incursión de Cheney, como vicepresidente, en los asuntos exteriores: «Casi todos los países visitados por Cheney se abstuvieron de apoyar la acción contra Irak e insistieron en que, en su lugar, debería resolverse el conflicto palestino-israelí». Al final, ni uno solo de los países visitados por Cheney proporcionaría soldados para la guerra de Bush y Cheney. En su lugar, todos los que visitó (excepto Israel) se opondrían a ella, y casi todos se negaron a dejar que se utilizaran sus territorios para lanzar el ataque.

Cuando se trataba de diplomacia, Cheney era un inútil, pero su pasividad a la hora de evitar que los palestinos mataran israelíes y que los israelíes mataran palestinos fue algo más que incompetencia; fue un escándalo. Mientras Cheney volaba de aquí para allá en el Air Force Two, se liquidaban los últimos jirones de los acuerdos de paz de Oslo y estallaba lo que el primer ministro Sharon describió con precisión como «una larga y compleja guerra que no conoce límites» (la horrible guerra del doble terrorismo que aqueja a todos los habitantes de Tierra Santa.)

La triunfal gira turística de Cheney se había convertido en un circuito de la vergüenza. Su comportamiento había sido cruel, irresponsable y contrario a los intereses nacionales, pero ¿había sido algo más?

Por lo que atañe a Oriente Próximo, es como si hubiera dos políticas de Estados Unidos; y dos George W. Bush. Es el debilucho George W. Bush, y no el conquistador de Bagdad, el que nos preocupa aquí. Tal vez sea el azote de la OTAN y el terror del Consejo de Seguridad de Naciones Unidas, pero cuando se trata de dos países concretos, George W. Bush bien podría ser un corderito.

Uno de esos dos países es Arabia Saudí.

El otro país al que George W. Bush casi nunca critica es a Israel. Sin embargo, durante aquel mismo mes de marzo de 2002, le pidió a Sharon que levantase el arresto domiciliario a Arafat. La petición no obtuvo resultado, y Arafat siguió prisionero.

Tras varias semanas más en las que Sharon intensificó la «guerra que no conoce límites», George W. Bush hizo pública otra amable petición: «Le pido a Israel que detenga las incursiones a las zonas controladas por los palestinos e inicie la retirada de aquellas ciudades que ha ocupado recientemente». Pero, una vez más, no hubo resultado, así que unos días después de eso, George W. Bush dijo: «Lo que tengo que decirle a Israel es: retirada sin demora». De nuevo, no ocurrió nada.

Por tradición, los políticos estadounidenses se muestran débiles cuando se trata de refrenar los extremismos de Israel, pero tras otro vistazo a los archivos de propuestas políticas neoconservadoras, es imposible considerar la incapacidad de Bush para detener la violencia entre palestinos e israelíes como una mera cuestión de cobardía. Porque al final de este particular seguimiento periodístico neoconservador yace otra de esas diatribas ideológicas que parecían una mera chifladura, hasta que se convirtió en programa de lo que George W. Bush está haciendo realmente en el mundo.

Para ser el jefe de un gobierno supuestamente «outsider» y anti-intelectual, George W. Bush ha dejado que sus acciones sean guiadas en buena y asombrosa medida por los burócratas con información privilegiada a los que les gusta explicar en tratados ideológicos, al detalle y por adelantado, cuales son sus intenciones teóricas. Uno de los más vistosos de entre esos «intelectuales de la defensa» —o lo que es lo mismo, agitadores radicales neoconservadores— es un hombre de carrillos colgantes, y tan aficionado a los trajes a medida como a las invectivas envenenadas, llamado Richard Perle.

Resulta que durante todos estos años en que George W. Bush se ha negado a tomar medida seria alguna para revitalizar el proceso de paz palestino-israelí, no se ha limitado a no hacer «nada» sin más. Antes al contrario, ha estado ejecutando las medidas propuestas hace tiempo por Richard Perle y un grupo de radicales del mismo parecer político. El documento clave en este caso es un manifiesto de 1996 titulado «Una ruptura clara: una nueva estrategia para asegurar la región.» Lo que proponía romper Perle en realidad era cualquier posibilidad de paz global en Oriente Próximo, y, en su lugar, sustituirla por un caos y una destrucción sin fin en la que Israel deviniera en una desenfrenada máquina de guerra de libre empresa.

En un principio, las propuestas políticas de Perle estaban pensadas para un gobierno israelí, y no para ser ejecutadas por uno de Estados Unidos. Hasta tal punto ha hecho George W. Bush de la «Ruptura clara» de Perle el sostén de la actuación estadounidense, que es una de las razones de que Estados Unidos persiga políticas extremistas que, aun hoy, muchos israelíes encuentran ofensivas. En tal sentido, Bush no ha estado actuando en interés de su país, ni siquiera ha estado persiguiendo una política «pro-Israel». (¿Qué hay de «pro-israelí» en unas medidas que mantiene tanto a israelíes como palestinos sometidos al perpetuo trauma de la violencia?) Ha estado ejecutando un programa extremista, urdido por los neoconservadores estadounidenses, que ni siquiera fue aprobado por el gobierno israelí de derechas de la época, a la sazón presidido por Banjamin Netanyahu, cuando Perle lo presentó a su consideración.

Al igual que la «Guía para la política de la defensa» de Wolfowitz, la «Ruptura clara» de Perle es, tanto moral como estratégicamente, un documento espeluznante. En sus propuestas, Wolfowitz renuncia a las bases moral y ética de la actuación de Estados Unidos en el mundo. Perle va más allá. Desde su posición privilegiada en el American Enterprise Institute de Washington D.C., mira con desdén a todo lo conseguido por israelíes como David Ben-Gurion, Golda Meir, Isaac Rabin e, incluso Menahen Begin.

«Israel tiene un gran problema», comienza la «Ruptura clara». «El laborismo sionista, que durante setenta años ha dominado el movimiento sionista, ha generado una economía constreñida y atascada. Los esfuerzos por salvar las instituciones socialistas de Israel —entre las que se cuentan la persecución de la soberanía supranacional por encima de la nacional y el proceso de paz que adopta el lema «Un nuevo Oriente Próximo»— socava la legitimidad de la nación y conduce a Israel a la parálisis estratégica y a los "procesos de paz" de gobiernos anteriores.»

Es el tipo de afirmación que sólo podría hacer un ideólogo. Entre 1925 y 1995 —los setenta años en los que supuestamente el «laborismo sionista» lo estropeó todo— la «patria judía en Palestina», autorizada durante la I Guerra Mundial por el gobierno británico en la Declaración Balfour, creció a partir de un grupo de asentamientos judíos en una de las naciones más poderosas del mundo. Durante ese mismo período la población judía pasó de uno pocos cientos de miles a casi cinco millones de habitantes. Bajo el «laborismo sionista», Israel libró y ganó tres guerras y se convirtió en una nación a la que —se la quiera o se la tema— nadie falta al respeto en este planeta, excepto Richard Perle, claro está.

Por supuesto, desde la perspectiva palestina este triunfo del sionismo ha sido una catástrofe. Lo extrañó es que Perle tampoco es alguien que se sienta demasiado feliz por cómo resultó el establecimiento de una patria judía, puesto que aquellos despreciables «laboristas sionistas» no sólo se negaron a poner en práctica las teorías económicas favoritas de los neoconservadores, sino que además intentaron lograr la paz.

Desde esta perspectiva, incluso el intento de lograr la paz es una señal de desviacionismo decadente del camino de la corrección ideológica neoconservadora. O, en palabras de Perle: «Aquel proceso de paz ocultó la prueba de la erosión de un cuerpo mínimo nacional —así como un palpable sentimiento de agotamiento nacional— y perdió la iniciativa estratégica». A partir de ahí, todo se fue al infierno sin remisión: «La prueba más palpable de la pérdida del cuerpo mínimo nacional fueron los esfuerzos de Israel por involucrar a Estados Unidos en la aprobación interna de políticas impopulares, en el consentimiento para negociar la soberanía sobre su capital y en la respuesta resignada a una avalancha de terror tan intensa y trágica, que impedía a los israelíes desarrollar las funciones cotidianas normales, como pudiera ser el acudir al trabajo en autobús». En otras palabras: la búsqueda de la paz es la causa de la guerra y, en opinión de Perle, la manera de que vuelvan a funcionar los transportes públicos con normalidad es sumergir a Oriente Próximo en un conflicto sin fin.

En lugar del proceso de paz, Perle propone que Israel adopte lo que, cinco años después, se convertiría en la estrategia de «cambio de régimen» de George W. Bush. Sólo que el «Eje del Mal» de Perle cuenta con un reparto de actores ligeramente diferente al que, andando el tiempo, el gobierno de Bush y Cheney decidieron hacer frente. En «Una ruptura clara» es Siria, y no Irak, el enemigo público número uno. El eje de la política de Perle era la «debilitada, contenida e incluso replegada Siria.» Aunque invadir Irak fuera fantástico, derrocar a Sadam Husein es sólo una estación de paso en el camino hacia Damasco. Como dijo Perle: «Esta campaña puede centrarse en echar a Sadam Husein del poder en Irak —un importante objetivo estratégico israelí por derecho propio— como medio de frustrar las ambiciones regionales de Siria».

Incluso como propuesta política neoconservadora, «Una ruptura clara» resulta extravagante. Egipto —el vecino más importante de Israel— nunca se menciona. Se propone que Israel coloque a un miembro de la dinastía hachemí jordana en el trono de un reino iraquí reconstituido por Israel, porque, se nos asegura, «los chiíes veneran, en primer lugar, a la familia del profeta, cuyo descendiente directo —y por cuyas venas corre la sangre del profeta— es el rey Husein.» En esa misma línea, el documento predice que «si los hachemís controlasen Irak, podrían utilizar su influencia... para ayudar a Israel a alejar a los chiíes del sur del Líbano de Hezbolá, Irán y Siria.» Tal afirmación ignora el hecho de que los hachemís son suníes, no chiíes, y que el último rey hachemí de Irak fue despedazado por una muchedumbre en 1958.

Por lo general, Richard Perle es considerado como el más agresivo de los extremistas clave asociados con el gobierno de George W. Bush. Lo que más parece molestar a sus críticos es que ninguna otra figura consigue transmitir un grado tan alto de desprecio por aquellos a quien presume en desacuerdo con él o que tan siquiera osan hacerle una pregunta. Sin embargo, de lo que tenemos que preocuparnos aquí es de lo repulsivo de las ideas de Richard Perle, y no de sus modales. Si no se alcanza jamás un acuerdo de paz entre israelíes y palestinos, y las generaciones venideras se ven obligadas a vivir con la misma tensión de hostilidad y violencia, será porque, hasta cierto punto, las nocivas ideas que Perle ha propagado se habrán convertido en la política estable tanto de estadounidenses como de israelíes.

La visión que Perle presenta de los árabes es extraña, aunque lo es más su opinión sobre Israel. Culpa al «proceso de paz» y al «laborismo sionista» del «evidente sentimiento de agotamiento nacional» de Israel, además de las dificultades económicas. No parece que entienda que, cuando una nación, Israel, lleva más de treinta años negándole a otra de población aproximada, los palestinos, los mismos derechos que valora para sí, es bastante probable que la consecuencia sea un «agotamiento nacional». De qué manera volver a ocupar los territorios palestinos, al tiempo que se lanzan ofensivas contra Irak y Siria, va a revitalizar la economía de Israel o su espíritu, es algo que no se aclara.

La historia de «Una ruptura clara: una nueva estrategia para garantizar la región» discurre en paralelo a la de la «Guía para la política de la defensa.» Netanyahu ignoró el planteamiento de Perle, de la misma manera que el presidente George H. W. Bush rechazó las propuestas de Wolfowitz y Cheney. Luego, en el 2001, pocas semanas después de que George W. Bush se mudara a la Casa Blanca, Ariel Sharon se convirtió en primer ministro de Israel.

Aun antes de llegar al poder, Sharon había hecho su propia «ruptura clara». A finales de septiembre de 2000, precipitó una crisis en Israel que resultaría tan traumática para el país, como los ataques del 11-S lo serían para Estados Unidos un año después. Sharon, encabezando una multitud de seguidores de la línea dura, marchó directamente sobre los lugares de la vieja Jerusalén más sagrados para los musulmanes. La mayor de las pesadillas palestinas

—que también es el sueño de la mayoría de los extremistas israelíes— es que algún día todos los palestinos sean expulsados del país, y el que es el tercer santuario más sagrado del islam, la Cúpula de la Roca, sea destruido y sustituido por lo que los fanáticos israelíes llaman el tercer Templo Judío.

La provocación deliberada de Sharon escandalizó a los palestinos, y la consecuencia directa de su marcha sobre el santuario más sagrado de estos fue el estallido de la segunda Intifada palestina. Sharon había provocado la crisis más grave en las relaciones palestino-israelí desde la invasión del Líbano; también, y como era su intención, aventajó a sus rivales en la política israelí tanto por la derecha como por la izquierda. Después de esquivar un intento de regreso de Benjamín Netanyahu, derrotó al primer ministro Ehud Barak en las elecciones de febrero de 2001 y, sólo unas semanas después de que George W. Bush fuera investido presidente en Washington, se convirtió en primer ministro de Israel.

Desde la visita de Dick Cheney en marzo de 2002 a Israel, Estados Unidos ha mantenido dos políticas diferentes por lo que se refiere a la búsqueda de la paz entre israelíes y palestinos. Como suele ocurrir con George W. Bush, hay una política oficial, o lo que podríamos llamar mejor una política de cobertura: en este caso, la «Hoja de ruta para la paz», de la que Colin Powell, Tony Blair y George W. Bush no paran de hablar.

Luego, está la política que consiste en aquello que realmente está haciendo el gobierno y que, en este caso, como en tantos otros, es lo que Dick Cheney quiere que haga Estados Unidos. En apariencia, todo parece un follón terrible. Powell no para de decir una cosa, mientras Cheney hace otra. Pero una vez que te familiarizas con las propuestas neoconservadoras como «Una ruptura clara», resulta evidente que George W. Bush sigue el patrón inteligible de hacer lo que quieren Cheney, Sharon y Perle. Lo que le facilita las cosas es que lo que quieren estos neoconservadores pro-Sharon es que Estados Unidos no haga nada, esto es, que deje a Sharon libre, militarmente hablando, para crear «nuevos hechos» en los territorios palestinos, lo cual, en la jerga neoconservadora, consiste en evitar la clase de «acuerdos de paz» que detestan.

Lo que ocurre está claro, pero ¿por qué ocurre? Más de un año antes de la invasión de Irak, y según unos informes que circulaban por Israel a la sazón, Cheney le dijo a Sharon: «Ante todo, estamos trabajando para Israel». La ejecución del plan de Perle de convertir a Israel en un estado militarista desinteresado en una paz permanente y en deuda con nadie —sin duda, no con Estados Unidos— a duras penas se puede describir como beneficioso para Israel. En la actualidad, su economía está más «constreñida y estancada» que nunca, y el «evidente sentimiento de agotamiento nacional» no ha desaparecido. Y lejos de volver a recuperarla, Sharon ha «perdido la iniciativa estratégica» hasta el punto de que todo lo que se le ocurre ahora es construir su muro.

Todo esto apenas puede describirse tampoco como estar actuando en el interés nacional de Estados Unidos: antes al contrario, es una violación de los intereses de seguridad de Estados Unidos. ¿Por qué empeñarse en unas medidas que sólo crean un peligro mayor para los estadounidenses, además de procurar mayor sufrimiento a israelíes y palestinos? Es simplista, pero la explicación que mejor cuadra a los hechos es que todo esto no es más que el resultado de los deseos de un puñado de neoconservadores chiflados. Y a los que George W. Bush ha dejado hacer su santa voluntad.

Al día de hoy, se trate de Irak o de Israel, George W. Bush no se ha dejado aconsejar por nadie competente en los asuntos de Oriente Próximo. Nadie le ha obligado a rodearse de incompetentes en materia de seguridad nacional; podría haber consultado a otros. Por ejemplo, su secretario de Estado, Colin Powell, le podía haber instruido en las realidades de la política exterior y haberlo introducido en lo esencial de hacer la guerra. No le habrían faltado precedentes. En anteriores administraciones, los secretarios de Estado han jugado un papel destacado en la formulación de la política exterior; en el gobierno de George W. Bush, la secretaría de Estado cumple una función diferente: Colin Powell personifica las marginadas voces de la razón en Estados Unidos.

Powell poseía la cualificación necesaria para ayudar a George W. Bush a no ensuciar las cosas. Es un militar-diplomático en la gran tradición de Dwight Eisenhower, George C. Marshall y —antes de su mitificación— George Washington. No es inconcebible que el extraordinario historial de logros de Powell ayude a explicar la razón de que George W. Bush, tras escoger a un secretario de Estado de tanto prestigio, confíe, por el contrario, cuando se trata de tomar las decisiones más importantes, en ese aborto de Yale y papanatas de la geopolítica que es Dick Cheney. Ya desde sus días de estudiante mediocre, la reacción de George W. Bush ante la excelencia ha sido siempre un poco como su reacción visceral ante Kim Jong II. Por supuesto, no detesta a Powell; es sólo que, por rutina, trata con el más absoluto desprecio los intentos de su secretario de Estado de insuflar racionalidad y realismo a las medidas que se adoptan.

Cuando Powell fue nombrado secretario de Estado, era uno de los personajes públicos más respetados de Estados Unidos, más que el propio Bush, y no digamos nada del oscuro Cheney. En la actualidad, Colin Powell es el secretario de Estado con menos relevancia desde el desafortunado William Rogers, cuyas funciones usurpó al completo Henry Kissinger cuando era asesor de Seguridad Nacional.

La marginación de Powell procede, en parte, del hecho de que carece de los rasgos caracterológicos y de la trayectoria académica de la gente que le gusta de manera natural a George W. Bush, y en la que confía. Al contrario que la mayor parte de la gente que escoge como camarilla, Powell no se ha pasado los últimos veinticinco años ni evitando el servicio militar congraciándose con los cerrados círculos de las elites del poder neoconservador y republicano, ni enriqueciéndose prevaricando con los contratos del Estado. Esto ha resultado ser una clara desventaja para él cuando se trata de intentar que George W. Bush comprenda las cosas. Una y otra vez, las propuestas absolutamente razonables de Powell —por ejemplo, la de hacer realmente un verdadero esfuerzo para ayudar a los israelíes y palestinos a lograr la paz— no sólo han sido frustradas por Cheney y Rumsfeld, sino tomadas a broma.

George W. Bush ha degradado a Powell a ser la cara sonriente de la visión ultrarradical, tanto propia como de Cheney, de un mundo polarizado en el a favor o en contra de Estados Unidos. Mientras Powell despliega su considerable inteligencia y su mundialmente famoso encanto en un intento de conseguir que lo que está haciendo Estados Unidos parezca racional, Cheney juega al gato de Chesire en el país de las maravillas de la fantasía estratégica de Bush apareciendo y desapareciendo a conveniencia. Cuando el juego de croquet mundial jugado con flamencos rosas parece que va bien, Cheney aparece por doquier; cuando las cosas se ponen duras, desaparece, y se manda llamar a Powell como quien avisa al servicio de limpieza después de una fiesta universitaria.

La consecuencia es que, aunque Colin Powell guste allá donde va, nadie confía en él. Estén «con nosotros» o «contra nosotros», los líderes extranjeros saben que, haga lo que haga o prometa lo que prometa Powell, será rechazado si alguien con verdadera influencia en el gobierno de George W. Bush dice que así se haga. Mientras, Bush les desagrada tanto como detestan a Cheney (Rumsfeld, muy a su pesar, nunca decepciona y resulta muy gracioso). Pero cualquiera que sea el estadounidense de alto rango que se apee del avión, los líderes del mundo pueden contar con una cosa: incluso en aquellas ocasiones intermitentes en que George W. Bush parece estar intentando hacer algo constructivo, nada saldrá de la intentona. Como comentó un diplomático tras la cumbre de Aqaba en junio de 2003: «Aun cuando intentan ser serios, no saben en qué consiste.»

La paz es algo que se hace con los enemigos. Por esa razón, las conferencias de paz de las que está excluido uno de los principales adversarios apenas producen resultados. Ese resultó ser el caso de la estéril cumbre de Aqaba del 4 de junio de 2003. De la misma manera que la comparecencia «Misión Cumplida» de George W. Bush en un portaaviones en las costas de California un mes antes, la aparición tipo milagro en Aqaba, al sur de Jordania, fue la ocasión para que se hiciera una foto protocolaria. Aquel era el país de Lawrence de Arabia. Allí, bajo el sol cegador y el calor resplandeciente del verano del desierto, los cuatro supuestos conciliadores posaban sonrientes ante las cámaras, vestidos con la clase de trajes oscuros y serios que absorben el calor: George W. Bush, de Estados Unidos,

Ariel Sharon, de Israel, el rey Abdulah de Jordania y, en lugar del presidente Yasser Arafat, el «primer ministro» Mahmoud Abbas, de la Autoridad Palestina.

Los trajes oscuros tenían como misión crear la ilusión de seriedad, pero la ausencia de Arafat revelaba el juego. Abbas, más conocido como Abu Mazen, es un honorable e interesante veterano de la lucha palestina por una patria, pero, en el mejor de los casos, no pasa de ser el Colin Powell de los palestinos. Si de verdad queremos paz con los palestinos, debemos dirigirnos al jefe; y esto fue lo que se negó hacer en redondo George W. Bush bajo ningún concepto.

Para entonces, Colin Powell sabía lo suficiente como para llegar a sugerir que George W. Bush hablara por teléfono con Arafat, una de las figuras capitales de la guerra y la paz en Oriente Próximo. Tony Blair también había descubierto lo inútil que era intentar que se abriera a lo más elemental que cualquiera, que de verdad estuviera interesado en lograr la paz en Oriente Próximo, debería de estar deseando entender: que uno logra la paz siendo un intermediario honrado, y no demonizando a una parte y consintiendo a la otra.

La valiosa recopilación de detalles contenida en el libro de Bob Woodward, *Bush en Guerra,* nos proporciona una escena en la que Tony Blair insiste en que George W. Bush trate con Yasser Arafat al menos durante un breve intervalo. La fecha es el 7 de noviembre de 2001. La invasión de Afganistán ha sido un triunfo táctico, y la pregunta que se suscita es ¿qué hacer a continuación? Si no fuera porque, en realidad, nunca consideró el ir en otra dirección que no fuera Bagdad, se podría decir que George W. Bush estaba en una encrucijada.

Con la esperanza de decantar a George W. Bush en la dirección de la razón, Tony Blair adoptó las tácticas del cortesano y sugirió, no sin delicadeza, que Yasser Arafat «todavía podría implicarse en las medidas de edificación de la confianza y la seguridad con los israelíes, por más insignificantes que fueran aquellas. Daría la impresión de ser un mal necesario.» Pero como observa Woodward: «Bush veía cada vez más a Arafat como un mal a secas.»

Como sucede a menudo, George W. Bush permitió que la apariencia de debate político permaneciera mucho después de haber dejado que Cheney decidiera lo que iba a ocurrir de verdad.

Cheney había tomado la decisión de eliminar de la acción a Arafat durante su paso por Jerusalén en marzo de 2002. Para conseguir su propósito, había utilizado las tácticas del consumado manipulador washingtoniano, y, por supuesto, nunca había dicho de forma explicita: «No sólo no voy a reunirme con Arafat, sino que voy a hacer todo lo que pueda para humillarlo e insultar a su pueblo y, luego, culparlo a él y a los palestinos de que Sharon e Israel, con nuestro apoyo, sigan atacándolos. Y cuando Arafat proteste por esto, entonces también lo culparé por nuestro fracaso en lograr la paz en Oriente Próximo. Cuando todo esto, como es absolutamente inevitable, provoque un nuevo ciclo de violencia, incluidos los ataques suicidas palestinos, no sólo culparé de todo a Yasser Arafat; además declararé que todo esto demuestra que mi negativa inicial a tratar con él era acertada.»

Por el contrario, Cheney dijo que, aunque no se reuniría con Arafat en esa ocasión, era posible que volviera a Oriente Próximo para encontrarse con él, siempre y cuando los palestinos cumplieran con ciertas condiciones. A partir de entonces, todo se reducía a una cuestión de pedir a los palestinos que pasaran por un serie de aros situados cada vez a mayor altura y progresivamente más estrechos. Por supuesto, hasta que Irak no fuera conquistada y triunfara allí la democracia, en cualquier caso no se podía hacer nada. Pero ¿y después? Uno de los últimos aros consistía en que los palestinos crearan el cargo, hasta ese momento inexistente, de primer ministro, y lo cubrieran con alguien del gusto de Ariel Sharon.

Arafat continuaría confinado en su refugio bombardeado de Ramala mientras se lograba la paz en Aqaba. La foto protocolaria de los trajes oscuros resumía así la ilusión que había mantenido en marcha el conflicto palestino-israelí durante tres generaciones ya. Esta ilusión es que si un primer ministro israelí (Sharon), con el apoyo de los estadounidenses, puede conseguir que un gobernante tradicional árabe (Abdulah) mantenga una reunión en la que un palestino casi insignificante (Abbas) es obligado a firmar una serie de capitulaciones, entonces es que, al menos, Israel tendrá paz.

Había otro motivo para que esta supuesta primera parada en la hoja de ruta hacia la paz hubiera sido pospuesta durante tanto tiempo. Según las fuentes israelíes: «Sharon confiaba en que un ataque contundente de Estados Unidos contra Irak desmoralizaría a los palestinos y los obligaría a admitir la derrota y a poner fin a la Intifada.» Dejando a un lado su falta de comprensión humana, está la simple falta de lógica de la propuesta. Durante más de treinta años, los ataques contundentes de los israelíes contra sus ciudades y hogares no habían «desmoralizado a los palestinos ni les habían obligado a admitir la derrota.» ¿Por qué un ataque, ni mucho menos contundente, de Estados Unidos contra un país situado a cientos de kilómetros habría de cambiar algo de eso ahora?

Sin embargo, la guerra de Irak de George W. Bush consiguió que el Air Force One pusiera rumbo a Aqaba. Para entonces, ya no había forma de que George W. Bush pudiera evitar semejante reunión sin renunciar del todo a la pantomima de que Estados Unidos quería que todos en Oriente Próximo, y no sólo los árabes, respetaran las resoluciones de Naciones Unidas. El sesgo para la ocasión era que, habiendo eliminado a Sadam, por fin George W. Bush volvería ya sus innegables poderes de perseverancia y decisión hacia el problema de la reanudación del proceso de paz palestino-israelí. Echando mano de un símil texano, Bush se refirió a israelíes y palestinos como a «una manada de vacas» a la que Estados Unidos guiaba, por la hoja de ruta, hacia la paz. Parecía como si, tras dos años y medio en el cargo, por fin fuera a centrarse en sus responsabilidades de pacificador o, por decirlo de otra manera, a empezar a hacer lo que Al Gore, o casi cualquier otro, habría empezado a hacer el mismo día de la investidura.

Como sólo cabía esperar, no ocurrió gran cosa en Aqaba. La hoja de ruta hacia la paz apenas había sido desplegada, aunque una vez que se terminó la foto protocolaria, sí que ocurrió algo absolutamente predecible. Los radicales palestinos lanzaron más ataques suicidas con bombas. Sharon, en una arremetida igualmente predestinada, soltó sus helicópteros asesinos contra Gaza y Cisjordania.

Y ahí se acabó todo: ¡ese fue el fin de la implicación de George W. Bush en el proceso de paz! Y, aparte de una ocasión para una nueva foto protocolaria, también fue el final de la hoja de ruta hacia la paz. En ese primer momento, del todo predecible, de cualquier proceso de paz, en el que los extremistas intentan quitarle la iniciativa a los moderados, George W. Bush se ausentó sin permiso. En lugar de entrar en acción y echar mano de todo el poderío de la potencia militar y de la autoridad moral de Estados Unidos para influir en las dos partes —como ha de hacerse si se quiere que cualquier esfuerzo por lograr la paz tenga alguna posibilidad de éxito—, se lavó las manos.

Naturalmente, todo era culpa de los palestinos, pero para demostrarles que no era rencoroso, George W. Bush levantó un nuevo aro. Si los palestinos dejaban de oponer resistencia a la ocupación israelí, al mismo tiempo, también, que se libraban de Yasser Arafat y se aseguraban de que no se produjeran más ataques terroristas, cabía la posibilidad, les insinuó, de que estuviera dispuesto a darles otra oportunidad. De qué manera se suponía que los palestinos podían garantizar una mayor seguridad a Israel que la que pudiera darle Sharon (sobre todo después de que este hubiera destruido la mayor parte de la infraestructura de la Autoridad Palestina), era algo que Bush no explicó.

Mientras sermoneaba a los árabes sobre la necesidad que tienen de convertirse a la democracia, George W. Bush seguía negándose en redondo a mantener tratos con el que ha sido, indiscutiblemente, el único líder árabe elegido democráticamente. Al contrario que el propio Bush, Yasser Arafat ganó por mayoría unas elecciones libres cuya honestidad y limpieza fueron constatadas por observadores internacionales, entre los que se contaba el ex presidente Jimmy Carter.

La visión de la democracia árabe que tiene George W. Bush ha resultado ser como la que tiene de la estadounidense. Es una cosa fantástica mientras sea uno y los que son como uno los que ganen las elecciones. ¿Y si ganan los demás? En los tiempos que había alguien dispuesto a hablar de paz con él, Arafat ganó el Premio Nobel de la Paz a raíz de sus negociaciones con Isaac Rabin.

Pero George W. Bush se ha pasado más de tres años negándose a hablar con él porque, como le explico a Tony Blair, en su opinión el presidente palestino es el «mal».

Como ocurre siempre que se reúnen los hechos de lo que hace George W. Bush, subsiste la pregunta: ¿Por qué? Es indiscutible que cuando le conviene, es capaz de desmentir cualquier cosa, sobre todo a sí mismo. Incluso en el caso del 11-S optó por no entenderlo. Desde septiembre de 2001 ha dedicado su presidencia a intentar demostrar que, en cierta manera, el 11-S sucedió —en Estados Unidos, ante su vista— porque había tiranos gobernando remotos países. En el caso de George W. Bush y el conflicto árabe-israelí, una vez más, la ideología, el coeficiente intelectual y las tácticas políticas se han fundido en una perfecta evasión de la responsabilidad.

Estemos tratando aquí con la credulidad o con la astucia, o con alguna combinación de ambas, de lo que no hay duda es que lo hacemos con un personaje; y lo que podemos asegurar con certeza es que, en lo relativo a la seguridad israelí y a la dignidad palestina, Bush ha sido un haragán.

No es fácil predecir cuáles serán las consecuencia de la guerra de Irak; las de la irresponsabilidad de George W. Bush en no mover ni un dedo en nombre de la paz entre los israelíes y los palestinos, ya son perceptibles: una nueva generación de palestinos insensibilizados se enfrenta ya a una nueva generación de israelíes traumatizados.

Es posible que la invasión de Irak acabe siendo sólo una anécdota en el contexto global de la historia de la abdicación de George W. Bush de las responsabilidades estadounidenses en Oriente Próximo.

13

Un pavo de plástico en Bagdad

Incluso cuando se había demostrado más allá de toda duda que las armas de destrucción masiva de Sadam Husein nunca habían existido, que se hubiera librado una guerra por una mentira pareció dejar de tener consecuencias.

¿Y qué más da? Se preguntaba George W. Bush, en una entrevista navideña después de la captura de Sadam Husein, cuando se le señaló que no se habían encontrado las armas de destrucción masiva.

Aquel sombrío primer día de Acción de Gracias de noviembre de 2001, tras el 11-S, cuando los estadounidenses estaban reunidos con sus seres queridos y reflexionaban sobre las recientes tragedias que habían acaecido en su nación, ¿quién podía haber imaginado que un año más tarde George W. Bush levantaría un pavo de plástico en Bagdad?

En realidad, el objeto de attrezzo que mostró a las cámaras estaba hecho de diversas sustancias incomestibles, incluida escayola, pero lo que acabó siendo conocido como el episodio del pavo de escayola en el aeropuerto de Bagdad fue, junto con la foto protocolaria de la «Misión Cumplida» del portaaviones, un momento que define la presidencia de George W. Bush.

Tal y como se había previsto, el material televisivo resultante fue colosal: el Air Force One transportando a hurtadillas hasta el corazón de Irak al Comandante en Jefe de Estados Unidos mientras la prensa acreditada dormitaba en Crawford. El momento escogido fue, como siempre, dictado por la programación televisiva. George W. Bush recorrió medio mundo en avión para que, junto con los tradicionales partidos de fútbol americano del día de Acción de Gracias, los estadounidenses pudieran verlo, en ésta la más estadounidense de todas las fiestas, compartir una cena a base de pavo con los soldados destacados en los frentes de la libertad.

Habría estado bien si, junto a George W. Bush, almacenadas en la amplia bodega del Air Force One, hubieran llegado algunas raciones de pavo de verdad, pero él no había hecho todo aquel viaje para dar de comer a los soldados. Se había reunido a los hombres y mujeres de uniforme antes del amanecer para que lo ayudaran —en esta ocasión con su campaña electoral a la Presidencia de 2004— en un espectáculo orquestado para evitar cualquier interacción con la realidad.

En lugar del pavo y su guarnición habitual, los soldados del vestíbulo donde se montó la foto protocolaria del día de Acción de Gracias de Bush en Bagdad comieron CLC (acrónimo del Pentágono para las «comidas listas para consumir»). Además, cuando se sirvió esta particular «cena» eran las 6 de la mañana, hora de Bagdad. Con todo, resultaba un símbolo sano y espectacular del triunfo del *american way of life* en el antiguo corazón de las tinieblas. Al menos, así fue hasta que empezaron a filtrase los detalles.

¿Era posible que se estuvieran perdiendo facultades en la manipulación de los medios de comunicación? Tras su aterrizaje del 27 de noviembre en el antiguo Aeropuerto Internacional Sadam Husein, la gente empezó a hacer bromas acerca del pavo de plástico de George W. Bush, aunque no por mucho tiempo. De una u otra manera, George W. Bush siempre queda exonerado de las consecuencias de sus acciones. Tres años antes, el 11 de diciembre de 2000, el presidente del Tribunal Supremo, William Rehnquist, dictaba su resolución de anulación de las elecciones de Florida de la misma manera que un mago de alquiler saca un conejo de una chistera en una fiesta de cumpleaños infantil. Ahora, el 13 de diciembre de 2003, el ex presidente Sadam Husein surge de un agujero en la tierra en las cercanías de Tikrit para restablecer el prestigio de George W. Bush en los sondeos de opinión, al menos durante una temporada.

«Este es un gran día en vuestra historia», les dijo el gobernador provisional estadounidense, Paul Bremen, a los iraquíes tras la captura de Sadam. Y sin duda fue un día memorable para los responsables de imagen de George W. Bush. Por el momento, y mientras Estados Unidos celebraba su última victoria sobre el mal como si se tratara de un regalo navideño del Todopoderoso, los estadounidenses se olvidaron del creciente peaje de muertos. En medio de la exaltación informativa, le tocó a un pequeño periódico de Vermont señalar aquello que parecía que se les había olvidado a los grandes de los medios de comunicación.

«Estamos perdiendo el norte», comenzaba un editorial sin firmar en el *Brattleboro Reformer* publicado un par de días después de la captura de Sadam. «En medio del atolondramiento festivo provocado por la captura del depuesto líder iraquí, Sadam Husein, es importante llamar la atención acerca de una circunstancia aleccionadora: Sadam Husein no es Osama bin Laden.»

Tras resaltar ese punto notable, a estas alturas casi ignorado por completo, el editorial continuaba: «A pesar de la sobrecogedora falta de pruebas en las que apoyarse, el presidente Bush ha conseguido una inquietante efectividad en engañar al público estadounidense, haciéndole creer que Sadam Husein estaba conectado de alguna manera con el criminal ataque perpetrado el once de septiembre de 2001 contra los estadounidenses». Sin dar a sus lectores ningún descanso, pese al período vacacional, sobre la verdad, el editorial continuaba: «El barullo sobre la captura de Sadam Husein el fin de semana, la retórica de vaquero sobre la superioridad militar y la capacidad de la inteligencia de Estados Unidos vuelven a enturbiar algunos hechos críticos. Primero, el cerebro del 11-S sigue suelto. Segundo, y más importante todavía, mientras la política de Estados Unidos siga siendo alimentar la creencia de los árabes y de los musulmanes de que la nuestra es una política exterior dictada exclusivamente por el propio interés, Bin Laden tendrá más reclutas en la cola para realizar misiones suicidas de los que necesita».

En el ínterin, las muertes proseguían. «LOS ADOLESCENTES IRAQUÍES APLAUDEN MIENTRAS LA SANGRE NORTEAMERICANA SE DE-

RRAMA», rezaba un típico titular de servicio de teletipo, en este caso de la agencia Reuters. Tras explotar una bomba, que hirió a dos estadounidenses que circulaban por Bagdad en su Humvee, los niños locales salieron de sus casas, no para ayudar a los estadounidenses heridos, sino para aplaudir como si Irak hubiera marcado un gol a Estados Unidos en un partido de fútbol.

«Esto está bien. Si me lo piden, me uniré a la resistencia. Los norteamericanos tienen que morir», decía un niño de quince años que se identificó como Ali Qais. «Sólo están aquí para robarnos el petróleo.» Por esas mismas fechas, en la legendaria ciudad de Samara, las tropas estadounidenses mataban a más de cincuenta y cuatro iraquíes, convirtiendo un tiroteo en una masacre. Unos insurgentes iraquíes habían disparado sobre los estadounidenses, pero cuando estos respondieron, lo hicieron ametrallando un jardín de infancia y una mezquita, además de disparar a los civiles que intentaban evacuar a los heridos.

Una turbadora revelación de la invasión de Irak fue la rapidez con que la guerra se convirtió en parte de la normalidad cotidiana de la vida del pueblo estadounidense. Al cabo de unas pocas semanas, las muertes y los heridos dejaron de conmover a la gente. Los estadounidenses que morían en Irak se convirtieron en una parte rutinaria de los informativos nocturnos, como los tiroteos en los barrios bajos.

En ese momento, se necesitaba una combinación habitual de circunstancias para que la muerte de un estadounidense en Irak fuera vinculada a una cara, una vida y una persona real, como el suboficial jefe Aaron Weaver. Weaver, de 32 años, viajaba como pasajero a bordo de un helicóptero derribado durante una evacuación médica en enero de 2004. Su muerte era destacable, al menos en lo que atañía a la información de prensa, porque el suboficial había sobrevivido, por igual, al cáncer y al famoso incidente del derribo del «Blackhawk» de Somalia, aquel que sirvió de inspiración a la película. Se dirigía a Bagdad a someterse a un reconocimiento médico cuando, al estilo del viejo relato corto de John O'Hara, *Cita en Samara*, consiguió, por fin, encontrarse con la muerte.

La muerte de Weaver provocó el tipo de interés humano que tendría una muerte similar en un accidente aéreo comercial. No dio la sensación que su muerte fuera evitable o innecesaria o que alguien, incluyendo a George W. Bush, debiera ser responsabilizado de la misma. Esto apuntaba al mayor de todos los misterios de la peculiar supremacía de George W. Bush: la pasividad del pueblo estadounidense. La usurpación de sus derechos democráticos no conmocionó a la gente en el 2000, como tampoco las muertes como ésta en Irak. ¿Estaban los estadounidenses confundidos o era simplemente indiferencia?

«Bush nos ha engañado a todos y a cada uno de nosotros», se lamentaba el senador John Kerry en junio de 2003, cuando quedó claro que todos los pretextos para la guerra de Irak habían sido fraudulentos. Incluso republicanos como el antiguo secretario del Tesoro de George W. Bush, Paul O'Neill, acabaron por reconocer que Bush y Cheney habían empezado a tramar su invasión de Irak a los pocos días de tomar posesión de sus cargos, en enero de 2001; y no como represalia a los ataques, ocho meses más tarde, del 11-S. ¿Pero alguna vez había habido una clase política más dispuesta a dejarse embaucar? El mismo discurso de Kerry en el Senado, durante el debate de la guerra de Irak, había sido conmovedor; pero, como cualquiera de las peroratas de Bush, había sido dirigido directamente a las cámaras de televisión. Tras perorar el no, votó que sí; secundó a George W. Bush y su guerra.

La diferencia entre la primera Guerra del Golfo y la segunda era la existente entre una guerra justa y una injusta; no la diferencia entre ser patriota o no. Sin embargo, sólo un miembro del Senado de Estados Unidos que había votado sí a la primera guerra tuvo el arrojo suficiente para votar no a la invasión de Irak. El senador Bob Graham, de Florida, era un miembro del más alto rango del Comité de Inteligencia, además de un antiguo y popular gobernador de Florida, un Estado obligado de nuevo a ser crucial en las elecciones presidenciales de 2004.

Graham creía que la guerra contra el terrorismo debía librarse contra los terroristas, y no se cansó de señalar que la «guerra contra el terrorismo» de George W. Bush era una farsa. Graham tenía la sensación de que podía hacerlo mejor que aquel, así que se unió a la carrera por la presidencia de los demócratas.

El argumento en el que no dejó de insistir Graham durante su breve campaña presidencial no tuvo nada de sutil ni de polémico: en lugar de luchar contra falsos terroristas, deberíamos combatir a los de verdad. Sin embargo, según parece, esta clase de sinceridad resultaba demasiado desconcertante para que la prensa nacional lo tomara en serio como candidato a la presidencia. Su campaña no tardó en derrumbarse después de que el *Washington Post* lo apodara *El hombre más peligroso de Washington*. ¿Más que Rumsfeld? ¿Y que Cheney? ¿Más que el propio George W. Bush? En el reino de la manipulación, decir la verdad se ha convertido en un acto terrorista.

Si alguna vez un acontecimiento demostró cuan determinado está el destino por el carácter, ese fue la captura de Sadam Husein. Había perdido sus palacios, pero encontró su agujero. Los miles de millones se habían evaporado, pero seguía teniendo 750.000 dólares en metálico; y seguía sabiendo cómo utilizar a la gente, cómo explotar una situación. Durante décadas había pervertido el socialismo Baaz, la causa de la unidad árabe, el islam y muchas otras causas e ideales nobles. Alguien lo bastante idiota para imaginar que Sadam Husein iba a redimirse en el último momento con el martirio, a todas luces había subestimado sus todavía formidables aptitudes de superviviente.

¿Qué funcionario estadounidense, asistente a todas aquellas tortuosas reuniones del pasado con Sadam, en las que incluso el más intrascendente de los cumplidos tenía que comunicarse a través de los intérpretes, hubiera sospechado que Sadam entendía realmente todo lo que estaba diciendo en inglés y que, además, supiera hablarlo bastante bien? Cuando los estadounidenses levantaron su madriguera, Sadam habló en un inglés tan claro, que los soldados rasos de Estados Unidos que participaban en la operación pudieron entenderlo con total claridad: «Me llamo Sadam Husein. Soy el presidente de Irak y quiero negociar».

Por fin, Sadam Husein había pronunciado las palabras mágicas que, de haberse dignado a pronunciarlas en el pasado, podrían haber salvado incontables vidas. Pero esta vez, era el propio pellejo de Sadam, así que tras pronunciar las palabras mágicas, se arrastró como pudo fuera de su agujero para salir a la brillante luz de su nueva carrera, desplazando a Milosevic como el criminal de guerra más famoso del mundo. Al final, podría ser que se enfrentara a la pena de muerte, pero eso sólo sería después de años de publicidad. Por lo que hacía al futuro inmediato, Sadam seguiría disfrutando de la satisfacción de permanecer en el centro de los acontecimientos. Su posición y condiciones de vida se verían muy alteradas, pero su derrocamiento y captura realmente habían reforzado la posibilidad, rara para semejante clase de dictador, de que muriera de muerte natural.

Se había encontrado a Sadam finalmente, pero ni los reclutas sobre el terreno ni los sobornos producirían sus armas de destrucción masiva, porque nunca existieron.

La realidad era que tras la primera Guerra del Golfo de 1991, Sadam había destruido sus armas de destrucción masiva, tal y como exigían las resoluciones de Naciones Unidas. Luego, durante más de diez años, impidió que el mundo lo verificara. Esta era la esencia de la paranoia de Sadam —también el secreto de su riguroso control sobre Irak— y una de las razones de que todas sus incursiones fuera de Irak resultaran ser una catástrofe.

¿Por qué, tras haber destruido sus armas, Sadam Husein hizo todo lo que pudo para evitar que los inspectores de la ONU lo comprobaran de verdad? Por lo que hacía a la política de terror dentro de Irak, era absolutamente lógico. Si los iraquíes hubieran tenido la más ligera percepción de que alguien podía obligar a Sadam a entregarle lo que fuera, quién sabe a lo que podrían haberse atrevido sus adversarios. El doble juego que Sadam puso en práctica con los inspectores de armas lo ayudó a mantener a raya a su pueblo. Negaba que tuviera armas, pero, por supuesto, todos los iraquíes estaban convencidos de que mentía (aun cuando no lo hacía). También sabían que Sadam había utilizado el gas tóxico contra los kurdos. ¿Qué le iba a impedir utilizarlo contra los manifestantes en Bagdad, si llegaba alguna vez ese día?

La consecuencia fuera de Irak fue que los extranjeros poderosos —al final, George W. Bush incluido— también creyeron que

Sadam había conservado sus armas de destrucción masiva y que estaba preparado para utilizarlas. Como demostraron sus ataques contra Irán y Kuwait, Sadam no comprendía el mundo allende las fronteras de Irak, para qué hablar de las posibles consecuencias a largo plazo que tendría su payasada en Estados Unidos. Lo más probable es que pensara que sus enemigos extranjeros acabarían por perder el interés en él, y es posible que imaginara que los estadounidenses, gracias a su magia tecnológica, supieran a ciencia cierta el doble juego que estaba siguiendo, y que, por lo tanto, comprendieran que ya no representaba ninguna amenaza. Es posible incluso que actuara en la suposición de que mientras no volviera a cometer ninguna nueva agresión, estaría a salvo para seguir gobernando en Irak y tomarles el pelo a los inspectores eternamente. Quizá fue demasiado tarde cuando Sadam acabó por darse cuenta de que en George W. Bush —al contrario que en George H. W. Bush— había encontrado la horma de su zapato.

Si Sadam tenía al menos la satisfacción de haber engañado a George Bush, Fidel Castro fue uno de los triunfadores de la guerra de Irak. El libio Muamar el Gadafi también ha sacado su buena tajada de todo ello.

Durante las elecciones de 2000, los votantes cubano-estadounidenses desertaron en buen número de los demócratas y votaron republicano, atraídos por la astuta manipulación que George W. Bush hizo de los símbolos del patriotismo. La creencia de los cubanos de que Bush sería más duro que Gore con Castro fue una de las razones de que las elecciones de Florida fueran tan apretadas. Sin embargo, la decisión de utilizar la bahía de Guantánamo como campo de prisioneros garantizó que George W. Bush no hiciera nada para causarle molestias a Castro. Esto es lo que sigue haciendo Bush —nada—, mientras Castro persigue a los disidentes y aplasta todas las pequeñas aperturas democráticas existentes antes de que la Administración Bush-Cheney tomara posesión. Gracias a George W. Bush, Castro jamás ha estado más a salvo de los ataques de Estados Unidos.

Tras el ataque contra Irak, el dictador libio, el coronel Muamar el Gadafi, decidió que ya era hora de intentar llegar a un «acuerdo con el fiscal». Gadafi y Libia ya no representan una amenaza real, pero en el pasado Gadafi se había dedicado a apoyar el terrorismo. Estuvo detrás del atentado con bomba de Lockerbie en 1988. Quince años después, muchas familias estadounidenses siguen llorando la muerte de sus seres queridos. Gadafi necesitaba ayuda para salir de la marginación; como siempre, Tony Blair se mostró encantado de ser servicial. Con el beneplácito de George W. Bush, Gadafi arregló un trato que satisfizo a todos excepto a las víctimas de su terrorismo y a aquellos que creían que el pueblo libio debería tener algo que decir respecto al gobierno de su país.

Según el acuerdo, no se castigaría ninguno de los muchos crímenes de Gadafi, incluido el secuestro y asesinato de los libios exilados.

Si la guerra de Irak había influido en el comportamiento de Gadafi, también había reducido las opciones estratégicas de George W. Bush. Enfrentado a la creciente resistencia en Irak, no parecía probable que Estados Unidos provocara la guerra con Irán, el vecino miembro del eje del mal. También parecían reducirse las probabilidades de que George W. Bush atacara Siria; por más que una cruzada contra Siria siguiera siendo el dulce sueño de la facción de Perle en el seno de la congregación neoconservadora.

La lección estratégica general del desenfrenado unilateralismo de Bush era abrumadoramente negativa. No sólo por el fiasco de Irak, sino porque la injerencia del poder militar de Estados Unidos en los conflictos regionales era, en sí y por sí, desestabilizadora. Y donde más evidente resultaba era en Pakistán.

Todo el mundo sabe cuál sería el peor de los panoramas que podría darse en Pakistán, y nadie sabe cómo evitarlo, así que todo lo que podemos hacer es desear que se produzca el mejor de los panoramas. ¿Y si desear lo mejor no resulta efectivo? Un Pakistán furiosamente islamista, provisto de armamento nuclear, seria la pesadilla hecha realidad de George W. Bush por un lado, y, hasta cierto punto, una profecía que acarrearía su propio cumplimiento.

Incluso sin un régimen violento y marginal amigo que les proporcione armas nucleares o biológicas, los nuevos enemigos que George Bush ha hecho para Estados Unidos podrían atacar en cualquier momento, porque estos nuevos enemigos están en todas partes. Todavía el 12 de septiembre de 2001, había gente en el mundo que lo que más anhelaba por encima de todo era ser estadounidense; ahora, hay millones de personas que creen que el mundo sería mejor si Estados Unidos fuera destruido.

¿Podemos trazar los perfiles del tipo de gente que podría estar intentando cultivar gas neurotóxico o fabricar bombas sucias, un poco al estilo de esos dibujos de los sospechosos de un delito que se realizan en los programas de detectives? Es imposible, porque la gente que hace cosas horribles resulta con frecuencia ser harto diferente de lo que esperábamos. Nos imaginamos a unos escuadrones de asesinos serbios o a unos barbados clérigos islámicos campando por sus respetos, y acabamos con Timothy McVeigh y los nihilistas que acumularon enormes cargos en sus tarjetas de crédito antes de estrellar unos reactores contra el World Trade Center.

Sin embargo, con la información de que disponemos, podríamos atrevernos a deducir el tipo de persona que George W. Bush ha vuelto en contra de Estados Unidos por todo el mundo. Es joven. Odia la injusticia y odia la hipocresía y, en el Estados Unidos que identifica con George W. Bush, ve un nauseabundo exceso de ambas. Odia a aquellos que matan a la gente sin motivo; las mentiras que oye procedentes de Estados Unidos le dan asco, por lo que tienen de doble rasero. En esta descripción del enemigo de Estados Unidos generado por George W. Bush es correcto utilizar el pronombre masculino porque, en principio, la gran mayoría de este tipo de personas es probable que sean varones jóvenes, aunque se les terminarán uniendo muchas chicas y mujeres.

Este nuevo enemigo de Estados Unidos es inteligente y hábil con la tecnología. El mismo Estados Unidos que desprecia le ha puesto en las manos —a través del ordenador personal e Internet— el acceso a un conocimiento que puede utilizar para inferirle un gran daño. Es un ejemplo de cómo el gasto militar de Estados Unidos ha fortalecido, sin darse cuenta, al débil. Ahora, Internet, al conceder a los individuos unos poderes inmensos de los que ni siquiera disponían los Estados-nación hasta hace muy poco, ha hecho posible que, por primera vez, grupos pequeños, o incluso individuos, sean capaces de atacar a Estados Unidos.

El universo Bushcéntrico es como el antiguo sistema precopernicano de Ptolomeo. Las órbitas giran sobre las órbitas, pero la órbita absoluta es la táctica de diversión que fracasa, creando la necesidad de otra vuelta de tuerca. El resultado es una máquina de movimiento perpetuo en la que cada órbita empieza con algún acontecimiento sobrecogedor, como una declaración de guerra civil, y acaba quitándose el muerto de encima. El resultado —consista la prueba en entrar en la Escuela de Negocios de Harvard o en superar el 11-S— es que no importe qué nota saca George W. Bush. La astucia es el combustible principal, pero la buena suerte —como la captura de Sadam Husein— también interviene de manera regular para hacer que Bush siga adelante.

El 11 de septiembre de 2001, por ejemplo, los terroristas de Al Qaeda asesinaron a miles de personas en Estados Unidos, pero salvaron la carrera política de George W. Bush. Hasta entonces, no sólo era un presidente no electo sino que se daba por sentado que cuando volviera a presentarse nunca sería elegido legítimamente. Ésto, aunque eran pocos los que lo veían, parecía encasillarle con tranquilidad en una categoría excepcional de aberración presidencial en la que incluso las violaciones de la democracia de Estados Unidos acaban demostrando el imperio de la misma.

Dejando a un lado a Rutherford B. Hayes y su presidencia robada, sólo tres hombres a lo largo de la historia se han hecho con la presidencia después de haber perdido el voto popular. Son John Quincy Adams (1825-29), Benjamín Harrison (1885-89) y George W. Bush (2000-). Lo que proporciona una interesante perspectiva de la tendencia oligárquica en los políticos estadounidenses, así como la resistencia democrática que enfrenta, es la circunstancia de que estos tres presidentes no electos fueran, también, los únicos de la historia de Estados Unidos en ser hijos —o, en el caso de Harrison, nieto— de un presidente anterior.

En los tres casos, el haber nacido en una familia presidencial los ayudó a salir nominados para presidentes. Pero eso no era suficiente para salir realmente elegidos y, tras haber conseguido el cargo bajo estas curiosas circunstancias de colegio electoral y familia, eso tampoco bastaba para conservarlos en el puesto. Adams y Harrison fueron derrotados tanto en el voto popular como en el colegio electoral la segunda vez que se presentaron.

Ya es hora de unir el nombre de George W. Bush a algunas otras grandes cruzadas. ¿Pero cuáles? Después de conquistar Irak, George W. Bush anunció que Estados Unidos iba a conquistar el sistema solar. Los estadounidenses no sólo volverían a la luna, sino que se arrojarían sobre Marte. Su propuesta marciana era a la ciencia seria lo que su plan de invasión de Irak era a la diplomacia seria: una locura absoluta. Una cosa que habían aprendido los seres humanos tras cuarenta años de carrera espacial era que sería mucho mejor investigar el universo con nuestro intelecto y nuestros asombrosos instrumentos científicos. Nuestra carne, nuestra sangre y nuestros corazones están mejor aquí, sobre la rolliza Tierra. Pero, como siempre, la sabiduría no tiene nada que hacer con George W. Bush. Primer paso hacia Marte: abandonar el magnífico telescopio Hubble, una de las auténticas glorias de Estados Unidos en el espacio. Al igual que antes en Irak, en el plan de conquista de George W. Bush el desprecio por el conocimiento era una parte fundamental.

La conquista de Marte, si llega a producirse alguna vez, será como la de Irak a escala interplanetaria: no sólo más difícil y cara de lo que Bush cuenta, sino igualmente absurda. Pero como dijo en una entrevista navideña: «¿Y qué más da?»

14

La disfunción sistémica de Estados Unidos

¿Puede una nación poderosa ser también una nación buena? Los estadounidenses empezaron a valorar tan ardua pregunta mucho antes de que Estados Unidos llegara a ser realmente poderosa. La cuestión se suscitó, en parte, porque era muy evidente que la nueva república —«el nuevo coloso» como se la llamaba a veces— acabaría por eclipsar a los reinos e imperios del viejo mundo. Aun antes de que el territorio de Estados Unidos se extendiera allende el río Misisipí, los estadounidenses empezaron a creer que estaban destinados a convertirse en una gran nación intercontinental. La compra del inmenso territorio de Luisiana llevada a cabo por Jefferson en 1803, a la que siguió la expedición de Lewis y Clark al Pacífico noroccidental, convirtió la creencia en una creciente certeza.

Estados Unidos, empezó a percibir desde muy pronto la gente, sería sólo el principio del «destino manifiesto» de América. Ya en 1835, algo más de ciento diez años antes de que la guerra fría enfrentara a Estados Unidos con la Unión Soviética, Alexis de Tocqueville aprovechó esta naciente certeza del casi ilimitado poder de Estados Unidos cuando predijo que el destino del mundo entero acabaría siendo decidido por dos grandes países-continentes, Rusia y Estados Unidos. «Sus puntos de partida son diferentes, y sus trayectorias no son las mismas; sin embargo, los dos parecen estar marcadas por la voluntad del cielo para influir en los destinos de las dos mitades del globo», escribió. Lo que diferenciaba a Estados Unidos de Rusia y de los demás países —a los ojos de los estadounidenses, cuando no de los demás— era la creencia de que Estados Unidos no sólo sería poderoso, sino bueno.

Enfrentados a las creencias, siempre inseparables, de que Estados Unidos estaba destinado a ser bueno y de que el poder era malo, los fundadores de la nación no aspiraban a que los habitantes del país estuvieran, de una u otra manera, libres de las tentaciones que corrompían a las gentes de otras nacionalidades. Antes al contrario, trabajaron siempre desde la presunción de que había tantas posibilidades de que los estadounidenses —inclusión hecha de los presidentes— abusaran del poder como cualquier emperador romano o rey de Inglaterra. Para evitar el peligro, concibieron un sistema de gobierno por el que se preservaría el bien de Estados Unidos encerrando al mal —esto es, al poder— en un sistema constitucional, tal y como si se tratara de encerrar a un genio dentro de su botella. La manera de evitar los abusos de poder dentro del país, pensaron, era controlar al poder mediante el equilibrio de poder. Así que idearon un sistema constitucional que aseguraba —siempre y cuando se respetara— que ningún simple político, facción o poder del Estado alcanzara jamás suficiente poder para oprimir a la mayoría. Pero ¿qué pasaba con el uso y el abuso de poder de Estados Unidos fuera de su territorio?

El presidente John Quincy Adams, en la época en que era secretario de Estado de James Monroe, proporcionó un apuntalamiento moral —por supuesto, evangélico— a los argumentos prácticos para no derramar sangre estadounidense en suelo extraño. Una vez que Estados Unidos empezara a recorrer la senda del intervencionismo militar en el extranjero, profetizó Adams, aun cuando las guerras que librara allende sus fronteras lo fueran por el mejor de los motivos —incluso si el fin fuera liberar a otros— Estados Unidos se encontraría hundiéndose en un abismo moral además de estratégico. En parte porque sus motivos serían tan buenos, advirtió, Estados Unidos «se involucraría más allá de la capacidad de no quedar atrapado en todas las guerras de interés e intriga, de avaricia, envidia y ambición personal que asumen los colores y usurpan el estandarte de la libertad.»

En un discurso pronunciado ante una gran multitud en la nueva capital de Washington el 4 de julio de 1821, Adams advirtió que cuanto más utilizara Estados Unidos su creciente poderío en intentar conceder la libertad a los demás, más probabilidades había de que su espíritu y compromiso con las propias libertades se corrompieran. Más de setenta años antes de que se erigiera la Estatua de la Libertad, Adams retrataba a Estados Unidos como un faro de democracia, que irradiaba esperanza y libertad en el mundo oscuro y oprimido porque se mantenía por encima y fuera de la refriega. Pero ¿qué pasaría si, por el contrario, intentara liberar al mundo por la fuerza?

«El birrete sobre su frente —peroró Adams como si describiera alguna grave mancha moral— ya no reluciría más con la inefable magnificencia de la libertad y la independencia; por el contrario, no tardaría en ser sustituido por una diadema imperial, que brillaría con el lustre falso y empañado del turbio resplandor del dominio y el poder.»

En el análisis de Adams, la utilización del poder era, en sí y por sí, corrupta. La confianza de Estados Unidos en el poder, tal y como preveía Adams, haría que se olvidara de su compromiso con la libertad. Una vez que empezara a liberar a los demás, se corrompería por su confianza en la fuerza. «Las máximas fundamentales de su política —predijo Adams— irían cambiando inadvertidamente desde la libertad a la fuerza.» En aras de su bondad, instaba Adams, Estados Unidos no debía salir al extranjero «a buscar monstruos que destruir. Podría convertirse en la dictadura del mundo», admitía, pero «ya no sería nunca más la dueña de su espíritu.»

Hasta la II Guerra Mundial, la mayoría de los estadounidenses seguían estando de acuerdo con John Quincy Adams en que era mejor permanecer en un virtuoso distanciamiento de las luchas externas. Después de todo, Estados Unidos no se había fundado para convertirse en otra Roma u otra Britania, para sustituir, en suma, la garbosa toga republicana de la libertad por una «diadema imperial». ¿O era ese el destino de Estados Unidos, después de todo? Esta pregunta, esta fastidiosa duda ha estado presente en todos los debates sobre las guerras extranjeras, y su participación en ellas o no, celebrados en Estados Unidos en los últimos doscientos años.

Por dos veces en la historia de Estados Unidos, la cuestión del poder y el mal en relación con su participación en las guerras foráneas ha adquirido una importancia primordial en el debate nacional; y en ambos casos ha conducido al país al borde de un ataque de nervios nacional. Una de esas veces, como todo el mundo sabe, fue en la época de la guerra de Vietnam. La otra, casi olvidada, se produjo durante un período aun más fatídico para Estados Unidos y su gente. Tras tomar posesión del cargo en 1845, el presidente James Knox Polk decidió que la virtud estadounidense no estaba produciendo los resultados previstos con la suficiente rapidez. Después de casi setenta años de independencia, el territorio de Estados Unidos todavía no llegaba hasta el océano Pacífico, así que Polk resolvió cumplir el «destino manifiesto» de Estados Unidos mediante el uso de la fuerza. Para su tarea autoimpuesta, Polk se valió de las estratagemas de la hipocresía y el engaño y se ayudó con las tácticas de la cobardía y el matonismo.

Polk tenía para su presidencia lo que hoy llamaríamos una agenda oculta. Y empezó a cumplirla en el momento de asumir el cargo, al traicionar la promesa de su campaña electoral de ir a la guerra contra Gran Bretaña si los británicos no reconocían la propiedad de toda la costa noroccidental del Pacífico a Estados Unidos. El territorio en litigio era conocido como «Oregon», pero esta enorme área incluía lo que hoy es la provincia canadiense de Columbia Británica, además de los Estados de Oregon y Washington. Se extendía desde Nevada y California hasta Alaska y el Yukon.

Una guerra contra Gran Bretaña por el control de todo Oregon habría sido popular; tanto, por supuesto, que si Polk no hubiera prometido semejante guerra a los votantes, lo más probable es que hubiera perdido las elecciones. Pero Polk fue uno de los jueces del poder más astutos de la historia presidencial de Estados Unidos; y, una vez en el cargo, adaptó sus acciones para adecuarlas a la realidad del poder. Gran Bretaña era un país poderoso, que disponía de la armada más poderosa del mundo, así que Polk hizo un trato con los británicos. De resultas del mismo, una enorme parte del Norte de América permanecería bajo el gobierno colonial británico. Lo que habría sido una costa del Pacífico estadounidense, que se extendería sin interrupción desde el río Columbia hasta el mar de Bering, está interrumpida hoy por la costa canadiense del Pacífico. El nombre del territorio perdido —Columbia Británica—, que llega hasta nuestros días, condena la idea de que el triunfo de la virtud republicana estadounidense sobre aquellos imperios corruptos del viejo mundo sería, de una forma u otra, inevitable, o culminada alguna vez, incluso en el Norte de América.

La pusilanimidad del presidente Polk con los poderosos británicos le costó a Estados Unidos medio Oregon; y lo compensó robando la mitad de México. Lo que los historiadores llaman «intriga de guerra» del presidente Polk fue un plan brillante, brillantemente ejecutado. Tras evitar en primer lugar la guerra contra Gran Bretaña y aceptar bastante menos territorio del que tenía que conseguir en el noroeste —para lo que había sido elegido— y, en su lugar, atacar a su débil vecino meridional, México, y quitarle la mitad septentrional de su territorio, el que discurría desde Texas hasta California, Polk aumentó el de Estados Unidos en más de dos millones quinientos noventa mil kilómetros cuadrados. También partió el alma de Norteamérica.

Luego, la reacción de indignación moral —el sentimiento de que un presidente estadounidense había traicionado los valores nacionales, que había, de hecho, corrompido la razón del ser del propio país al meterle, mediante engaño, en una guerra injusta— fue especialmente enérgica en los medios universitarios y, finalmente, en el Congreso. «Cuando un país es invadido y conquistado injustamente por un ejército extranjero», protestaba un estudiante de Harvard llamado Henry David Thoreau, «creo que nunca es demasiado pronto para que los hombres honrados se sublleven y hagan una revolución. Lo que confiere a este deber su carácter urgente es el hecho de que el país así invadido no es el nuestro, sino que lo nuestro es el ejército invasor.» Aquel artificioso ataque presidencial era también una agresión a la Constitución, como no tardaron en darse cuenta aquellos que se opusieron a ella en el Congreso. «Permitamos que el presidente invada una nación vecina siempre que lo juzgue necesario», protestaba un recién elegido congresista por Illinois llamado Abraham Lincoln, «y le estaremos permitiendo que haga la guerra a su antojo. Estudiemos si podemos ponerle algún límite a su poder.»

Los manifestantes protestaron, pero el presidente hizo su guerra. El despiadado uso de la fuerza de Estados Unidos le proporcionó a Polk sus conquistas. La victoria sobre México jamás se puso en duda, pero los estadounidenses tendrían que vivir y morir con las consecuencias de este cambio desde los principios de la libertad a los de la fuerza. Fueron los que apoyaron la guerra de México con más énfasis los que al final sufrieron más las consecuencias. La doble expansión del poder de Estados Unidos llevada a cabo por Polk —en Oregón, por el noroeste, y en México, por el suroeste— había sido deliberadamente simétrica, en un intento de equilibrar los intereses entre facciones dentro de Estados Unidos. En el plan de Polk, se suponía que las aspiraciones del Norte quedarían satisfechas con las adquisiciones pacíficas por el noroeste, mientras que al Sur se le complacía con las conquista por el sudoeste. Y, al principio, a los estados esclavistas del Sur les llenó de alegría el ataque contra México de Polk.

Una de las razones por las que los sureños apoyaron la guerra contra México con tanto entusiasmo fue su creencia en que el confiscamiento de aquellos enormes territorios de suelo extranjero conduciría a «una ampliación de la zona de libertad», siendo la libertad a la que se referían, claro, la de practicar la esclavitud. Imaginaban que en los territorios así arrebatados a México florecería la esclavitud y que también —gracias a la previsión de los «tres quintos de persona» de la Constitución que la premiaba— prosperarían las fortunas políticas del Sur. Más Estados esclavistas, pensaron, significaría más miembros proesclavitud en la Cámara de Representantes y, cada cuatro años, también más votos proesclavitud en los colegios electorales.

Pero resultó que Arizona y California no eran más apropiadas para la expansión occidental de la economía esclavista que lo que eran Oregon o Washington. Las conquistas occidentales de Polk produjeron el efecto contrario al esperado por las fuerzas proesclavitud. La creación de nuevos Estados cambió el equilibrio del poder nacional de manera permanente y manifiesta en contra del Sur. Superados en número y derrotados en las urnas por el creciente rosario de nuevos Estados contrarios a la esclavitud, los estados esclavistas, movidos por el miedo y la frustración, se fueron decantando progresivamente hacia la secesión. Y cuando el Sur intentó abandonar la Unión, en ambos lados surgieron montones de avezados militares dispuestos a combatir en la guerra civil. Grant, Lee y la mayoría de los demás generales famosos, tanto de la Unión como de la Confederación, se habían fogueado en la guerra combatiendo contra México. Al cabo de trece años, la guerra para «extender la zona de libertad» a expensas de México condujo a los estadounidenses a matarse entre sí a centenares de miles, una vez más, en nombre de la libertad.

Quienquiera que fuera el presidente, por medio tanto de la guerra como de la paz, la expansión del poder de Estados Unidos fue inexorable. Estados Unidos había superado la producción económica de Gran Bretaña a principios del siglo XX y se convertía en el país más rico de la tierra. Tras la confiscación del canal de Panamá por Teddy Roosevelt, y las numerosas intervenciones militares en Latinoamérica tanto por su parte como por la de Woodrow Wilson, Estados Unidos era un poder regional y, por supuesto, hemisférico. Aun antes de eso, la victoria en la guerra hispano-norteamericana había demostrado que Estados Unidos era, con o sin la conciencia de sus ciudadanos, un poder mundial; o lo sería, si decidía utilizar su poder en el escenario mundial. Pese a todo, la tradición de que la participación en las luchas del viejo mundo mancillaría la bondad de Estados Unidos, además de ser un derroche de dinero y de vidas, permanecía profundamente arraigada en las creencias y política nacionales. El presidente Wilson se enfrentó a grandes dificultades para meter a Estados Unidos en la I Guerra Mundial, y si los japoneses no hubieran atacado Pearl Harbor en 1941, resulta difícil imaginar cómo se las habría arreglado el presidente Franklin Roosevelt para involucrarse en la II Guerra Mundial.

Lo contrario resulta todavía más difícil de concebir. Intentar imaginar un siglo XX en el que Estados Unidos no se convirtiera en el poder mundial decisivo —en el que los estadounidenses no combatieran y derrotaran a Alemania y Japón en la batalla por el control de Europa Occidental y la cuenca del Pacífico— es como intentar imaginar un mundo sin armas nucleares. Habrá gente que tenga memoria de una época en la que no existían, pero es imposible imaginar lo que habría sido el futuro —esto es, el presente— sin ellas.

Fueran cuales fuesen los «pudiera haber sido», después de la II Guerra Mundial, Estados Unidos abandonó finalmente y de manera irrevocable la idea de que, excepto en las circunstancias más excepcionales, debía mantenerse al margen de las rivalidades y conflictos del mundo exterior. De hecho, a partir de entonces apenas pareció haber un conflicto o enfrentamiento —desde Berlín al Congo y desde Beirut al estrecho de Taiwan— en el que Estados Unidos no estuviera inmerso. ¿Por qué actuó así? Los historiadores y economistas pueden proporcionar diferentes clases de explicaciones a la razón de que Estado Unidos se convirtiera en la superpotencia intervencionista que es en la actualidad. Pero en cada etapa crucial de la expansión del poder global de Estados Unidos, ni los líderes ni el pueblo estadounidenses entendieron, explicaron o justificaron sus acciones en los mismos términos que las razones esgrimidas por historiadores y economistas.

En cambio, la justificación en cada etapa para esta inmensa proyección del poder de Estados Unidos de una punta a la otra del globo, fue siempre la necesidad de combatir el mal; un mal personificado por hombres malvados, un mal al que los estadounidenses tenían el derecho moral, y por tanto estaban moralmente obligados, a oponer resistencia. El mal —fuera bajo la apariencia del nazismo o la del comunismo, de la de Hitler, Stalin, Mao o la de uno cualquiera de la gran cantidad de pequeños villanos de cada momento— proporcionaba la excusa a Estados Unidos para mezclarse, como dijo John Quincy Adams, «más allá de la capacidad de no quedar atrapado», en los conflictos exteriores de casi todas partes.

La extendida idea de que el mundo más allá de Estados Unidos era el mal no había cambiado; lo que había cambiado era la creencia en cómo debía comportarse Estados Unidos ante aquel supuesto mal. En 1821, John Quincy Adams había utilizado un recurso retórico para exponer su argumento. Estados Unidos «sabía bien», afirmaba, que no debía salir al exterior a cazar monstruos. En 1961, se aseguró que Estados Unidos sabía algo más: que debía y que, de buen grado, «pagaría cualquier precio, soportaría cualquier carga y combatiría a cualquier enemigo para defender la causa de la libertad y garantizar el triunfo de la misma en todo el mundo.» El rechazo de plano de Kennedy al enfoque sobre los asuntos exteriores de los fundadores de la patria hizo estremecer a la nación y a una generación que, a la vuelta de ocho años, se dividiría en dos por las protestas contra la guerra de Vietnam.

En su discurso de despedida pronunciado unos pocos días antes del de investidura de Kennedy, el presidente saliente, el general Dwight Eisenhower, lanzó una clase diferente de mensaje. Tras reflexionar acerca de lo mucho y lo muy deprisa que había cambiado Estados Unidos, habló a sus compatriotas de la nueva clase de peligro que había generado aquel cambio. «Hasta el último de los conflictos mundiales», recordó Eisenhower, refiriéndose a la participación de la nación en la II Guerra Mundial, «Estados Unidos no tenía una industria armamentística. Los fabricantes de arados, con tiempo y cuando era necesario, también podían fabricar espadas.» Pero la II Guerra Mundial, la guerra de Corea y, sobre todo, la guerra fría, había cambiado aquello. En ese momento, Estados Unidos, como Eisenhower señaló a continuación, tenía «una industria armamentística permanente de enormes proporciones. Aparte de eso, tres millones y medio de hombres y mujeres están involucrados de manera directa en la creación de la defensa, y el gasto anual en seguridad militar supera la suma de los ingresos netos de todas las empresas de Estados Unidos», terminó recordando el presidente saliente a sus compatriotas.

Como resaltó entonces Eisenhower, por primera vez en la historia Estados Unidos tenía una economía —y, por tanto, una sociedad y una política— en la que la guerra, en especial el desarrollo y producción de armas de destrucción masiva cada vez más sofisticadas, proporcionaba el sustento a millones de personas de manera permanente. «Esta conjunción de un inmenso grupo social militar y una gran industria armamentística es una novedad en la experiencia de Estados Unidos —añadió Eisenhower—. La influencia global —económica, política, incluso espiritual— se deja sentir en cada ciudad, en cada parlamento estatal, en cada cargo gubernamental federal.»

La alerta de Eisenhower haría que su discurso de despedida de 1961 ocupara —al igual que el de Adams del 4 de julio de 1821— un lugar permanente en el debate estadounidense sobre la interrelación entre la libertad y la fuerza. «En los consejos de gobierno —instó Eisenhower— debemos evitar la consecución de una influencia injustificada, buscada o no, por parte del complejo industrial militar.» Ciento cuarenta años después de que Adams lanzara su advertencia, Eisenhower se daba cuenta de que, gracias a la creación de una maquinaria bélica permanente en Estados Unidos, los peligros previstos por Adams se estaban haciendo realidad. Su advertencia al respecto fue bastante explícita: «El potencial desastroso del ascenso del poder mal ubicado existe y persistirá. Jamás debemos dejar que el peso de esta combinación ponga en peligro nuestras libertades o procesos democráticos». Luego, en su propio estilo, Eisenhower recordó a los estadounidenses que el precio de la libertad es la vigilancia eterna: «No debemos dar nada por supuesto. Sólo el estar alerta y una ciudadanía informada pueden obligar a la enorme maquinaria militar e industrial de la defensa al adecuado engranaje con nuestros métodos y objetivos pacíficos, de manera que la seguridad y la libertad pueden avanzar juntas».

La salida de Eisenhower y la llegada al poder de Kennedy marcó un hito, aunque no el momento de «antorcha traspasada» que pervive en la mitología estadounidense. Con Kennedy como presidente, el gasto militar y la intervención bélica de Estados Unidos cortaron amarras por completo con cualquier amenaza real contra el país, además de con la capacidad real de defenderse. El desamarre funcionó de dos maneras. Por un lado, la guerra de Vietnam sería una guerra que se libraría sin que mediara razón alguna relacionada con la «defensa» de Estados Unidos. Pero también se haría el trabajo preliminar para el 11-S, porque lo que se gasta en defensa tiene tan poco que ver con la defensa real de Estados Unidos gracias a la «influencia injustificada» de los defensores del incontable gasto militar «en cada ciudad, en cada parlamento estatal y en cada cargo gubernamental federal.»

Adams y Eisenhower, es importante resaltarlo, no tenían miedo a la guerra, sino que temían a lo que el último llamaba «la consecución de una influencia injustificada, buscada o no, por parte del complejo industrial militar» que, en palabras de Adams, privara a Estados Unidos de lo que ningún enemigo exterior podía quitarle: el «inefable esplendor de la libertad.»

Incluso en la década de 1820, esta eterna cháchara entre estadounidenses sobre si Estados Unidos encarnaba la libertad podía resultar tan desconcertante e irritante para los extranjeros como resulta hoy. Pasaba lo mismo en tiempos de John Quincy Adams cuando se trataba de sus efusiones sobre el «inefable esplendor de la libertad.» «¿Qué pasa con sus millones de esclavos africanos?», exclamó el embajador ruso en Estados Unidos cuando escuchó a John Quincy Adams aquel mismo 4 de Julio de 1821. Tras lanzar su advertencia en contra de que Estados Unidos luchase en las guerras del exterior en nombre de la libertad, continuó pretendiendo que la creación de la República estadounidense, al contrario que la formación de los reinos e imperios de Europa, había sido un triunfo de la libertad pura «en la que la conquista y la servidumbre no tenían cabida.» Aquello fue demasiado para el representante del Zar en Washington. «¿Y que pasa con sus dos millones de esclavos negros que cultivan una gran extensión de su territorio para su particular y exclusivo beneficio?», preguntó el diplomático ruso. «Se olvida de los pobres indios a los que no han dejado de expoliar», censuró a Adams en los márgenes de la copia impresa del discurso.

Como diría en términos más comedidos el asesor de Lyndon Johnson para la guerra de Vietnam, Walt Whitman Rostow, había «un doble signo de bastardía que trasciende la estructura de la vida estadounidense»: los dos pecados originales de la «trata de esclavos africanos» y de la «aniquilación de los indios». A lo largo de su historia, los estadounidenses han preferido ignorar esa «historia»; cegarse a sí mismos con la resplandeciente gloria de su supuesta bondad ha sido una de las maneras más efectivas de conseguirlo.

La identificación del poder con lo bueno —mientras se trate del poder de Estados Unidos—, ha tenido un beneficio adicional para los estadounidenses: además de ayudarlos a evitar cualquier reconocimiento de sus defectos, de manera automática convierte en «mal» a aquellos que oponen resistencia. De la misma manera que extendiendo la esclavitud los estadounidenses «extendían el territorio de la libertad», tampoco mataron a los indios ni robaron la tierra a México; en su lugar, Estados Unidos conquistó «la frontera». En cuanto a la esclavitud, la nación se enfrentó a aquella oscura circunstancia directamente y de una vez por todas. Antes de que terminara, en la guerra civil habían muerto más estadounidenses que en ninguna otra guerra, y más, en cualquier caso, que en Vietnam, Corea y la I y II Guerras Mundiales juntas.

Los estadounidenses no sólo creen en la perfectibilidad del mundo, que a veces extienden para que abarque incluso a sitios tales como Irak; también creen en la perfectibilidad del pasado. Esa es una de las razones por las que James Knox Polk haya sido casi borrado del mapa, por más que no haya duda de que se trata del presidente más importante entre Jackson y Lincoln. Imaginémonos a Estados Unidos sin Hollywood, el Golden Gate y Las Vegas, además de sin *Dallas*, *Dinastía* y el Gran Cañón. Estaremos imaginándonos lo que sería, o mejor aun, lo que no sería, si Polk no hubiera robado el norte de México. Para empezar, Richard Nixon y Ronald Reagan, junto con Lyndon Johnson y los dos Bush habrían resultado inelegibles para el cargo de presidente por tener fijada su residencia en el extranjero.

La despiadada utilización del poder de Estados Unidos por James Knox Polk no sólo cambió las relaciones de poder dentro del país, sobre todo entre los Estados esclavistas y el resto de la Unión, sino que también cambió, y para siempre, la naturaleza de las relaciones entre Estados Unidos y el mundo exterior, empezando con sus vecinos latinoamericanos, que, a partir de entonces, quedaron sujetos progresivamente a la dominación de aquél. En la práctica, y como resultado de su acción, el papel de Estados Unidos como potencia del Pacífico (Pearl Harbor, Hiroshima, Vietnam) se hizo inevitable.

Y al mismo nivel de importancia, Polk también promovió las trampas del oficio de la presidencia imperial. Mucho antes de que George Bush afirmara que Sadam Husein tenía armas de destrucción masiva con el fin de justificar su invasión de Irak, Polk creó el paradigma de la guerra presidencial, incluyendo el engaño sistemático al Congreso y al público. Quizá si los estadounidenses se acordaran más a menudo de Polk, se conocerían mejor a sí mismos. Sin duda, tendrían una idea más aproximada de cómo los ven los demás.

La mayor parte de los estadounidenses sólo tienen una vaga idea de cómo Teddy Roosevelt «cogió» el canal de Panamá; por otro lado, ignoran casi por completo que la historia de la agresión militar de Estados Unidos en Latinoamérica continúa en nuestros días. Sólo en las últimas décadas, ha intervenido —clandestina o abiertamente— en Guatemala, El Salvador, Honduras, Nicaragua, Panamá, Cuba, Haití, Republica Dominicana, Granada y Chile. Y lo ha hecho para «detener el comunismo» o para «construir la democracia»; pero ya sea el presidente un defensor de los derechos humanos como Bill Clinton (Haití), ya un partidario de la seguridad nacional como Nixon (Chile), el caso es que la intervención de Estados Unidos ha sido incesante.

Desde la II Guerra Mundial, Estados Unidos ha extendido su modelo de comportamiento en Latinoamérica a gran parte del resto del mundo, en especial al Tercer Mundo. Dentro de Estados Unidos, entre los estadounidenses, el debate sobre tales intervenciones es siempre un debate sobre lo correcto y lo incorrecto. Correcta o incorrectamente, y sean cuales fueren las circunstancias morales, el caso es que el poder estadounidense sigue llenando vacíos de poder; incluso cuando la «amenaza» comunista utilizada para justificar semejantes intrusiones desaparece, y se tienen que crear amenazas de personajes de dibujos animados como el «eje del mal» porque ya no quedan hitleres reales en el mundo. La visión que Estados Unidos tiene del mundo tiene permanentemente un sesgo militar porque su gasto militar por persona duplica el de cualquier otro país industrializado. Cuando, militarmente hablando, Estados Unidos se pavonea por el teatro de operaciones del mundo, el coloso va de esteroides hasta las cejas.

«Por fin, estamos empezando a comprender el significado de las reservas», comentaba el senador J. William Fulbright hace casi cuarenta años, durante las sesiones del Congreso por los procesos de la guerra de Vietnam. Se estaba refiriendo a la manera en que la acumulación de armas de la guerra fría, con la que se pretendía disuadir a los soviéticos de cualquier ataque contra Europa occidental, ayudaba a impulsar a Estados Unidos a librar una guerra en el Sureste Asiático, a 16.000 kilómetros de distancia. El ejemplo de esta causalidad no deliberada era el bombardero B-52, un avión diseñado para lanzar armas nucleares sobre los emplazamientos de los misiles soviéticos que terminó arrojando explosivos convencionales sobre aldeas de cabañas de juncos en Laos. A lo largo de décadas, se habían ido añadiendo a las armas una reserva de «intelectuales de la defensa». Piénsese en Cheney como en un bomba sucia; en Wolfowitz como en el ántrax. Pensemos en Rumsfeld, Perle y los demás como en unas horribles ampollitas del virus de la viruela. Estas armas de destrucción masiva jamás son eliminadas; simplemente se las almacena en gabinetes estratégicos, consultorías y sinecuras académicas. Luego, llega alguien como George W. Bush y abre el almacén.

¿Y cuál es la consecuencia de todo esto? Objetivamente hablando, Estados Unidos representa la mayor amenaza para la paz mundial, y así ha sido durante mucho tiempo y no sólo porque sea la única superpotencia. Al mismo nivel de importancia se sitúa el hecho de que, en la actualidad, está bastante más dispuesta a utilizar su fuerza que cualquier otra nación poderosa. Aunque los estadounidenses se muestran cultural y emocionalmente ciegos al hecho, la mera intromisión de la fuerza de Estados Unidos es, en y por sí misma, desestabilizadora. Además, en el horizonte inmediato no se vislumbran probabilidades de que se pueda corregir el desequilibrio de poder en el mundo.

Cuando las instituciones más venerables de una república ya no cumplen los fines para los que fueran creadas, surge la posibilidad de que los pequeños conciliábulos usurpen el poder y, mientras mantienen las formas, corrompan las funciones de aquellas instituciones en beneficio propio. Bajo este prisma, podemos considerar que la presidencia de George W. Bush ha sido tanto el resultado como el síntoma de la decadencia de los mecanismos constitucionales estadounidenses. Los defectos no solucionados del colegio electoral, en combinación con la corrupción del Tribunal Supremo por una camarilla partidista, permitió que tomara posesión de la Casa Blanca un Comandante en Jefe que no había elegido el pueblo estadounidense. Visto así, la historia de la presidencia de George W. Bush es la versión de un famoso cuento de Plutarco. No podemos saber las catástrofes que se podrían haber evitado si los romanos hubieran sido más celosos a la hora de preservar la esencia, y no sólo las apariencias, de las instituciones de la República. Lo que sí sabemos es que en Estados Unidos —como en Roma durante su decadencia— empezaron a suceder cosas extrañas en cuanto un grupo de extremistas osados y estrafalarios se hicieron con el control de la mayor fuerza militar del mundo.

El Senado romano perduró en apariencia hasta mucho tiempo después de que sus funciones y poderes fueran usurpados por los césares, un título que, a la sazón, tenía un significado más cercano al del actual «comandante en jefe» que al de «emperador». Por desgracia, en estos momentos resulta evidente que Estados Unidos ha visto cómo, en menos de diez años, se ha ido extendiendo subrepticiamente en sus instituciones un especie de depravación. La pretensión de la fuerza del *impeachment*, o proceso para la remoción del cargo, nunca fue la de que se utilizara como herramienta en la lucha política, como recurso para derrotar a un presidente que no pudiera ser vencido en las urnas. Sin embargo, esto es lo que ocurrió en 1998, cuando se acusó a Bill Clinton de cometer un delito en el desempeño de su cargo.

Los debates celebrados en el Senado de Estados Unidos con anterioridad a la invasión de Irak resultaron especialmente reveladores de la creciente disfunción sistémica de Estados Unidos. El derecho a la oratoria de todos los senadores se respetó de manera escrupulosa, de forma que se asistió a multitud de hermosos discursos, algunos tan meritorios en lo filosófico como en lo retórico. Observada la formalidad, el Comandante en Jefe lanzó su invasión.

Aparte del hecho de que el control del Partido Republicano haya caído en manos de radicales sin escrúpulos que no respetan los principios de la democracia, ¿qué más demuestran estos acontecimientos? Pues lo que lord Acton observó algo más de una generación después de que John Quincy Adams, a su manera, planteara el mismo argumento: «El poder corrompe, y el poder absoluto tiende a corromper absolutamente». No hay nada sorprendente al respecto. No lo hay, al menos, si no da la casualidad de que se crea, como creen la mayoría de los estadounidenses, que cada uno de ellos y su país están a salvo de las fuerzas corrosivas de la historia. Desde el punto de vista de un historiador clásico, sería raro si el formidable poder mundial de Estados Unidos no hubiera conducido a la corrupción de sus propias instituciones políticas internas, sobre todo en una época en que es tan fácil utilizar los mecanismos no constitucionales (en especial la manipulación de imágenes de vídeo y el reparto de exenciones fiscales, el equivalente actual del «pan y circo») para manipular la opinión y generar dinero para el gasto político.

Existe, claro está, la explicación tecnológica para el hecho de que Estados Unidos tenga un poder tan inmenso y sin barreras. La moderna tecnología militar significa que, si un Comandante en Jefe de Estados Unidos da la orden, el país puede hacer en cuestión de semanas o meses lo que a los romanos, los persas e, incluso, a los grandes ejércitos de la II Guerra mundial, les hubiera llevado años, cuando no décadas, realizar.

Desde un punto de vista tecnológico, George W. Bush y Osama bin Laden son, uno respecto del otro, como espejos de feria. George W. Bush invadió Irak porque podía, es decir —y aquí la tecnología completa el círculo de la pesquisa moral—, invadió Irak por la misma razón por la que Osama bin Laden destruyó el World Trade Center: la tecnología lo permitía, por eso lo hizo.

Hoy en día, algunos grupos reducidos de individuos pueden desatar fuerzas destructivas de las que carecían las naciones-Estados hace sesenta años, lo cual ha servido no tanto para derrotar el poder de Estados Unidos como para hacerlo irrelevante. George W. Bush tiene la potencia para conquistar Irak y Afganistán, pero no puede evitar que unos fanáticos islámicos —o simplemente unos chiflados del ántrax locales— hagan explosionar una bomba nuclear en el puerto de Nueva York o que esparzan un gas neurotóxico por los conductos del aire acondicionado de la Casa Blanca. Una manera de interpretar los recientes acontecimientos es considerarlos como el esfuerzo desesperado del gobierno de Bush por convencerse a sí mismo, cuando no al mundo, de que golpear a los malhechores como Sadam Husein sigue teniendo relevancia para proteger las vidas y propiedades de los estadounidenses. La realidad tecnológica, sin embargo, es que los poderes destructivos en cuya acumulación y orientación práctica han invertido sus vidas esos planificadores bélicos estadounidenses son sencillamente irrelevantes en una época dominada, tanto para el bien como para el mal, por los dos inventos más estadounidenses: la libertad personal y la tecnología de masas.

Tal vez, lo que George W. Bush ha demostrado por encima de todo es que John Quincy Adams y Dwight David Eisenhower tenían razón. Recordémosle descendiendo del Air Force One rodeado de sus hombres de «seguridad». ¿No es eso que emana de él «un lustre falso y empañado»? Sin duda, eso es lo que ve en él la gente del resto del mundo. Bush bien podría ser la personificación del « turbio resplandor del dominio y el poder».

¿Quién hay que personifique mejor la «consecución de una influencia injustificada» que Dick Cheney? Combinemos el «lustre empañado» que personifica George W. Bush y la «influencia injustificada» de la que es ejemplo Cheney con la desatención de la advertencia de Eisenhower por parte del público estadounidense, y casi tendremos la descripción pormenorizada de lo que, cuarenta años después, ha ocurrido con Estados Unidos y su gobierno. ¿Y si dejamos que los Dick Cheney usurpen los procesos de decisión de nuestra democracia en «cada ciudad, cada parlamento estatal, en cada cargo gubernamental federal? ¿Y si luego los dejamos que coloquen a alguien como George W. Bush en el cargo? «El potencial desastroso del ascenso del poder mal ubicado existe y persistirá», advirtió Eisenhower.

«Jamás debemos dejar que el peso de esta combinación ponga en peligro nuestras libertades o procesos democráticos», añadió. Pero ¿y si semejante combinación pusiera en peligro el proceso democrático, y el pueblo estadounidense siguiera sin hacer nada; ni siquiera cuando el proceso democrático en cuestión fuera la elección del presidente de Estados Unidos? «Sólo el estar alerta y una ciudadanía informada pueden obligar a la enorme maquinaria militar e industrial de la defensa al adecuado engranaje con nuestros métodos y objetivos pacíficos, de manera que la seguridad y la libertad puedan avanzar juntas», declaró Eisenhower. ¿Y si, en lugar de prestar atención a esta advertencia, los estadounidenses lo dieran todo por supuesto? ¿Y si no estuvieran «alerta e informados»? ¿Y si la ciudadanía estadounidense no moviera un dedo cuando «la enorme maquinaria industrial y militar» usurpara «nuestros métodos y objetivos pacíficos? Pues entonces ni la seguridad ni la libertad podrían prosperar; y bajo George W. Bush, ni una ni otra lo han hecho.

CONCLUSIÓN

Un mal innecesario

Para los estadounidenses, el mal es una amenaza exterior que proviene de sitios exóticos. Por lo general, sus personificaciones tienen bigotes y se pavonean vestidos de uniforme (Hitler, Sadam Husein), aunque a veces van bien afeitados (Noriega, Gadafi). Sin embargo, no siempre ha de ser un dictador militar; en ocasiones, y por lo que ataña a Estados Unidos, los líderes civiles elegidos democráticamente (Arbenz en Guatemala, Allende en Chile, Mossadeq en Iran) también han constituido un mal. Luego, están los villanos que no admiten una fácil catalogación. Ho Chi Minh, Mao, incluso Stalin. Todos ellos eran demasiado complicados, personal o históricamente, y demasiado útiles para Estados Unidos en diversos momentos, para no ser incluidos entre los amigos de la libertad, siquiera fuera durante un tiempo. Esto no los salvó de ser demonizados cuando cambió la actitud de los estadounidenses hacia ellos.

Mao Zedong, por ejemplo, empezó siendo (a los ojos de los estadounidenses) un idealista que luchaba por conseguir la reforma agraria y abolir la corrupción. En su época de la guerrilla, el líder chino impresionó de manera muy favorable a los funcionarios de la inteligencia estadounidense que llegaron a conocerlo. También acabó siendo muy admirado tanto por los radicales universitarios como por los amorales como Henry Kissinger, aunque por diferentes motivos. El presidente Richard Nixon sentía una especial veneración por Mao a causa de su supuesta comprensión de la política realista (aunque, hacia el final de su vida, las meteduras de pata ideológicas de Mao hubieran convertido a China, estratégica y económicamente hablando, en un tigre de papel). En el intervalo que va de 1950 a 1970, sin embargo, Mao, según la demonología oficial de Estados Unidos era el hombre más peligroso de la tierra, puesto en el que había sido precedido por Hitler y Stalin.

Durante veinte cruciales años de la guerra fría, esta idea de que Estados Unidos estuviera comprometido en una guerra a nivel mundial contra el mal condicionaba todo cuanto hacía. La guerra en Vietnam, no nos olvidemos, se empezó no sólo para «salvar» Vietnam del Sur. Se libró, según dijeron los líderes estadounidenses, para evitar que el «bloque sino-soviético» (en sí mismo, una entidad ilusoria) invadiera Asia y «convirtiera el océano Pacífico en un mar rojo.» Este maremoto de maldad se imaginaba tan imparable, que si Vietnam del Sur se llegaba a perder realmente alguna vez caería incluso el Estado de Hawai. «Nos veríamos obligados a retrasar nuestras defensas hasta California», le dijo Lyndon Johnson a John F. Kennedy, quien, a su vez, aseguraría que «tras las guerrillas que minan al valeroso pueblo de Vietnam del Sur están los malvados gobernantes de la China Roja»

Ahora nos damos cuenta de que la guerra de Indochina fue una locura estratégica, pero es importante recordar que Kennedy y Johnson creían sinceramente en la teoría del dominó. ¿Por qué otra razón habría enviado Kennedy a Vietnam del Sur a más de 10.000 «asesores» estadounidenses, y Johnson, a su vez, intensificaría el conflicto hasta convertirlo en una guerra de importancia? La gran revelación de los «Papeles del Pentágono» —la historia documental del departamento de Defensa sobre la concentración estadounidense en Vietnam, que Nixon intentó mantener en secreto— es que el presidente Johnson y sus asesores creían de verdad en lo que le decían al público estadounidense. ¿Y qué hay de George W. Bush? Tal vez no lo sepamos nunca. Una de sus decisiones, recién entrado en la Casa Blanca, fue dificultar aun más a los futuros historiadores y al público en general el acceso —incluso hasta décadas después de abandonar el cargo— a los papeles que documenten sus decisiones. No dejará grabaciones tras él para los análisis.

Junto con Hitler y Stalin, Mao constituyó la trinidad del mal que desde 1940 a 1970 justificó y facilitó la intervención de Estados Unidos en tres guerras de importancia (la II Guerra Mundial, Corea y Vietnam), además de en otras muchas más pequeñas. Al igual que las actuales de George W. Bush, aquellas guerras no sólo estaban justificadas como las defensas contra el mal de Estados Unidos; cada guerra en la que intervenía, en palabras de Franklin Roosevelt, era una «cruzada en nombre de la libertad». Abraham Lincoln comentó en una ocasión que los estadounidenses estaban dolorosamente necesitados de una definición de libertad. Lo mismo es verdad para el mal, sobre todo cuando se convierte en un factor clave para decidir, o al menos justificar, a quién saldrá a matar Estados Unidos por el mundo. El mal, tras haberse utilizado durante ciento cincuenta años como la gran justificación para que Estados Unidos se mantuviera al margen de los conflictos del exterior, de repente, hace cincuenta años, se convierte en la gran justificación para que se involucre en los mismos. Pero ¿qué es el mal?

La gente siempre discutirá acerca de la naturaleza del mal, pero en dos ocasiones de la historia moderna reciente, el mundo —inclusión hecha de Estados Unidos— se enfrentó realmente a ella, primero bajo la apariencia de la Alemania nazi de Hitler y, más tarde, con la de la Camboya de Pol Pot. La «solución final» de Hitler y los campos de exterminio de Pol Pot tuvieron, además del horror, algo en común. Incluso después de que se conociera la naturaleza y magnitud de la maldad, Estados Unidos se negó a ayudar para detener la matanza. El presidente Franklin D. Roosevelt, el demócrata «liberal», se negó a autorizar los ataques aéreos para destruir los campos de exterminio de Hitler; el presidente Ronald Reagan, el republicano «conservador», hizo algo mejor que aquél: autorizó la ayuda clandestina a Pol Pot y a los jemeres rojos; qué mejor para combatir al «Imperio del Mal» de la Unión Soviética.

Si se estudian los actos de Estados Unidos durante los últimos cincuenta años, es imposible discernir ninguna definición consistente de mal, resultando mucho más fácil establecer una correlación entre la imputación de «malvado» y los cambios en la política exterior. Mao fue «bueno» mientras lo que hacía se consideraba que estaba en consonancia con los objetivos ideológicos o estratégicos de los estadounidenses, como pudiera ser la revitalización de China y la derrota del Japón. Mao se convirtió en «maligno» cuando tuvo la audacia de afirmar —de manera equivocada, como se vería— que su ideología, y no la estadounidense, sería la moda del futuro. Muchas décadas después, cuando Nixon decidió que normalizar las relaciones con China podía ayudarlo a aventajar a la Unión Soviética (lo cual sería cierto) y a ganar la guerra de Vietnam (lo cual resultaría erróneo), la virtud de Mao se rehabilitó.

Las vacilaciones en las emociones y el comportamiento de los funcionarios de Estados Unidos no revelan la esencia moral de Mao. Pero sí que insinuaron los factores determinantes de la *realpolitik* del moralismo político estadounidense. De hecho, a menudo, las respuestas estadounidenses más contundentes han sido para los líderes extranjeros que sí intentaban dirigir los asuntos internacionales de acuerdo con las convenciones morales (o, al menos, éticas.)

Mahatma Gandhi no ejerció ninguna influencia en la visión que, a la sazón, tenía Estados Unidos de Asia, de la misma manera que Nelson Mandela no ha influido en lo más mínimo en la política africana de George W. Bush. Por el contrario, Estados Unidos ha mostrado una sólida afinidad por «hombres fuertes» —el Shá, Ayub Khan en Pakistán, Chiang Kai-shek en Taiwan— que resultaron tener los pies de barro. En el punto álgido de la guerra fría, a los estadounidenses les gustaba Kruschev y estaban fascinados por Castro y Ho Chi Minh. Mientras tanto, Nehru, Nasser y Sukarno incurrieron, todos, en la misma hostilidad que, durante el período previo a su guerra de Irak, George W. Bush dirigió a Jacques Chirac de Francia y Gerhard Schröder de Alemania. La reacción de Bush fue de profunda indignación moral cuando las Naciones Unidas y sus diversos organismos —entre ellos el Consejo de Seguridad y la Agencia Internacional de la Energía Atómica— ni apoyaron la guerra que deseaba ni le proporcionaron la justificación material para ella. Entonces, Bush empezó a tratar a las organizaciones pacifistas internacionales como si también fueran «malvadas». Su desprecio por la supuesta ineptitud moral de los demás se extendió de forma regular hasta alcanzar un amplio círculo de instituciones, incluyendo la OTAN. Es como si la comunidad de naciones, y no Sadam Husein, se hubiera convertido en el enemigo de George W. Bush. Pero esto no es tan paradójico como pueda parecer. Sadam Husein y Osama bin Laden refuerzan el sentimiento de autovalía política del presidente de Estados Unidos haciendo que su postura del «con nosotros o en contra» parezca plausible. Chirac y Schröder pusieron en tela de juicio la mismísima legitimidad de Bush como dirigente al sostener que sería la compulsiva necesidad de este último de empezar una guerra en Oriente Próximo —y no la ONU— la que, con toda seguridad, no iba a pasar ni siquiera la primera prueba.

Cuando las bombas empezaron a caer sobre Bagdad, el «eje del mal» inicial de Bush se había dilatado hasta incluir uno mucho más amplio de irritación en el que estaban incluidos, por igual, ciudadanos estadounidenses y aliados. Cuando uno de los expertos en África de Estados Unidos, el embajador Joe Wilson, señaló que los cuentos inventados por Tony Blair sobre la compra, por parte de Sadam, de uranio escindible en la República del Níger eran tonterías, los muchachos de la desinformación del gobierno contraatacaron haciendo saltar la tapadera de su esposa en la CIA, donde trabajaba como analista. Si esto lo hubiera hecho un gobierno que no fuera el de George W. Bush, habría constituido una violación de las leyes federales.

Gracias a la absoluta maestría en la tendenciosidad del gobierno de Bush y Cheney, fueron pocos los estadounidenses que se dieron cuenta, pero la misma transformación de Sadam Husein en malvado fue, en lo concerniente a algunos de los capos del gobierno, un acontecimiento bastante reciente. El caso de Dick Cheney es el más notable. Su Halliburton Corporation siguió beneficiándose de los acuerdos comerciales con Sadam Husein hasta el mismo momento en que fue elegido candidato republicano a la vicepresidencia, en el verano de 2000, diez años después de que Sadam Husein invadiera por primera vez Kuwait. Aun después de que Estados Unidos hubiera librado una guerra contra él y de que Sadam Husein se hubiera convertido en un paria legal además de moral,

Dick Cheney siguió haciendo negocios de manera indirecta con el «mal». Y, de haber tenido la oportunidad, Cheney habría llegado a mayores cotas de intimidad con Sadam.

Cuando se trata de valorar la respuesta real al mal, a diferencia de la retórica, de Cheney, esto es, a la pregunta de cómo tratar con Sadam Husein, dos cifras adquieren relevancia. Una es la de 34 millones de dólares; otra, la de 132 millones de dólares. En el verano de 2000, cuando Cheney abandona Halliburton para convertirse en «residente» de Wyoming y candidato a la vicepresidencia de George W. Bush, se marcha de aquella con una gratificación de 34 millones de dólares. Al cabo de más de tres años, después de que el gobierno de Bush y Cheney hubiera recompensado a Halliburton con miles de millones en contratos para el Irak ocupado por Estados Unidos, y entre los que se incluían más de mil millones de dólares de libre asignación, los informativos de la ABC afirmaron que unos funcionarios estadounidenses de Bagdad habían dicho lo siguiente: «Se cree que unos 132 millones de dólares del dinero que Sadam sacó del Banco Central Iraquí estaban destinados a financiar la resistencia iraquí contra las tropas estadounidenses».

La conexión entre las dos cifras es que parte de los 34 millones de Cheney, además de parte de los 132 millones de dólares que se iban a usar para matar estadounidenses en Irak, es muy posible que procedieran de la misma fuente: los fructíferos acuerdos que las empresas pertenecientes a Halliburton hicieron con Sadam Husein mientras Cheney era su consejero delegado.

Como el mismo Cheney no deja de señalar, Sadam Husein estaba haciendo el mal mucho antes de que Estados Unidos invadiera Irak en marzo de 2003. Sadam atacó Irán en 1979; utilizó gas tóxico contra dicho país en 1984 y, más tarde, en 1988, contra su propio pueblo. En 1990, invadió Kuwait. Sin duda, cometió muchos otros actos despreciables, incluyendo el intento de asesinato del padre de George W. Bush tras su derrota en Kuwait. Sin embargo, ninguna de estas bien conocidas maldades hizo a Sadam Husein lo bastante malvado para que Dick Cheney no quisiera hacer negocios con él.

El objetivo estratégico clave de Estados Unidos en Irak después de que Sadam hubiera sido contenido militarmente, tras su expulsión de Kuwait, era impedir que se convirtiera de nuevo en un peligro consiguiendo armas de destrucción masiva. La piedra angular de la campaña para contener a Sadam fue al embargo comercial autorizado por Naciones Unidas.

La gran acusación utilizada por Bush y Cheney para justificar su invasión de Irak fue que las sanciones habían fracasado. Sadam ya tenía armas de destrucción masiva, argumentaban, agitando en el aire los «expedientes poco de fiar» de Tony Blair para demostrarlo. Pero la gran revelación de su invasión resultó ser que las sanciones habían sido un éxito, algo que se hizo evidente tan pronto comenzó la invasión. Ningún soldado estadounidense murió a causa del gas tóxico, ningún misil iraquí surcó los aires hacia objetivos de Israel y Arabia Saudí, como había ocurrido durante la primera guerra contra Sadam. Y la mayor bendición de todas: no se hizo estallar ninguna asquerosa bomba atómica fabricada por Sadam. Si las acusaciones sobre Sadam y sus armas de destrucción masiva hubieran sido fiables, puede que la invasión de Irak hubiera producido millones de muertos en muchos países. Por suerte, la fabricada «prueba» de Bush y Cheney estaba equivocada.

Las sanciones comerciales contra el Irak de Sadam Husein salvaron incontables vidas. También aspiraban a que, durante su vigencia, la Halliburton Corporation de Cheney no pudiera obtener ningún beneficio en Irak, al menos, no sin violar la ley de Estados Unidos, incluyendo el Acta de Relaciones Comerciales con el Enemigo. Esta injerencia en el libre mercado no casaba nada bien con el futuro vicepresidente.

«Como gobierno, parece que sancionamos a la menor oportunidad», se quejaba Cheney en 1996, refiriéndose a la continuación, por parte del gobierno de Clinton, del estricto embargo impuesto por la Administración del primer Bush.

Las sanciones de Naciones Unidas permitían algunos acuerdos comerciales con Irak con fines no militares, pero las sanciones de Estados Unidos, bastante más duras que aquellas, prohibían a las empresas estadounidenses, como Halliburton, llegar a ningún tipo de acuerdos con Sadam. Aquello no detuvo a Cheney. «En 1998», según el periodista de investigación Jason Leopold, «Cheney supervisó la adquisición, por parte de Halliburton, de Dresser Industries Inc, la unidad que vendía el equipamiento petrolífero a Irak a través de dos filiales de una empresa mancomunada con otro gran fabricante de equipamiento estadounidense, Ingersoll-Rand.» Según las estadísticas de Naciones Unidas, las filiales europeas de Halliburton todavía estaban vendiendo repuestos al monopolio petrolífero del gobierno de Sadam en el verano de 2000, cuando Cheney fue propuesto para vicepresidente de Estados Unidos. Las filiales de Halliburton quisieron hacer aun más negocios con Sadam, pero dichos acuerdos —para un tipo de equipamiento antiincendios y de material para la reparación de las conducciones con un impacto potencialmente militar evidente— fueron bloqueados por el gobierno de Estados Unidos.

Si Sadam es realmente malvado, —y si él no da la talla, ¿quién si no?— entonces, la confraternización con el mal es una tradición republicana. Unos cuantos estrategas pertenecientes a los gabinetes de asesoría neoconservadores (incluidos algunos que han estado en activo en el gobierno de George W. Bush), celebraron en 1979 el ataque de Sadam contra Irán, y eso aun cuando, al igual que su posterior ataque a Kuwait, se tratara de un acto incuestionable de agresión militar. El análisis estratégico de tales sujetos —sin ninguna base, como siempre— era que la dictadura de Sadam podría proporcionar un control «secular» sobre la potencia de Irán y el fundamentalismo islámico.

Sadam también se equivocó, como siempre. En primer lugar, los iraníes repelieron su ataque; luego, cuando éstos parecían estar a punto de atizarle bien, el gobierno Reagan acudió en su ayuda. Sadam, al igual que en Kuwait más tarde, había perdido la apuesta de aquella agresión. Su estrategia de repuesto para Irán, como más tarde con Kuwait, era agarrarse al poder incluso en la derrota y con independencia de la cantidad de iraquíes que muriesen. Las antenas se desplegaron: Sadam estaba dispuesto a casi cualquier cosa con tal de detener la guerra, excepto, en todo caso, tomarse ninguna molestia.

En respuesta, el ayatolá Jomeini de Irán expresó su disposición a terminar la guerra. Todo lo que pidió a cambio de la paz fue exactamente lo mismo que pidió George W. Bush veinte años más tarde a cambio de suspender su invasión de Irak: el cambio de régimen en Bagdad.

La Administración Reagan se escandalizó ante esta absoluta falta de ética por parte del ayatolá. «Estados Unidos considera que la intransigente negativa del actual régimen iraní a desviarse de su reconocido objetivo de eliminar el gobierno legítimo de la vecina Irak no concuerda con las normas aceptadas de comportamiento entre las naciones ni con las bases religiosas y morales que reivindica», vociferó el ejecutivo de Regan. Lo mismo exactamente podría haberse dicho más tarde sobre la propia «negativa intransigente a desviarse» de su «reconocido objetivo de eliminar» a Sadam Husein de George W. Bush. El comentario socarrón sobre el fariseísmo «moral y religioso» habría sido especialmente apropiado al caso; sin embargo, como es costumbre, el hecho de que George W. Bush hiciera algo transformaba su significado moral. Cuando, finalmente, tiró para adelante e hizo aquello por lo que Estados Unidos había condenado al ayatolá Jomeini por querer hacerlo, el acto se transmutó en un triunfo del bien sobre el mal.

Según un estudio del Archivo de la Seguridad Nacional de la Universidad George Washington, ciertos documentos oficiales desclasificados muestran que la Administración Reagan acudió al rescate de Sadam Husein a pesar de que la inteligencia estadounidense había advertido de que «albergaba aspiraciones nucleares de largo alcance, que, "probablemente", incluyeran "una definitiva capacidad de armamento nuclear."» Los altos funcionarios del gobierno de Reagan también fueron conscientes de que Sadam había «escondido a terroristas en Bagdad, había violado los derechos humanos de los ciudadanos de su país y poseído y utilizado armas químicas contra los iraníes y su propio pueblo.» Nada de esto disuadió a Ronald Reagan de ser amigo de Sadam.

El informe del Archivo de la Seguridad Nacional prosigue: «La respuesta de Estados Unidos consistió en renovar los lazos, proporcionar información y ayudar a garantizar que Irak no fuera derrotada por Irán.» El apoyo a Sadam también incluyó a la madre de todas las fotos protocolarias: el presidente Reagan remitió «a un enviado presidencial de alto rango llamado Donald Rumsfeld para estrecharle la mano a Sadam (20 de diciembre de 1983.) Las fotografías de tan memorable ocasión muestran a Rumsfeld —impecable, eternamente joven y en esa postura torcida tan propia en él— dándole la mano a la personificación del mal y hablando de temas triviales. Y vaya si fue una conversación trivial.

«RUMSFELD NO MENCIONÓ LAS ARMAS QUÍMICAS», como más tarde resaltaría un titular. En parte se debió a que confiaba en animar a Sadam para que dejara construir a Estados Unidos un oleoducto que atravesara Irak. El no ver ni oír ni comentar el mal, tal como muestran los mismos documentos, también estaba en consonancia con «las directrices firmadas por el presidente Reagan, que revelan las prioridades específicas de Estados Unidos para la región: conservar el acceso al petróleo, ampliando la capacidad para proyectar el poder militar en la zona al tiempo que se protegen a los aliados locales de las amenazas internas y externas.»

El fervor de los republicanos derechistas por defender el «gobierno legítimo» de Sadam prosiguió después de que Reagan traspasara la antorcha a Bush padre. Estados Unidos se negó a unirse a la protesta de Naciones Unidos por la reubicación forzosa de alrededor de medio millón de personas en el norte de Irak; también se negó a adoptar ninguna medida contra Sadam después de que éste utilizara el gas tóxico. Antes al contrario, le vendió cerca de cincuenta helicópteros que los iraquíes utilizaron tanto para continuar la guerra contra Irán como para aplastar la resistencia interna.

A pesar del bien conocido apoyo de Sadam al terrorismo, Irak fue borrada de la lista de naciones terroristas del departamento de Estado. Sadam también consiguió subvenciones y préstamos del gobierno estadounidense como parte del rescate republicano. Sadam «ha dejado claro que Irak no está interesada en causar daños al mundo», declaró Rumsfeld más tarde.

Este apoyo a Sadam no tenía nada que ver con combatir el «mal», y sí, a todas luces, bastante con la política de equilibrio de poder en Oriente Próximo y, como siempre, con la política interior de Estados Unidos. Los iraníes, que eran las víctimas de la agresión de Sadam Husein, eran los mismos iraníes que tiempo atrás habían tomado como rehén al personal de la embajada estadounidense y que, de paso, habían acabado con la presidencia de Carter. La subsiguiente «inclinación» hacia Sadam Husein, bajo dos presidentes republicanos, se convirtió más bien en avalancha cuando los suministros y armas cayeron en cascada sobre Irak. Lo más triste de esta política depravada, que siguió vigente hasta el día en que Sadam Husein invadió Kuwait, es que si Estados Unidos hubiera utilizado de verdad el bien y el mal como brújula moral a la hora de negociar con Sadam, tal vez se podrían haber evitado dos guerras.

Hay cierta diferencia entre hacer daño y hacer el mal. Desde que se convirtiera en la mayor potencia del mundo, no cabe ninguna duda que Estados unidos se había encontrado tres veces cara a cara con el verdadero mal en el sentido que lo entendían casi todos los estadounidenses, fuera cual fuese su color político o ideología. Hemos visto lo que ocurrió en los casos de Hitler y Pol Pot. En el de Sadam Husein, Estados Unidos se convirtió en el verdadero cómplice del mal, hasta que el mal, bajo la forma de la invasión de Kuwait realizada por Sadam en 1990, mordió la mano que lo había alimentado y mimado, y ello causó la impresión, por completo justificable, de que ningún acto, por mas censurable que fuera, llegaría a merecer una reprimenda de Estados Unidos. (Incluso las condenas internacionales por la utilización del gas tóxico se habían moderado ante la insistencia de Estados Unidos.)

Cuando Sadam Husein era de verdad la mayor amenaza a la paz de Oriente Próximo y, quizá, del mundo, Estados Unidos no hizo nada para detenerlo y sí mucho para animarlo. Sólo después de que ya no entrañara ninguna amenaza —después de que se le contuviera con éxito, de la misma manera que se encierra a un genio en una botella—, George W. Bush rompió el frasco, derramó el veneno por todo Oriente Próximo y proclamó que era un triunfo del bien estadounidense sobre el mal. Y si se puede sacar alguna lección de todo esto, relativa a cómo la existencia del bien y del mal afecta a la utilización del poder de Estados Unidos, sin duda es una de lo más extraña: la de que uno puede hacer el daño que le dé la gana, pero sin descartar la posibilidad de que, mucho más tarde, los mismos funcionarios o los hijos de los mismos funcionarios estadounidenses que una vez le mimaron, se echen para atrás y le aticen cuando ya no represente ninguna amenaza.

Si se compara lo que de verdad ha hecho Estados Unidos acerca del mal con lo que pretende haber hecho en nombre de la libertad, es imposible no estar de acuerdo con lo que dijo Walt Whitman en el siglo XIX: «Lo que tal cosa significa basta para hacerle reír o llorar a uno. ¡A la de tonterías que ha dado lugar esta frase en el mundo! Se ha creado para significar lo más diabólico y lo más divino de los instintos humanos.» Esas interminables reivindicaciones de que todo lo que por casualidad hacen los estadounidenses viene a ser lo mismo que un triunfo de la libertad, o su defensa o su prolongación, han coexistido siempre con cierta antipatía hacia la introspección que ejemplifica George W. Bush tan bien como cualquier otro político de la historia de Estados Unidos. Desde que entró en la Casa Blanca, George W. Bush ha encontrado tiempo para empujar al Congreso a la guerra, enfrentarse a la ONU, invadir dos países asiáticos y recaudar casi 250 millones de dólares para la campaña electoral de 2004. Pero este presidente no electo, nunca parece disponer de tiempo suficiente para detenerse a considerar con sinceridad las cuestiones que importan a la mayoría de los estadounidenses ni para los esfuerzos por protegerlos: ¿Cómo llegué a meter a Estados Unidos en esta situación tan extraña? ¿Podría haber hecho mejor mi trabajo? ¿Hasta qué punto soy responsable de que durante mi guardia hayan ocurrido una serie de cosas horribles? En cambio, George W. Bush se quita el muerto de encima tras cada metedura de pata.

Sabemos qué pensar de Osama bin Laden, Sadam Husein y Kim Jong Il, ¿pero qué podemos pensar de George W. Bush? Consideremos los acontecimientos recientes de Estados Unidos las veces que queramos; abordemos desde cualquier dirección el problema que representa George W. Bush para cualquier intento de entender las acciones actuales de Estados Unidos en el mundo.

Nos encontraremos volviendo a la realidad de que con George W. Bush en el poder, el comportamiento de Estados Unidos se ha vuelto cada vez más aberrante. La mejor manera de apreciar esta extraviada condición consiste simplemente en preguntarnos cómo reaccionaríamos si el líder de otro país hubiera actuado como lo ha hecho él. Supongamos que el presidente Putin de Rusia hubiera renunciado al Tratado ABM y hubiera invadido Irak. Aun peor, supongamos que China hubiera hecho todo lo que ha hecho Bush, incluyendo el lanzamiento de su propia versión de la «Guerra de las Galaxias»

Más que la mayoría de los estadounidenses —más, incluso, que la mayoría de los presidentes de Estados Unidos— George W. Bush pretende hacer la labor de Dios. Sin embargo, su logro principal ha sido dividir al mundo de manera innecesaria en un momento en el que tenía (como nosotros) muchas cosas positivas que hacer en el mismo y cuando más necesitaba superar sus divisiones —o tolerarlas, en su defecto— y las nuestras propias. En cambio, George W. Bush ha lanzado al mundo una especie de ultimátum permanente, exigiendo que la gente tome sus decisiones no en función de las ventajas de cada caso en particular, sino en función de si George W. Bush y su camarilla se han encaprichado de algo; sean cuales sean sus argumentos, y cuando, donde y por las razones que cuadren en cada momento.

Al actuar con semejante desprecio hacia las instituciones globales y al insultar la inteligencia tanto de amigos como de enemigos, George W. Bush ha traumatizado a la comunidad mundial y originado nuevos peligros para los estadounidenses y los seres humanos en general. Lo más probable, es que el mayor daño en el futuro provenga del hecho de que Bush ha destruido la fe que cientos de millones de personas tenían en la bondad y sabiduría de Estados Unidos. A consecuencia de esto, ha provocado una crisis de la legitimidad de Estados Unidos en el mundo.

El «con nosotros o en contra» es el epitafio de las esperanzas y posibilidades de una era en la que, cuando Estados Unidos se ponía al frente, el resto del mundo lo seguía de buena gana porque confiaba en ellos y los respetaba y admiraba. Sin ningún motivo válido, George W. Bush ha destruido esa confianza y, de paso, aquellas posibilidades. Cuando llegue el momento, su «con nosotros o en contra» debería grabarse en su tumba, de manera que resonara a través de los siglos como el grito de un hombre que no entendió el mundo ni a la dignidad humana y que no tuvo ningún deseo de hacerlo; un hombre al que la comprensión desesperaba y enfurecía.

Lo cierto es que al resto del mundo le trae sin cuidado la constante obsesión de Estados Unidos —personificada de forma tan grotesca por George W. Bush— por comportarse como si el mundo fuera un escenario y todos los actores sobre el mismo o estuvieran con Estados Unidos o fueran malhechores. Otras naciones y otras gentes sí que empiezan a estar hartos de que su comportamiento delirante perturbe sus vidas, sus esperanzas y la sensación de que hay un orden fiable en el mundo. Tras la brillante capa triunfal de superioridad moral de cada país yacen oscuros crímenes, y Estados Unidos no es la excepción. Estados Unidos se fundó como una conquista, y la esclavitud y el genocidio son sus raíces. Es la única nación de la historia, al menos hasta el momento, que ha utilizado armas nucleares contra poblaciones civiles. Y los crímenes continúan. Empezando por Indochina hace cuarenta años, en América Central hace veinte y, ahora, una vez más, en Oriente Próximo, Estados Unidos ha seguido arrasando y saqueando sin una razón objetivamente comprobable.

La gratuidad de los actos de George W. Bush nos lleva de nuevo a la cuestión del mal. Si ser malo o causar daño eran lo mismo que hacer el mal, ese término podría tener una definición aritmética. Es malo matar a una persona; por lo tanto, es un millón de veces peor matar a un millón de personas. En algún punto de la escala —igual que el agua cambia del estado sólido al gaseoso según las lecturas del termómetro—, «equivocado» se convertiría en «malo» y, más tarde, en «malvado». Sin embargo, el enfoque numérico no funciona. Las medidas de Abraham Lincoln durante su presidencia ocasionaron la muerte de muchas más personas que las que provocaron los actos de Nixon. Pero nadie llamaría malvado a Lincoln. Ni siquiera pensamos en asesinos en masa como Gengis

Kan como en alguien malvado, por más que, sin duda, el conquistador mongol matara más gente en Irak que la que pueda llegar a matar nunca George W. Bush. Esto se debe a que el mal, de alguna manera, se define por su aberración. Tanto Gengis Kan como Abraham Lincoln actuaron dentro de un contexto; lo que hace George W. Bush sigue sin venir a cuento.

Si existe una definición objetiva del mal, tiene algo que ver con la gratuidad. Dejando aparte a Pol Pot, ¿quién más, en la historia reciente, conseguiría la consideración mayoritaria de malvado? Sin duda el serbio Slobodan Milosevic es el candidato menos controvertido. Es posible que, de no haber estado en el poder, Yugoslavia hubiera podido hacer una transición pacífica de un Estado comunista a una serie de países independientes. Mucho más probable es que, quienquiera que estuviera en el poder en Belgrado en esa época, los problemas hubieran sido enormes, y el derramamiento de sangre, considerable.

Lo que sí sabemos es que Milosevic hizo cosas bastante peores de lo que hubiera sido necesario. Si lo comparamos con el surafricano F. W. de Klerk, vemos que la calidad moral de los líderes individuales puede influir para bien, aun cuando los regímenes que presidan hayan hecho muchas cosas malas. Afinando un poco más, podemos observar que la inteligencia, sumada a la gratuidad, ha de jugar algún papel en la definición correcta del mal. Aun cuando el zar Nicolás II de Rusia y el rey Luis XVI de Francia llevaron el desastre sobre ellos y sus pueblos, la historia ha decidido que eran demasiado ineptos para ser considerados malos. Al mismo tiempo, uno no tiene que haber sido un estudiante sobresaliente para terminar la carrera en Yale. George W. Bush no tiene excusa para no haberse preparado mejor.

Si el mal tiene un significado objetivo —si no es un atributo que sólo se puede aplicar a los demás— y si se le puede encontrar hoy día en el mundo, lo más seguro es que sea en la persona de George W. Bush. Sólo hay que echar un vistazo a lo que ha hecho y valorar la gratuidad y la astucia —además de la coherencia y la decisión— con que lo ha hecho para ver que si la palabra «mal» define a alguien, es a él.

Hay gradaciones del mal, como lo hay de todo lo demás, claro está. Pero lo que provoca que la mayor parte de la gente se abstenga de decir: «George W. Bush es el mal» es, sencillamente, que da la casualidad de que se trata del dirigente de los Estados Unidos de América, y no de un país árabe o balcánico. Eso, en sí mismo, es una aplicación harto extraña de una doble moral. ¿No deberíamos mantener a los dirigentes de un país altamente civilizado como Estados Unidos en un nivel de exigencia más alto que el de los líderes de países como Serbia e Irak? Con toda seguridad, no deberíamos excusar sus acciones porque sigamos teniendo la esperanza de que, en el fondo, Estados Unidos siga siendo bueno. Antes al contrario, deberíamos aplicar a nuestros dirigentes las mismas exigencias, por lo menos, que utilizamos cuando juzgamos a los presidentes de Serbia o Irak. Eso era a lo que Henry Thoreau instaba ya en 1848, cuando convocó a la manifestación de un deber patriótico y añadió: «Lo que confiere a este deber su carácter urgente es el hecho (...) de que el nuestro es el ejército invasor». El hecho de que el ataque de Polk contra México reportara grandes beneficios a Estados Unidos no puede hacerlo correcto jamás. Parafraseando a Talleyrand, el hecho de que la invasión de Irak por George W. Bush «fuera más que un crimen, fuera un error», tampoco cambia el significado moral de lo que le ha hecho al mundo y a Estados Unidos. Por el contrario, el hecho de que haya actuado como un tonto, agrava aun más lo que ha hecho.

George W. Bush es una lección que hay que aprender, ¿pero quién, entre los estadounidenses, la enseñará o la aprenderá? En ocasiones, los países pierden su norte, y eso es lo que la historia tendrá que registrar: a principios del siglo XXI, en un momento en que tenía el respeto del mundo y disponía de todo su potencial, Estados Unidos hizo caso de una irascible vocecilla que despreciaba a los defensores de la razón y desdeñaba a las voces de la sabiduría. Volviendo la espalda a los desafíos reales a los que se enfrentaba, Estados Unidos abandonó sus honorables responsabilidades y, tozuda y altivamente, se adentró en la jungla.

Al final, sigue siendo inexplicable: la ira, el antagonismo, la necesidad de romper cosas. Tal vez sea el «norteamericanismo» de

George W. Bush lo que, al final, le haga tan antinorteamericano. Se supone que hemos ido más allá de todo ese comportamiento destructivo, que hemos progresado. Esta es la paradoja de Bush y de la complacencia estadounidense que le ha permitido actuar. Ha cambiado el mundo en mayor medida que ningún otro dirigente mundial desde Gorbachov, pero lo ha hecho para peor, y eso no es lo que se supone que han de hacer los estadounidenses. Sin embargo, Bush sigue siendo la prueba viviente de la creencia más profunda e idiosincrásica de todas las de Estados Unidos: la de que si le das suficiente libertad, un hombre puede cambiar realmente las cosas.